中央銀行が終わる日

ビットコインと通貨の未来

岩村充

新潮選書

中央銀行が終わる日　ビットコインと通貨の未来

目次

第二章　来訪者ビットコイン――枯れた技術とコロンブスの卵　51

第四章　対立の時代の中央銀行――行き詰る金融政策とゲゼルの魔法のオカネ　171

第五章　中央銀行は終わるのだろうか――ビットコインから見えてくる通貨の未来　235

中央銀行が終わる日

ビットコインと通貨の未来

はじめに

いま、貨幣の世界では、二つのドラマが同時進行しています。一つは百年以上も前から続く中央銀行という役者たちが繰り広げる金融政策という名の壮大なドラマです。そして、もう一つはわずか数年前に大道芸のように始まったビットコインという名のエスプリの効いたドラマです。この二つのドラマは、今のところは絡み合うことなく進行しているようにみえます。しかし、それはいつまでも続くものではないでしょう。二つは、やがて影響し合い絡み合いながら進行し始めるはずだからです。この本では、そうした貨幣の世界での二つのドラマを対照しながら、そこで起こりそうなことが何かを考えてみたいと思います。

ビットコインはまだ小さな存在にすぎませんが、それでも、今、通貨の世界にビットコインという来訪者が現れたことの意味は大きいはずです。それは、ビットコインが、中央銀行たちが提供する通貨つまり銀行券や、それをベースに作り出された電子マネーなどと呼ばれている決済手段とは異質の「価値の拠り所」を持つ貨幣だからです。外からの来訪者は現在の自分を考えるのにいつも良いヒントを与えてくれますが、ビットコインもその例外ではないのです。

ところで、ビットコインが今までの銀行券や電子マネーたちとは異質の「価値の拠り所」を持つということを納得していただくためには、ビットコインという仕掛けを成り立たせている技術的な構造を理解しておくことは不可欠でしょう。本文で述べることの先取りになりますが、ビットコインを成立させている要素技術そのものは、それほど高度なものではありません。その基本となっているのは、誰が正当な権利者であるかを確認するための技術と、誰がどれほどの量の権利を持っているかを確定させるための技術、この二つだけです。ビットコインでは、権利者確認のための方法として暗号技術を用い、権利量確定のための方法としてブロックチェーンという仕掛けを用います。やや技術的な話になりますが、どちらもビットコインがなぜ通貨のように使えるかということを知るためには分かっておいていただいた方が良いものですので、その説明に本書の三分の一ほどを割くことにしました。聞きなれない用語に多少の戸惑いを覚えることもあるかもしれませんが、そこは細部にあまりこだわらず全体を読み流していただければ、ビットコインとはどんなものであるかとか、それが私たちの貨幣制度にどんな問題を投げかけるものなのかについての意見を持つための一助になるかと思います。

＊　＊　＊

言うまでもないことですが、正しく未来を見通すためには過去を振り返らなければなりません。もっとも、貨幣の過去を振り返るという作業は、今から五年ほど前に同じ新潮選書で刊行した『貨幣進化論』で行いましたから、この本では歴史の話は少しにとどめることにしましょう。前著である『貨幣進化論』では、貨幣は「どこから来て、どこにいるのか」を考えましたが、この本では、貨幣は「今どこにいて、どこへ行くのか」を考えたいと思います。

さて、では、現代の貨幣はどこにいるのでしょうか。何がその問題なのでしょうか。それは何と言っても、日本から始まって世界に広がったデフレという現象、そしてそれがもたらす手詰まり感あるいは閉塞感にどう対するかということだと思います。

これは前著でも書いたことですが、今の世界のデフレ傾向は、一九世紀後半から二〇世紀前半までの大発明と大発見の成果を取り込むことが一巡したこと、言い換えれば二〇世紀経済の大発展を推進した成長エンジンの力が弱まったことによるところが大きいと私は考えています。ただ、そうした成長エンジンの出力低下の影響は、国や地域によっても違います。各国の人口構成いわゆる人口ピラミッドをみると、日本と欧州そして米国はずいぶん違っていることが分かります。要するに日本の人口ピラミッドの形は悪く米国は良いのです。そのことは、政策当局者たちがデフレから抜け出せると思っている度合いにも影響しているはずです。この原稿を書き始めた二〇一五年の夏の時点で、超金融緩和ともいえる状態からの「出口」を探り始め、この原稿を書き終えた二〇一五年末でゼロ金利解除に踏み切った米国連邦準備制度と、そうした「出口」に関する議論そのものを拒否しているかのような日本銀行との違いは、この辺りにもありそうです。

本書では、そうした現代の通貨たちが抱える問題を踏まえて、ビットコインという来訪者がもたらしてくれるものについて考えることにしたいと思います。それが本書のタイトルとして、『中央銀行が終わる日』とあまり穏やかでないものを選んだ理由でもあります。

＊　＊　＊

本論に入る前に引用しておきたい文章があります。少し長いのですが、この本のテーマそのものにつながるものですので書き写させてください。

「われわれの自由社会にとっての問題は、たとえいかなる犠牲を払っても失業が発生することは許されず、その一方で強権を発動する意志もないとすれば、あらゆる種類の絶望的な方便を採用しなければならない羽目に陥ってしまうだろう、という点である。それらのどれ一つを取り上げてみても、長続きする解決をもたらすことは不可能であり、すべてが、資源の最も生産的な活用を深刻に妨げるまでに到るだろう。とりわけ注意すべきは、金融政策はこのような困難に対して、何ら本当の解決策を提供することができない、ということである」

一九四四年の初版刊行以来、フリードリッヒ・A・ハイエクの代表作とされ続けている『隷属への道』（西山千明訳・春秋社・二〇〇八年）からの引用です。現代の通貨システムの悩みは、この最後の一文に要約されているのではないでしょうか。

＊　＊　＊

話を始めましょう。最初は、新しい来訪者としてのビットコインを迎えることになった国際通貨システムの今を大きく眺めてみることです。

第一章　協調の風景——良いが悪いに、悪いが良いに

７か国財務相中央銀行総裁会議は、1986年に東京で開かれたグループ・オブ・セブン首脳会議すなわちＧ７サミット会合で、インフレなき経済成長の促進などを掲げて設立合意された（参加国は米国・英国・ドイツ・フランス・イタリア・カナダと日本)。ちなみに、この会議の設立を決めたサミット会合は、その後のロシア参加以降、Ｇ８と呼ばれるようになったので、現在、Ｇ７と言えば、この財務相中央銀行総裁会議を指すことが多いようだ(こちらにはロシアは参加していない)。なお、ユーロ発足に伴い、ユーロ参加のドイツ・フランス・イタリアは各中央銀行総裁に代わって欧州中央銀行（ECB）総裁が参加するようになった。

一枚の写真があります。右のページです。二〇一四年六月のG7、いわゆる七か国財務相中央銀行会議後での一コマのようですが、笑顔を交わすドラギ欧州中央銀行総裁とイエレン米連邦準備制度議長、そして向かって左側で破顔する黒田東彦《はるひこ》日銀総裁が印象的な一枚です。黒田総裁は、かつて著書『通貨の興亡』（二〇〇五年・中央公論新社）の中で、欧州共通通貨ユーロの「成功（この当時、ユーロは「成功」と思われていました）」に学んで、日本も東アジア共通通貨の結成に向けて行動すべきと力を込めて説いたほどの国際派ですから、こうした中央銀行間協議の場の主役を演じるのに最もふさわしい人物の一人でしょう。笑う黒田総裁の表情には日米欧の政策協議の場で改めて支持された日本の金融政策運営に対する自信があふれているようです。

さて、この写真には強いメッセージが込められているようにも思います。このとき世界を覆っていたデフレ懸念を考えると、それに向かい合って、各国が一致し互いに支えあいながら思い切った金融緩和を進める、それを確認しあったことを象徴するような中央銀行総裁たちの笑顔が揃っているからです。こうしたショットが配信されれば世には安心感が生まれ、つれて人々の経済活動は活発化しそうです。ですから、これは良い写真です。良き政策協調の風景を映した写真と言っても良いでしょう。

もっとも、後から振り返ると政策協調はいつも「良きもの」をもたらすばかりでもなさそうです。この会議の設立母体である先進国首脳会議についてみても、たとえば、一九七八年のボンサミットでは、相対的に力の落ちてきた米国に代わってドイツと日本が世界経済の牽引車になるべきだということが話し合われました。いわゆる日独機関車論です。ドイツ（当時の西ドイツです）はこれに乗らなかったこともあり、日本が事実上単独で機関車役を引き受けることになりましたが、以来、日本の財政赤字が増加の一途をたどったことを知る人は多いでしょう。

この章は、国際協調、とりわけ金融政策の国際協調がもたらす「良きもの」と「悪しきもの」の可能性について考えることから始めたいと思います。あの『マクベス』冒頭の三人の魔女の語りではありませんが、いっときの「良い」が「悪い」になり、また最初の「悪い」が「良い」になった例は枚挙にいとまがありません。この三人の中央銀行トップたちが世界をどこに連れていこうとしているのか、私は気がかりでなりません。それは、この本全体のテーマでもあります。

一　協調か競争か

なぜ協調なのだろう

協調という言葉には、いくつかの反対語あるいは対語があります。私たちが協調を良きものと思うのは、おそらく協調の反対として「不和」とか「反目」という言葉を思い浮かべるからでしょう。しかし、協調の反対として「競争」という言葉を思い浮かべたらどうでしょうか。気分は変わってくるのではないでしょうか。

想像してください。世界を代表する企業の首脳同士、たとえばグーグルとアップル、あるいはトヨタとベンツ、こうした企業のトップが肩を組んで笑顔を振りまいているスナップがあったらどうでしょうか。

歓迎する人ばかりではないでしょう。もちろん、グーグルとアップルが連携したら私たちのインターネット世界へのアクセスはさらに便利になる。トヨタとベンツが一体となって新車を開発してくれたら今よりもさらに魅力的な車が供給されるようになる。そう期待する人もいるかもしれません。でも危ぶむ人だって少なくないはずです。そうした巨大企業同士が連携してしまったら私たちの選択の自由はどうなるのだ。選択の自由がなくなったら企業は結託して自分に都合の良い製品を売り付けに来るかもしれない。そうなったら最悪だと読む人もいるからです。それが、談合や私的独占による市場支配を取り締まる独占禁止法の存在理由です。独占禁止法とは、要するに「私」である企業同士の協調あるいは結託が市場の機能を妨げ私たち消費者の利益を侵すことを防ぐための法律です。

では、なぜ中央銀行同士の協調は歓迎されるのでしょうか。それは貿易とか投資などを通じて結びついている国の中央銀行が、自分の国のことだけを考えて政策運営を行うと他国に思わぬ迷惑をかけるかもしれない、良き政策協調はそれを防いでくれる、そう考えるからでしょう。たとえば、金融緩和は一般に為替レートを自国通貨安の方向に導きますが、そうした景気刺激策は、それで世界経済の発展に貢献するというよりも、他国を踏み台にして自国の経済を底上げするという結果に終わってしまう可能性があります。ときに「失業の輸出」とか「近隣窮乏化策」などと言われる政策効果です。そうした他国を踏み台にした政策運営は国際間の摩擦の原因にもなりかねません。

そう考えると、中央銀行首脳たちの笑顔の理由も納得できたことになります。一国だけで金融緩和に突き進むと「失業の輸出」という批判を受けやすいわけですが、歩調を合わせて緩和に進めばその心配はありません。ですから日本や米国あるいは欧州などの大国たちが金融緩和を進めるためには協調と相互理解が大事なのです。

でも、それだけで良いのでしょうか。政策当局の協調はいつも美しいのでしょうか。

かつてハイエクがいた

かつてハイエクという名の学者がいたことを知る人は多いでしょう。生涯を通じて自由を標榜した論陣を張り続け、あのケインズの論敵として知られている経済学者であり、また思想家としても知られています。そのハイエクが通貨のあり方について主張したのが、通貨を国家のコントロール下に置くな、通貨の発行と流通に「競争」を導入すべきであるということでした。彼の書いていることを引用しておきましょう。出所は彼の一九七八年の文章です。「あまりにも危険でありやめなければならないのは、政府の貨幣発行権ではなくその排他的な権利であり、人びとにその貨幣を使わせ、特定の価格で受領させる政府の権力である」（ハイエク「通貨の選択」池田幸弘・西部忠訳『貨幣論集』春秋社『ハイエク全集Ⅱ―2』より）とあり、続けて「責任ある金融政策をとる国の通貨は、次第に信頼できない通貨にとって代わるようになるだろう、というのがおそら

ジョン・メイナード・ケインズ
（John Maynard Keynes, 1883年〜1946年）

フリードリッヒ・アウグスト・フォン・ハイエク（Friedrich August von Hayek, 1899年〜1992年）

く結論である。金融的高潔さの評判があらゆる貨幣発行者が用心深く守ろうとする資産となるであろう」（同右）とあります。

ハイエクの貨幣についての考えは、この二つのフレーズに尽きているように思えます。見落として欲しくないことは、彼が異議を唱えているのは、政府あるいは中央銀行による貨幣の発行そのものではなく、その「選択」に関する政府の介入であり、具体的には自国の造幣局や中央銀行が発行する貨幣しか使用させせないという法的手段による強制だということです。

ちなみに、彼がこの主張を展開した一九七〇年代というのは、世界が高いインフレに悩んでいた、その最中です。ハイエクは何よりも貨幣価値の持続的減価つまり世界的なインフレに対する根本的な処方箋として、貨幣に関する選択を人々に委ねることを提案していたわけです。人々自身が通貨の選択を行うとしたら、わざわざ減価していく貨幣つまりインフレの進行している国の通貨を持つはずがない、それがハイエクの考えた当時の高インフレへの処方箋だったわけです。

でも、そう言うと、やや不思議な思いをする人もいるかもしれません。貨幣の世界には、グレシャムの法則と呼ばれる有名な格言があるからです。歴史の教科書などでも、「悪貨は良貨を駆逐する」として教えられる格言ですから、知る人は多いでしょう。一六世紀のオランダに駐在し英国王室の債務整理のために奔走していたトーマス・グレシャムは、当時の英王室債務が必ずしも高い信用を得ていないのを見て、これは貨幣の品位が劣ることに理由がある、だからその品位を上げるべきだと進言したという記録があります。しかし、ハイエクの意見は異なっています。彼の議論の根底にあるのは「良貨が悪貨を駆逐する」という考え方でしょう。政府が介入などしなくても、人々の自由な選択に任せておけば自然に良貨が残るはずだという主張だからです。どちらが正しいのでしょうか。

実はどちらも正しいのです。ただし、現実の中でどちらが正しくなるかは、人々が自身の使う通貨を「選択」することの自由を認めるかどうかにより決まります。どの通貨を使うかの選択が自由に委ねられている世界では、人々は減価が予想される貨幣を受け取ろうとはしないでしょう。そうすれば、普通に市場で取引される商品と同じように、貨幣にだって市場原理あるいは自然淘汰の原則が働いて、良い貨幣だけが残っていくはずです。つまり、「良貨が悪貨を駆逐する」ことになります。

しかし、政府により特定の貨幣の受け取りを強制される世界ではそうはいきません。権力による強制から自衛しようとする人々は良貨を退蔵し、できる限り悪貨を先に使おうとするはずでしょう。今度は「悪貨が良貨を駆逐する」ことになってしまうのです。

では、私たちの前にある現実はどちらなのでしょうか。それを考えるために、少しだけ時間をさかのぼって、一九七〇年代に入る前までに存在した固定相場制と呼ばれた通貨制度を振り返ってみたいと思います。

固定相場制から変動相場制へ

現在の国際通貨制度は変動相場制と言われていて、円とドルあるいはユーロなどの主要通貨は自由に取引ができるのが原則です。取引価格のことを為替相場といいます。為替というのは遠い地へ資金を送るときに用いた立て替え払いの仕組みのことだったのですが、これを外国への送金に用いるときには外国為替ということから、今では為替相場と言えば外国為替相場、つまり異なった通貨間での交換レートを指すのが一般的になっています。

さて、その為替相場ですが、現在のように私たちが自由な交換レートで外貨を取引できるようになったのは、そう古いことではありません。その経緯は前著（新潮選書『貨幣進化論』二〇一〇年）でも解説したので繰り返しませんが、一九七一年のニクソン・ショックとも呼ばれる米国の通貨政策の急転回までの世界の為替制度は、固定為替相場制度と言われるものでした。

ところで、その固定為替相場の時代には、私たちは外貨を自由に持つことはできませんでした。もう昔語りになってしまいましたが、かつて一ドルが三百六十円で固定されていた時代の日本人は、海外旅行のたびに「必要なドル」を銀行で円から両替して手に入れ、帰国する都度に「余ったドル」を円へと売り戻させられていたのです。当面の売買の相手は銀行なのですが、最終的には外貨を包括的に管理する政府との間で買い入れたり売り戻したりすることになるよう制度が作られていました。

では、なぜそんな制限が必要だったのでしょう。考えるまでもなさそうです。固定相場あるいは公定相場の維持には、そうした制限が必要だったからです。外貨たとえばドルを自由に使われては円と外貨の間に時価つまり市場価格が発生してしまいます。それでは公定の相場が維持できません。固定相場の時代、ハイエクの言を借りれば「貨幣が交換される比率を制限」していた時代には、国内における貨幣の選択は、人々の自由には委ねられなかったのです。

しかし、そんな制限は変動相場制の下では必要ありません。実際、各国内での外貨流通制限は概ね一九八〇年代の半ばごろには撤廃され、外貨保有制限もなくなっていきます。そして、それとともに始まったのが「通貨価値の維持競争」なのですが、これこそハイエクの主張がかたちを変えて実現したものだと言っても良いでしょう。ハイエクの主張と実際に起こったこととの違いは、その競争のプレーヤーたちが、いわゆる民間の銀行たち同士ではなく、政府あるいは中央銀行たち同士であったというに過ぎないのです。そこで生じたことを描いたのがパネル1です。これを見れば通貨間競争が私たちに何を運んで来てくれたかは明らかでしょう。

そう、世界のインフレは見事なまでに収束していったのです。そして、これこそがハイエクの慧眼を示すものだと言ったら頷いていただけるでしょうか。一九七三年のいわゆるオイル・ショ

パネル１：各国の消費者物価上昇率（５年間平均）

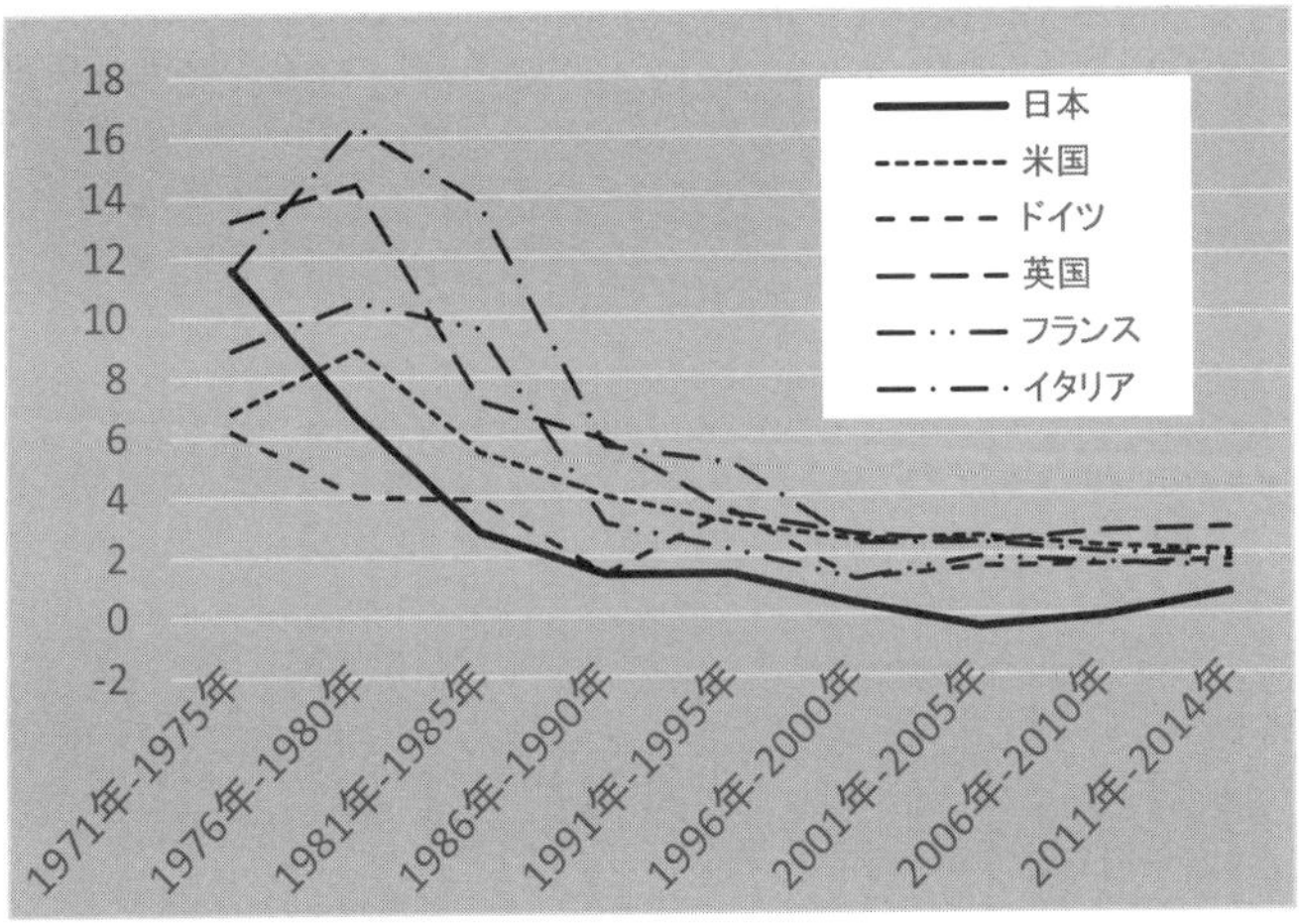

この図は前著『貨幣進化論』でも掲載したものだが表示期間を延長して再掲する。なお、図中1999年までのデータは、マルクス経済学の流れを汲む学者でありながら、当時のデフレの状況を経済全体の構造変化によるものと分析し、そうした大きな流れに逆らって無理にインフレを起こそうとするよりも、労働の側も相応の痛みを分かち合うなどして事態に柔軟に対処すべきと提言した橋本寿朗博士の絶筆『デフレの進行をどう読むか』(2002年3月岩波書店）より書き写し、それ以降のみIMF統計により筆者が補足した。立場を超えて現実に向き合い、独自の分析と提言を行った博士の姿勢には、提言への賛否は措いて頭が下がる思いがする。同書の冒頭には「こうした問題点に気づくのに実は長い期間がかかってしまった。本書を書いていて、なぜ少なくとも五–六年前に同じような文章が書けなかったのかと悔悟のほぞをかむ思いだった」と記されている。橋本寿朗、2002年1月15日逝去。享年55歳。

ックに直撃された世界のインフレ率は、一九八〇年代の前半には危機的なまでに高まりました。しかし、一九九〇年代に入ると世界のインフレは急速に終息へと向かいます。通貨を人々の選択に委ねればインフレは解決するとしたハイエクの主張はここで実現したわけです。もっとも、それは世界がハイエクの主張に賛同したからではありませんでした。そうなったのは、固定相場制維持の主役である米国が金準備の流出に耐えられなくなったからなのですが、結果から言えばハイエクの提言を受け入れたのと同じことが起こったわけです。

でも、それは世界に別の問題を突きつけることにもなりました。インフレなき世界が実現するとしばらくして、世界あるいは世界の中央銀行たちは、再びインフレが欲しくなったのです。良きことだったはずのインフレ克服が、ここで悪いことに転じてしまったわけです。では、なぜ、そんな逆転が起こったのか、それを振り返っておきたいと思います。

二　戻ってきた流動性の罠

財政政策の時代とその終わり

第二次大戦後の長い間、西側世界における経済政策運営の理論的な基礎となったのは、ケインジアンと呼ばれるようになっていたケインズの後継者たちが定式化した経済政策モデルでした。そして、そのケインジアンたちがいわゆる景気対策という文脈で重視したのは、中央銀行の行う金融政策ではなく政府自体が裁量する財政政策の役割だったと言えます。それは、一九三〇年代の世界大不況の経験、具体的には景気の悪化を食い止めるために金融を緩和して金利をどんどん引き下げていくと、ついには金利がゼロにまで下がり切ってしまって、もうそれ以上は金融緩和が効かなくなるという状況に行きついたという経験があったからです。ケインジアンたちは、この状況を「流動性の罠」と呼んで、そうした状況を解決するためには「流動性の罠」にかからない政策手段つまりは財政政策の機動的な運営が必要であると主張したのです。彼らの考え方の概略を次ページのパネル2に描いておきました。

そんなこともあってか、西側世界が米国主導の経済成長を謳歌していた一九六〇年代からそれが曲がり角を迎える一九七〇年代までの経済学の教科書では、景気政策としての経済政策の主役は何といっても財政政策で、金融政策は補助的な役割しか与えられませんでした。一例をあげれば、私が大学で金融論を学んでいたころの教科書には、「一般に不況期には、財の供給の弾力性が大きいとすれば、景気刺激策としては、金融政策にくらべて直接、支出を増大する財政政策の方がその効果が大きいと考えられる」(館龍一郎・浜田宏一『金融』一九七二年・岩波書店)とありました。ここでは、必ずしも「流動性の罠」の問題があるという理由に限定せず、景気対策としての財政政策の金融政策に対する優位を説いていることにも注意してください。

しかし、そうした財政政策重視の経済政策運営はやがて行き詰まります。それは、ケインジアン的な政策運営を行っていた国、とりわけ固定相場制時代の基軸通貨国だった米国で、スタグフレーションと呼ばれる現象が現れてしまったからです。スタグフレーションというのは、スタグ

パネル２：ケインジアンの基本図

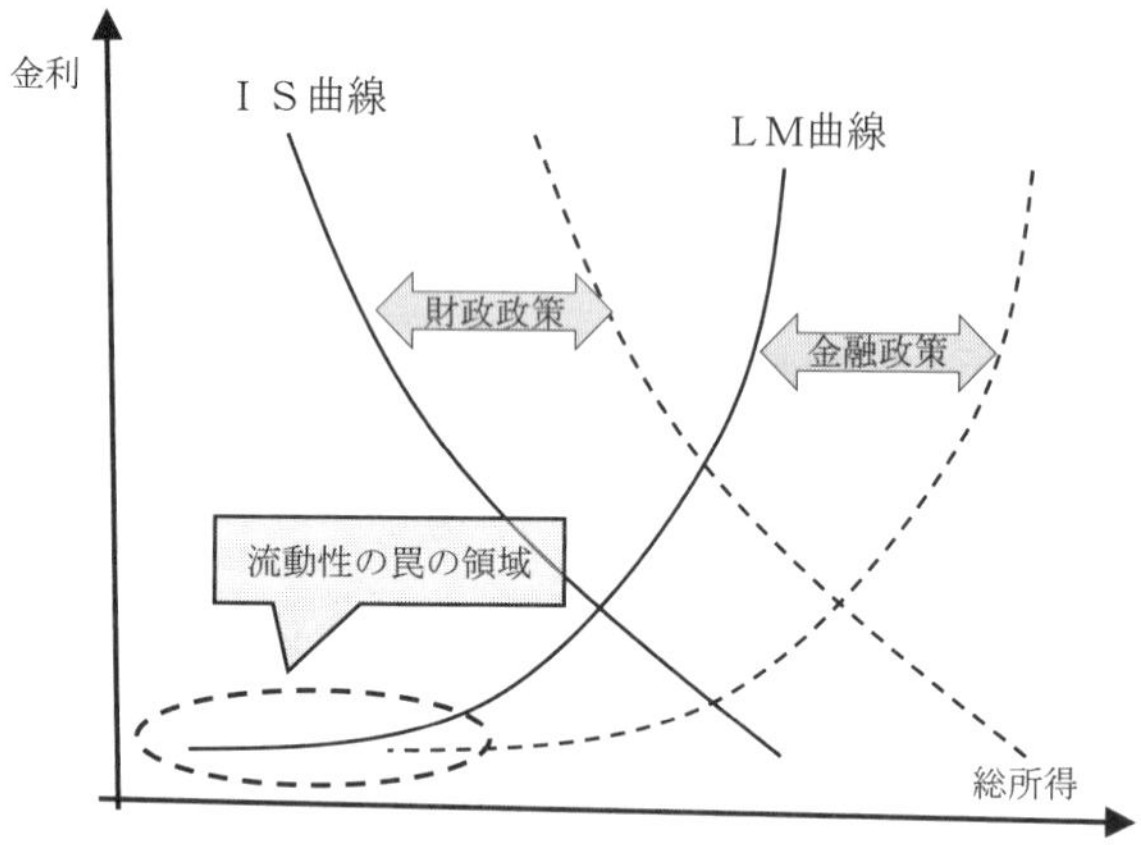

ケインジアンたちは、人々が今日の総所得のうちのどの程度を明日のための貯蓄Ｓに回そうとするかと、企業家たちが金利の動向を見ながらどの程度の投資Ｉを行おうとするかとのバランスで財の市場の均衡条件が決まるとして、それをＩＳ曲線と呼ぶ。この曲線が右下がりとなっているのは、貯蓄が総所得の増加関数、投資は金利の減少関数であると想定されるからであり、この曲線を左右に移動させるのが財政政策である。一方、貨幣の市場の均衡条件は、貨幣の独占的供給者である中央銀行が決定する貨幣量Ｍと、金利および所得に依存して決まる貨幣への需要Ｌとが等しくなることだが、そうした貨幣需要は金利の上昇により抑制される一方で総所得の増加によって膨張すると考えられることから、その均衡条件を右上がりのＬＭ曲線として描き、この曲線を移動させるのが金融政策であるとする。このＬＭ曲線の左下の点線楕円で囲った部分が「流動性の罠の領域」すなわち「金融政策が効かない領域」である。

ネーションつまり不況とインフレーションつまり持続的物価上昇とが同時に起こってしまうという現象のことです。スタグフレーションが現れてしまった原因はさまざまで、ケインジアン的な政策運営がスタグフレーションの原因だと決めつけるのは無理があるように思われますが、こうした現象が現れてくる中で財政による継続的な景気刺激の限界を認識する声が強まったことは事実でしょう。加えて、財政による景気刺激が無コストのものでないこと自体は、そもそも明らかだったという面もありそうです。国債増発などによる景気刺激は確かに「直接、今日の支出を拡大する」という意味での即効性はあるのですが、それは遅かれ早かれ将来の財政負担となって戻ってきます。要するに、財政による景気刺激というのは「将来の豊かさ」の前借であり、現在と将来の交換に過ぎないのです。

それが分かってしまうと、財政による需要増を前にしても（たとえば公共工事の拡大により潤っている企業が少なくないという新聞報道に接しても）、そこで先読みができる人は、こうした財政の「活躍」は財政赤字を累増させ、いずれは増税がやってくる。そのときには財政は景気の足かせになりかねないという理由で、つい浮かれ気分になる自分を戒めようとするでしょう。そうした将来のことを見越した人々の行動が世の主流になれば、財政を通じる景気刺激は無効化されてしまうだろうということは、一九世紀英国の経済学者デイビッド・リカードによって問題提起されていたのですが、この時期になると彼の命題を整理して理論化したロバート・バローの名をも冠した「リカード＝バローの等価定理」として標準的な経済政策理論の一つに数えられるようになりました。こうして、大戦後の一時期は経済政策の主役だったはずの財政政策はその座から降ろされることになります。ここで「良い」と「悪い」の逆転が起こってしまったわけです。

金融政策リバイバル

財政が経済政策の主役の座から降ろされてしまったとき、再び脚光を浴びるようになったのが金融政策でした。何やら消去法で主役に抜擢された脇役のような雰囲気もあるのですが、それを後押しするような「発見」もありました。フィリップス曲線です。

フィリップス曲線は、アルバン・フィリップスという学者が一九五八年に報告した、賃金上昇率と失業率との負の相関に関する経験的な事実なのですが、この賃金上昇率をインフレ率に読み替え、また失業率を景気と置き換えると、インフレ率と景気との間には正の相関がある、つまり、高めのインフレ率を許容した方が景気は良くなるというように読むこともできます。そして中央銀行は貨幣の独占的な供給者であり、ときには「物価の番人」とも呼ばれる存在です。それなら、金融政策をつかさどる中央銀行こそが、物価と雇用との間の調整のカギを握る経済政策運営の主役ではないか、そうした雰囲気が作られていったのです。米国では連邦準備制度理事会の議長の言動が常に注目を集めるようになり、やがて「フェッドウォッチャー」という職業まで誕生します。ちなみに、「フェッド」とは米国の中央銀行に当たる連邦準備制度の略、「ウォッチャー」とは様子を観察し分析する人という意味です。

しかし、それは錯覚ではなかったでしょうか。最初に戻って考えてみてください。ケインジアンたちを悩ませた「流動性の罠」の問題というのは、中央銀行が貨幣供給を増やして金利をどん

パネル3：フィリップス曲線の発見

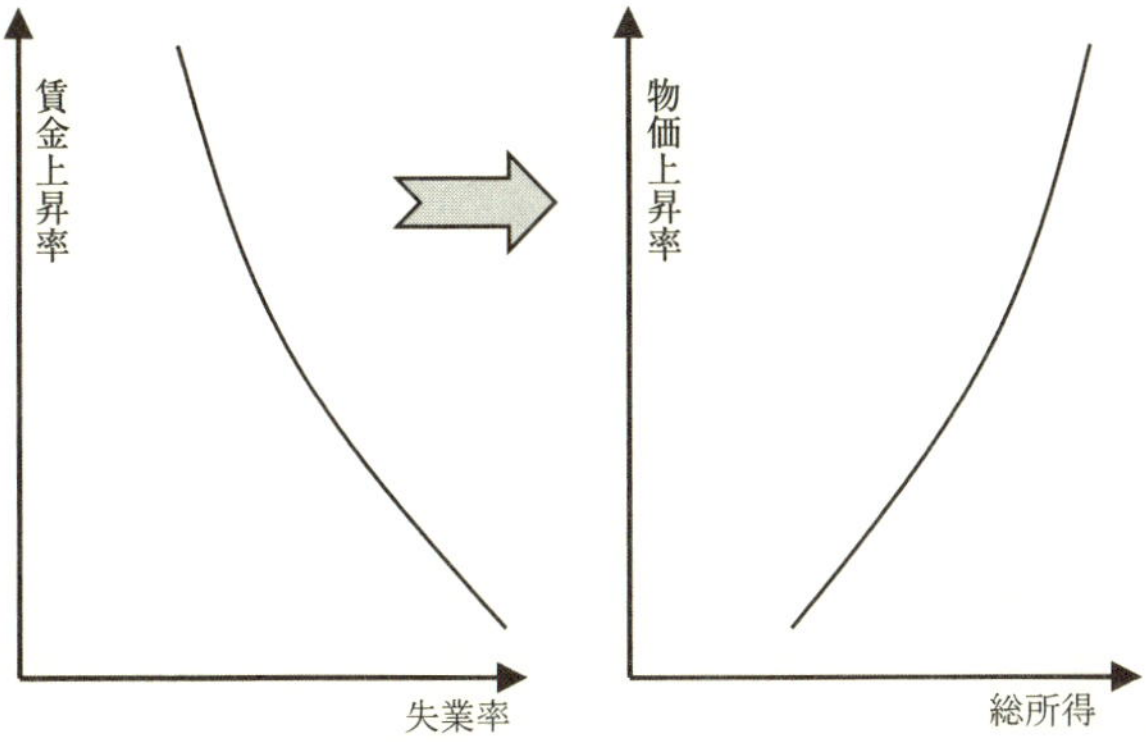

フィリップス（1914年〜1975年）が発見したのは、賃金上昇率と失業率の負の相関だったが、これを物価と総所得の関係に読み替えれば、物価上昇率と総所得の正の相関になる。ただ、それが「物価が上昇すれば景気が良くなる」ということなのか、それとも「景気が良いときは物価が上がりやすい」ということなのかは、フィリップス曲線は事実の「結果」を示すだけのものなので何とも言えない。それがケインジアンたちの「モデル」との違いである。ちなみに、過去の日銀は後者のように理解する傾向が強かったし、現在の日銀は前者の理解に近いように思われる。付言すれば、現在の多くの経済学者たちが共通で支持するのは「物価上昇率に対する期待（上図が示しているのは結果としての事実であって期待ではない）が低くなりすぎると金融政策は効果を発揮することができない」ということであって、これは物価上昇率と景気に関する上記のような因果の議論とは別のものである。

どん引き下げていくと、もうそれ以上は金利を下げることができない、そこで金融緩和の効果は打ち止めになるというものでした。これに対して、フィリップス曲線が示唆しているのは物価と景気あるいは失業率との関係ですから、仮にフィリップス曲線が何らかの因果関係を示しているのだとしても、だからと言って「流動性の罠」の問題から中央銀行が自由になったわけではないはずだからです。

何のことか分からないという感じを持たれるかもしれないので、ちょっとした整理図を描いておきましょう。パネル4を見てください。この図は、いわゆる理論モデルであるケインジアンのIS－LM曲線と、事実の観察結果であるフィリップス曲線を同一の空間イメージの中に描くという大胆なことをしているので、厳密な議論を好む諸兄からは叱られるかもしれませんが、頭の整理のためには好都合なので若干の無理をさせていただきました。でも、これで話の筋は見えやすくなったと思います。いくらフィリップス曲線を研究しても、それだけで私たちがケインジアンたちの「流動性の罠」から自由になったわけでないこと自体はこれで明らかでしょう。

流動性の罠、再現

改めて時代を振り返ってみれば、第二次大戦後の中央銀行たちが「流動性の罠」にかからなかったのは、ただの幸運と思った方がよさそうです。二〇世紀後半の世界は、一九世紀の終わりごろから二〇世紀初頭にかけての科学技術の飛躍の成果を産業に取り入れるのに成功した時代でした。人口動態や自由貿易システムの普及など、今から思えば成長に有利な条件が次々に揃い、あ

パネル４：フィリップス曲線と流動性の罠

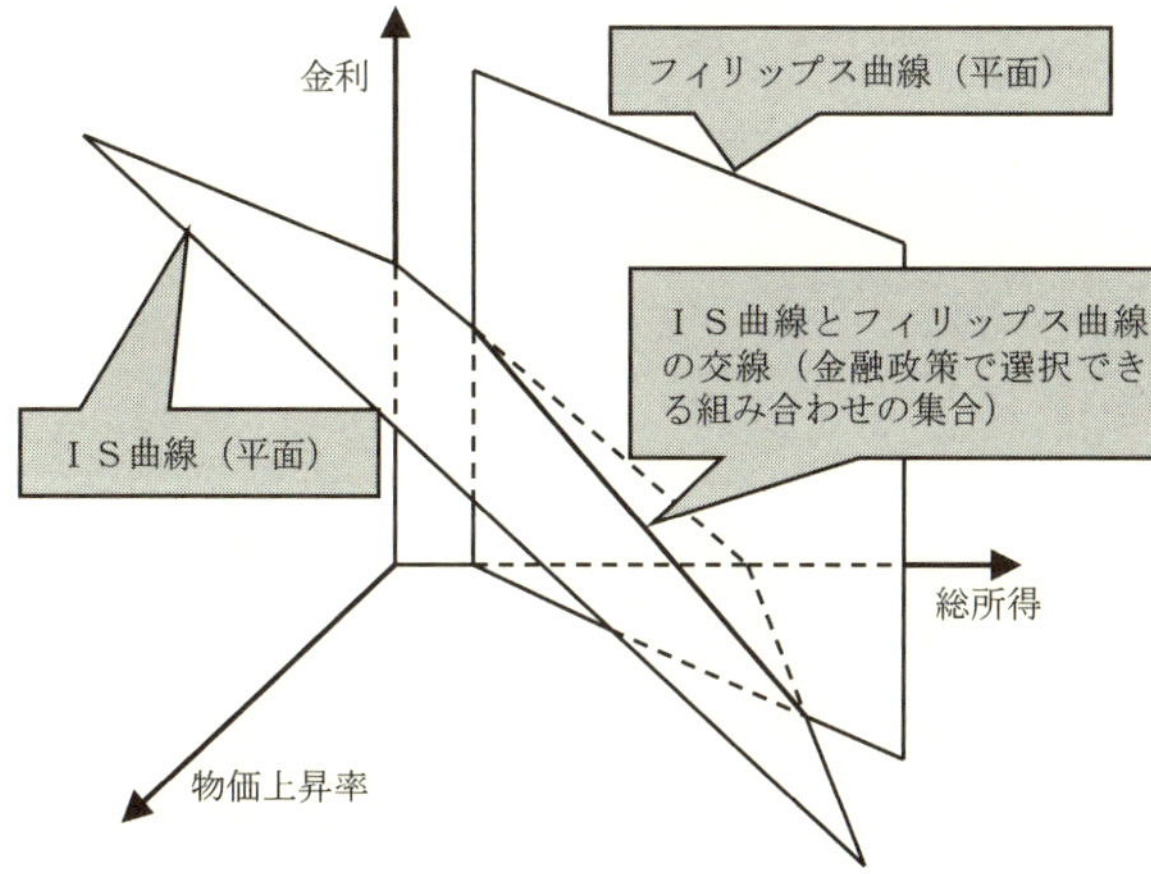

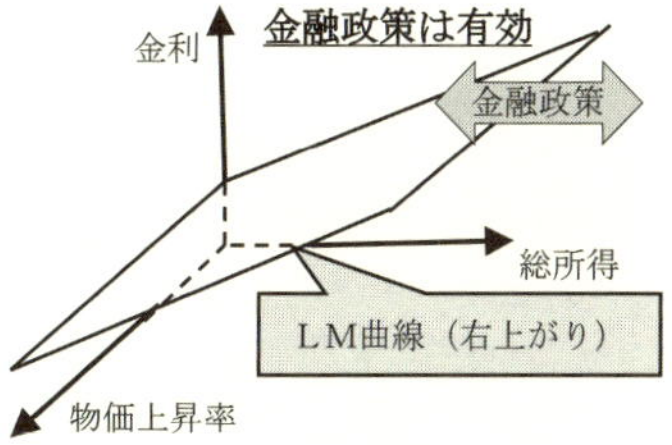

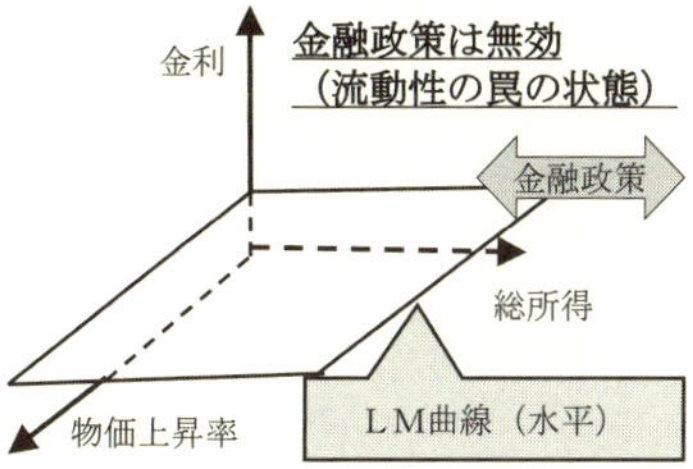

ケインジアンのＩＳ－ＬＭ曲線とフィリップス曲線を同一空間に描くとこのようになる（３次元図では、「曲線」は「曲面」になるはずだが、それでは読み取り難いので、あえて各曲線の特徴だけを残して「平面」で図解してみた）。左の上下２図でＬＭ曲線とした平面を左右に動かすのが金融政策である。

るいは揃い始めた時代だったのです。そうした時代であれば、金融緩和が限界に行きつくという状態など、まず心配する必要はなかったでしょう。この時代を悩ませたのはインフレであり、大不況はすでに過去の記憶でしかありませんでした。その状況が世界で最初に変わったのが一九九〇年代も半ばを過ぎるころの日本でした。

当時、日本はバブル経済後の急速な景気の落ち込みに苦しんでいました。いわゆるバブル経済と呼ばれる現象は一九九一年初頭までの景気拡大とされていますが、東京証券取引所の株価指数などは一九八九年末に早くもピークを記録し、その後は下落局面に入りますから、転換点はもう少し早かったのかもしれません。日銀も一九九一年の夏には金利を引き下げる方向へと政策を転換し、その後も金利の引き下げを続けて一九九〇年代の半ばには一パーセントを切る水準にまで金利を下げ続けるのですが、あまり効果はありませんでした。そうした手詰まり状況を、これは「流動性の罠」の再来ではないかと指摘した経済学者がいました。鋭い分析と旗幟鮮明な政策提言で、その登場の当初から今に至るまで時代のスターであり続けているポール・クルーグマン(1953年〜)です。

クルーグマンは、当時の日本の状況を整理して、これは大恐慌の経験から遠ざかるにつれて経済学者たちから忘れ去られていた「流動性の罠」が再び現れてきているのだと診断し、自身のホームページでのエッセイとして発表しました。一九九八年のことです。

これは反響を呼びました。当事者である日本人が関心を持つのは自分のことなので当たり前なのですが、米国の経済学者にとっても虚を突かれた感だったのではないかと思います。クルーグマンも書いていることなのですが、経済学者というのは時代のことを考え論じるのが商売ですから、時代が変わると関心も変わってしまいます。したがって、第二次大戦後の繁栄とインフレの共存の時代が進むにつれ、彼らが書く教科書でもＩＳ曲線とＬＭ曲線とか「流動性の罠」などというのは片隅に押しやられてしまっていたからです。一九六〇年代あるいは七〇年代の米国に学んだ経済学者が主流だった日本ではともかく、米国の大学や大学院教育ではＩＳ曲線もＬＭ曲線も死語に近くなっていたのです。しかし、さすがはクルーグマンです。スーパースターの一言は世界の状況認識を変えたと言っても良いと思います。

エッセイのタイトルもふるっていました。何しろ「Ｉｔ's Ｂａａａｃｋ」と始まっていて、その後に「日本の不況と流動性の罠の再来」というような意味の言葉が続くのです。「Ｂａｃｋ」でなく「Ｂａａａｃｋ」となっているのに参ってしまいます。雰囲気だけで訳せば「わわわわわ、流動性の罠が戻ってきたーっ」とでもなるのでしょうか。英語のネイティブでなければ書けない表現ですが、どうかするとふざけていると言われかねない表現を普通に使って読者にアピールできるところが彼のすごいところでしょう。

もっとも、ふざけているような印象があるのはタイトルだけで、後の分析は冷静で的確です。彼は、日本が忘れられていたはずの「流動性の罠」に陥った理由として、まず日本の人口動態をあげています。これに異論を唱える人は今では少数派でしょう。そして、肝心の「罠から脱するための処方箋」なのですが、これについて彼は、日銀が金融政策運営において許容するインフレ率について、もっと長期的な視野から柔軟な態度を取ればよい、そうすれば、そもそも「流動性の罠」は名目金利の世界で起こっている問題なのだから、世の中のインフレ期待が上振れすれば、日本は自然と「罠」から離れられると提言してくれています。

こうしたクルーグマンの提案について日銀の反応はどうだったかというと、その説明の仕方はともかく、やったことは提案に近いものだったと思います。日銀はクルーグマンのエッセイが出た翌年の一九九九年の四月には、その年初に開始したゼロ金利政策について、これを「デフレ懸念の払拭が展望できるような情勢になるまで続ける」と宣言し、いわゆる「時間軸政策」を開始します。時間軸政策は、要するに「流動性の罠」にかかって動きが取れない状態にある金融政策の運営において、今では不足している緩和の効果を将来から借りて来る政策のようなものですから、これはクルーグマンの提言に近いものだったと私は思っています。でも、それは大した効果を持ちませんでした。

時間軸政策が大した効果を持てなかった理由については、いろいろな意見があるでしょう。私自身は、これは第四章で説明することの先取りになりますが、日本が経験したようなデフレに対しては、いくらやり方を工夫しても金融政策では事態を変えるのは基本的に難しいということが根本的な原因だと考えています。時間軸政策で将来から豊かさを借りて来ると言っても、それが効果を持つためには、人々が未来は豊かになる、今の苦しさを補うために前借りできるほどの富が将来にあると信じていなければいけません。その条件が満たされなければ、時間軸政策によって金融緩和効果を補強しようとしても、大きな成果は期待できない、せいぜい「流動性の罠」に陥った金融政策が人々の経済活動に対するブレーキになってしまう度合いを抑制するぐらいの成果しか得られないでしょう。

ちなみに、こうした政策の限界についての意識は、当時の政策担当者や経済学者に共有されていた面はあったと思います。時間軸政策を推進していた日銀の総裁職を二〇〇三年に引き継いだ福井俊彦は、しばしば「金融政策は魔法の杖ではない」と漏らしていたようですが、それも金融緩和とは、しょせんは将来の豊かさの前借りであり、無から有を生み出すものではない、そういう中央銀行の伝統的あるいは正統的な政策観を象徴するものだったのではないでしょうか。

しかし、そんな中央銀行の姿勢を生温《なまぬる》い、事態はもっと単純だ、金融緩和策が効かないのは日銀の姿勢が中途半端なせいだ、もっと数字を大きく掲げて世に訴えれば、中央銀行は貨幣の発行者なのだから、インフレ期待ぐらいは起こせるはずだと説く人もいたわけです。

それで、日本はどちらを選んだでしょうか。後者です。クルーグマンの指摘から少なからぬ紆余曲折を経た十五年ほど後のことになるのですが、いわゆる「異次元緩和」は、そうした文脈で登場し拍手をもって迎えられたわけです。さて、この選択は成功するでしょうか。私は、かなりの懸念と少しばかり醒めた予想を持っています。

もちろん、日本の選択は正しいものだったかもしれません。また、そうした選択を後押しするような議論もありました。なかでも、流動性の罠に陥った日本の状況をみて、そもそも物価は貨幣的現象のはず、日銀は何を迷っているのかと見事なほどに分かりやすい提言を行った高名な経済学者の存在などは大きかったように思います。その学者が、かつてのケインジアン全盛時代には不況期における金融政策の一般的限界を説いていたことをも思い起こせば、なるほど、これが新しい経済理論なのか、中央銀行が貨幣供給を増やしさえすれば、いとも簡単にデフレから脱却できるのか、そう多くの人が信じたのも無理からぬことでしょう。

私たちにとっての問題は、そう簡単には日本はデフレから脱却できなかったことなのですが、その理由についての議論に、ここではまだ深入りしないことにしましょう。苦しい状況が続けば続くほど「必勝の信念」を説く指導者を待望するという傾向は、世界史的にも日本史的にも珍しいことではありません。私が気になるのは、異次元緩和という決断が拍手をもって迎えられたということ、そうした拍手を生み出した「時代の雰囲気」の方です。

三　閉じた選択肢の前で

異次元緩和の登場

決定というのは二者択一だ、何があるか見えない暗闇に向かって跳躍するのに似ている、そう言われることがあります。この「暗闇への跳躍」というのは国際私法の先生が適用準拠法の選択などについてしばしば使う喩で、暗闇に向かって跳ぶのは怖い、でもどこかへは跳ばなければならない、どこにも跳ばないのは最悪だというようなときの選択問題を喩えるのに適切な言葉でもありますから、この言葉を使うことにしましょう。金融政策というのは、公共政策選択のなかでも、とりわけ「暗闇への跳躍」という色彩が強いように思います。増税はするが弱者には配慮するというような財政政策でしばしば用いられる器用なメニューは金融政策の世界では作れないのです。金融政策には基本的に緩和か引き締めかの二通りしかありません。結果のすべてを見定めずに向かう方向と速度とを決めなければならないというのが金融政策というものなのです。

日本は、思い切った金融緩和、自身が名付けたところの「異次元緩和」を掲げる黒田日銀総裁を選択しました。正確には、まず大胆な金融緩和を掲げる安倍晋三政権を国民が選択し、その安倍政権が黒田総裁を選択したのですが、そうした選択が広汎な時代の支持を集めた以上は、これは日本が行った選択と言っても良いでしょう。

二〇一三年の三月に就任した黒田日銀総裁が、その一か月後の四月に打ち出した異次元緩和の内容は、①物価上昇率目標は2%、②目標達成のめどは2年、そのために、③マネタリーベースは2倍に、④日銀保有国債の平均残存期間も2倍以上に、という具合に最初から最後まで「2」が並び、分かりやすさもアピール性も抜群と評価されました。ここでマネタリーベースとは、要するに日銀券等の貨幣発行高と民間銀行の日銀預け金の合計額で、これを二〇一二年末の百三十八兆円から二〇一四年末には二百七十兆円に増やすというのが、黒田総裁の異次元緩和なるものの中核でしょう。要するにゼロに張り付いた金利のわずかな動きを見つめながら政策を実行するよりは、日本銀行自身の貨幣供給の「量」を金融政策の中核に据えるというものです。確かに、これなら「流動性の罠」のような面倒な議論を迂回して、金融緩和を進める中央銀行の決意の固さをアピールすることができそうです。

もっとも、そうした政策に実質的な効果が出るかどうかは分かりません。ただ、中央銀行として思いきった緩和を進めることにした、その姿勢を強く示したというのが重要な点です。そこが「異次元」と、それまでの日銀ではまず使わなかった形容を政策に付した理由だったのでしょう。こうした金融緩和を「量的緩和」とも言いますが、また従来の金融政策の枠組みにとらわれない政策という意味を込めて、「非伝統的金融政策」などという言い方がされることもあります。

ちなみに量的緩和とは、一般に「リーマン・ショック」などと呼ばれる二〇〇八年の金融危機について、当時の連邦準備制度がとった対応策を、彼らが「Quantitative（量的）」な「Easing（緩和）」と呼んだことによるものです。米国の場合は、それがいつのまにか、金融危機に対応したショック緩和剤としてではなく、デフレ脱却の処方箋に進化あるいは変質してしまったところに意義も問題もあると言えるのですが、そうした進化あるいは変質後の金融緩和手法に「異次元」という形容を与えて使ったところに、黒田総裁の独特の表現の才があるのかもしれません。

分かり切った話かもしれませんが、一般に「異次元」と言えば、今まで考えていた「縦」と「横」の軸に加えて「高さ」の軸を導入するというような意味で使うのでしょうが、日銀の異次元緩和は要するに「何でも2にする」の政策ですから、いわば同軸上で距離とか大きさとかを二倍にするというような政策で、それを異次元というのはどうも変です。でも、そんなことにこだわっていたら、世に影響を与えることはできません。問題は効果です。その効果はあったでしょうか。

効果はあったと思います。ただし、効果とは、多くの経済学者が窮屈なモデル分析で定式化を試みてきたような景気や物価への効果ではなく、世の人々の心に直接の影響を与えたという効果です。人々の心理、とりわけデフレの被害者という意識が強かったと思われる企業経営者の気分は大きく変わりました。株式市場にも活気が戻ってきます。もっとも、肝心の物価目標については、二年間という時間の中ではまったく達成できていません。この辺りをどう見るべきかについては多くの議論のあるところですが、この本ではあまり突っ込まないことにしましょう。私が気になっているのは、異次元緩和という決定が拍手をもって迎えられたということ、それが人々の気分を変えたということ、そうした「良い」反応の背後にある「時代の雰囲気」の方です。

もう引き返せない、か?

行動経済学とか実験経済学と呼ばれる分野があります。比較的新しい分野です。それまでの経済学が「合理的経済人」の選択を基本として理論を構築するのに対して、行動経済学では、実際に生活をしている人に頼んで彼らにボランティアとしての被験者になってもらい、そこで一定の状況を与えてどんな選択をするのかを観察し、そこから人々の行動や選択の中にある「合理的経済人」とは異なる心や行動のバイアスを発見しようとするところに特色があります。

行動経済学の創始者ともいわれるカーネマンとトベルスキーは、彼らの実験を通じて多くの「心のバイアス」を報告していますが、なかでも有名なのは、人々が「豊かになる方向」を展望しているときと、反対に「貧しくなる方向」を展望しているときでは、リスクに対する反応が逆になる可能性を示唆する実験でしょう。彼らの観察結果は、人々は自分が豊かになりつつあると自覚しているときには、リスクを避けながら確実に豊かさを掴むことを選ぶ、つまり通常の投資

パネル5：心のバイアスと心の呪縛

イスラエル生まれのカーネマン（Daniel Kahneman, 1934年〜）とトベルスキー（Amos Tversky, 1937年〜1996年）は、1979年発表の論文で次のような比較実験で観察された「心のバイアス」を報告している。
第1実験：サンプル集団に1000イスラエルポンドを配分済みの状況で、
　選択肢A：50%の確率で富を2000ポンドに増やすこと
　選択肢B：100%の確率で富を1500ポンドに増やすこと
のどちらを選択するか問うと、16%がAを選択し84%はBを選んだ。
第2実験：同じ集団に2000イスラエルポンドを配分済みの状況で、
　選択肢C：50%の確率で1000ポンドを失うこと
　選択肢D：100%の確率で500ポンドを失うこと
のどちらを選択するか問うと、69%がCを選択し31%はDを選んだ。
ところで、選択肢Aと選択肢Cはいずれも50%ずつの確率で1000ポンドか2000ポンドの富の保有状態が実現し、一方、選択肢Bと選択肢Dは必ず1500ポンドの富の保有状態が実現する。つまり、被験者集団は「豊かになる方向」にあるときと「貧しくなる方向」ではリスクとリターンの関係について反対の状態にある選択肢を選んでしまっていることになるわけだ。さらに言えば、後悔を避けようとする心の動きは、進みつつある悲劇をさらに悲劇にする原因にもなりやすい。王を暗殺して王位に就いた将軍マクベスは「ここまで踏み込んだからには引き返せない、渡り切ってしまおう、もう考えないことにしよう」という意味のことを夫人につぶやくことになる。これは「心の呪縛」だろう。画像はオーソン・ウェルズの映画『マクベス』(1948年)から。

理論でいうリスク回避者として慎重に行動するが、自分が貧しくなる可能性に直面すると、相当のリスクを冒してでも現在の豊かさが維持できるチャンスに賭ける傾向が出てくると解釈することが可能だからです。

私が気にしているのは、こうした「心のバイアス」が生じるのは、投資における態度に限ったことではないだろうということです。国の将来について国民の多くが手詰まり感を感じているとき、このままではジリ貧だという恐怖を感じているときは、こうした「心のバイアス」が共有され、後から考えれば不可解なほどに無謀な決定が熱狂的に支持される、支持しないのは国を愛していないからだなどという雰囲気が出来上がってしまうことは、世界そして日本の歴史でも珍しくなかったように思います。昭和という時代に入り始めたころの日本、そして一九四一年の夏から冬にかけての日本の時代思潮には、そうしたバイアスがとりわけ濃かったように思いますが、異次元緩和に対する拍手もそうしたバイアスによるものでなければよいと思うのは私だけではないでしょう。

そしてもう一つ。この行動経済学でよく指摘される心の動きに、「後悔の回避」というのがあります。人は後悔したくないという強い感情を持っていて、その結果、たとえば冷静に考えればこだわらない方が良い状況でも、さしあたり後悔をしなくても済む決定を選びがちになる、たとえば、失敗しかけている投資の損切りを分かっていても回避する、そうした傾向が出てしまうなどというものです。これは誰にでも経験があるでしょう。だんだん悪くなる状況の下で、状況が悪くなるからこそ「もう引き返せない」という心理に陥ってしまうという「心の呪縛」の経験は、多くの人に珍しくないはずです。

もちろん、「もう引き返せない」という心の動きには、決定の効果を高める面もあるはずです。シェイクスピア描くところのマクベスは「引き返せない」とつぶやきながら悲劇の道を突き進んでしまいますが、「賽は投げられた」と言って将兵を鼓舞したジュリアス・シーザーは英雄になることができました。ですから、これは結果論です。今の世界の中央銀行たちの行動が、無事に世界を成長軌道に乗せるという意味で成功になるのか、緩和あるいは異次元緩和を止めるに止められない状況に陥ることになるのか、あるいは市場の期待の突然の反転で財政破綻や急激なインフレというような事態にまで至るのか、そこを結果が出ていない今の時点でいくら論じても論証も反証もできません。その限りでは、異次元緩和を打ち出した際に、「今は出口を論じるときではない」と言い放って、先々のことの議論に応じなかった黒田総裁は、ことの本質を良く分かっていて、しかし、だからこそ、大きな賭けに出ていたようにも思えます。

不安の少数派たち

しかし、ここで通貨の将来という観点から見落として欲しくないことがあります。自分の将来について「貧しくなる方向」を見通しているときのカーネマンたちの実験結果でも、少数派ではありますが相当数の被験者たちは、現在の豊かさを維持するチャンスがある賭けの方ではなく、冷静に「静かに貧しくなる」ことを選んでいます。しかも、これは実験の結果に過ぎません。もしこれが実験ではなく、自身の全財産がかかるほどの大きな選択だったら、彼らはもっと慎重になっていた可能性があります。もちろん、全財産がかかる選択だからこそ、現在の豊かさにすがり付こうとする人が増えるかもしれませんが。ただ、いずれにしても、一定の条件の中で多数派がどう選択するかということと、そこに多数とは別の方向を志向する人たちがいるかどうかは、そもそも別の問題だということに私たちは注意しておく必要があるでしょう。ここに金融政策を自由な経済体制における普遍的政策要素と位置付けることの本質的困難があると私が考える理由があります。

貨幣は一般に強い外部性を持っています。外部性とは、他の人が行った選択が自身の選択の良し悪しに影響してしまうことです。貨幣は決済に使われます。決済に使われるということは、取引の相手方が受け取ってくれないような貨幣は、貨幣として役に立たないということでもあります。やや意地が悪い言い方になりますが、経済政策あるいは景気政策としての金融政策とは、そうした貨幣の外部性に乗じて人々を一定の方向へと追いやろうとする政策であると言うこともできるでしょう。

私たち日本人は円がなければ暮らせません。米国人はドルがなければ暮らせないでしょう。それは日本人の誰もが千円札の図柄になっている野口英世を良く知っているからではなく、また米国市民の全員が十ドル札のアレキサンダー・ハミルトンを尊敬しているからでもないでしょう。千円札がなければ買い物に不自由だし、十ドル札がなければタクシーに乗れないからです。では、千円札や十ドル札をどんどん印刷すれば、それで人々は多く買い物をし、頻繁にタクシーに乗るようになるでしょうか。あるいは、その千円札や十ドル札が手元に潤沢になかったら、買い物も

パネル６：日銀券発行高の推移

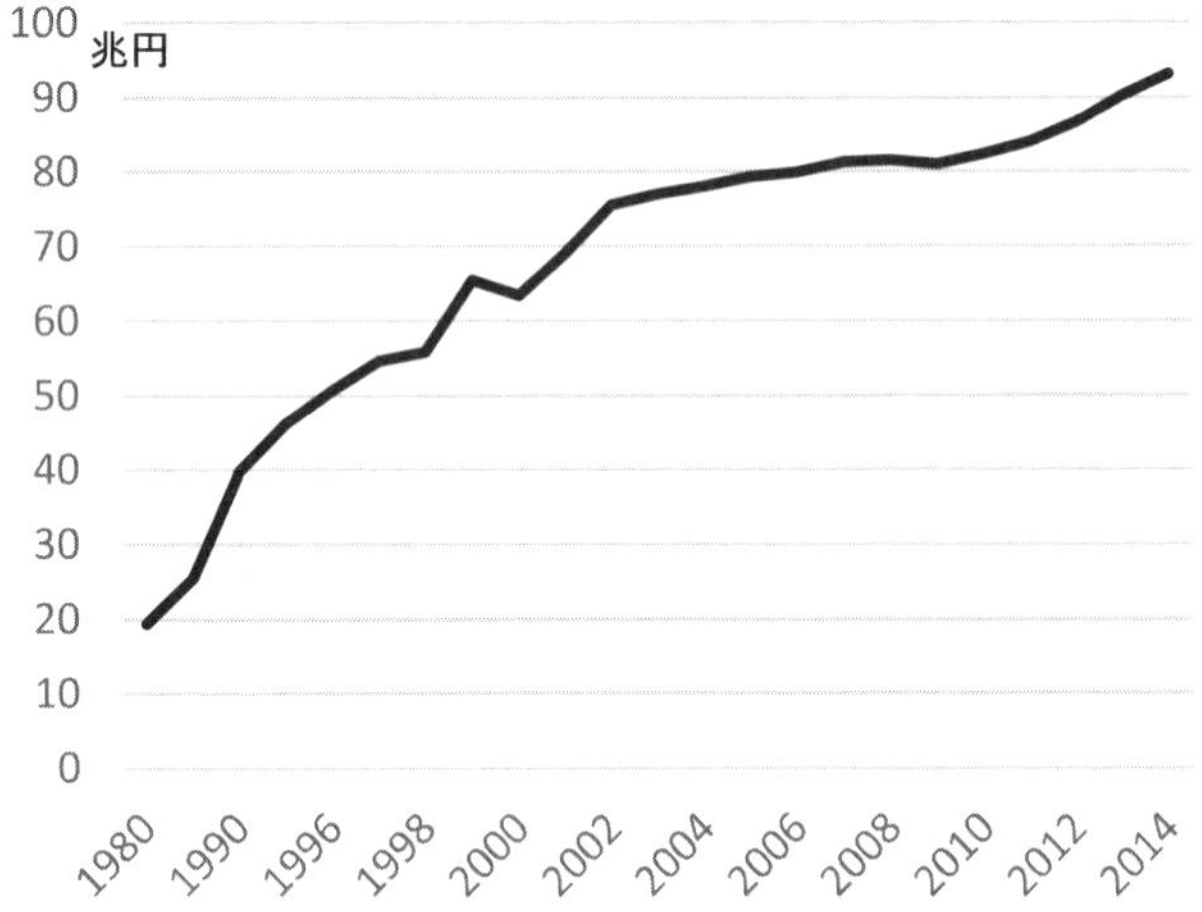

日本銀行券の発行残高はバブル経済が発生する前の 1980 年ごろには 20 兆円をやや下回る程度だったが、バブル経済の崩壊とそれに対応するための大規模な金融緩和により急増、今では 100 兆円に迫る勢いである。30 年弱の間に 4 倍以上に増加したことになるが、この間の消費者物価の上昇率（30 年間で約 28%）と人口増加率（30 年間で 10%弱）を考えると、これは異常な増加ぶりである。ちなみに、2014 年末の日銀券発行残高 93 兆円を日本の人口 1 億 2 700 万で割ると、1 人当たり 73 万円、4 人家族なら一家で 290 万円もの銀行券を、文字通りの「現ナマ」として持っていることになるが、それはあり得ない話だろう。日銀券は日々の生活とは別の理由で誰かが大量にしまい込んでいるのだ。

タクシー利用も控えようとするでしょうか。そんなことはないでしょう。

私たちが財布の厚みを膨らませるためには、いくら金融の大緩和の最中でも、銀行に預けてある預金を引き出したり、持っている国債を売ったりしなければなりません。百万円の預金を引き出せば財布は厚くなりますが、預金通帳の数字は減ってしまいます。中央銀行が千円札や一万円札をどんどん刷っても、それで私たちが豊かになるわけではないのです。中央銀行が刷り増した千円札や一万円札を私たちが自分の財布にしまうためには、持っている国債や株などを中央銀行にどんどん売らなければなりません。財布にお札があるということは、その人が豊かであるということとは別の問題なのです。単なる貨幣の量的な積み増しは、それだけでは世の景気に何の効果もないはずなのです。

もっとも、いつも効果がないとは限りません。私たちが住む世界に大きなパニック的事態、たとえば大災害とか大規模な金融危機など、そうした事態が発生して、預金が引き出せなくなるかもしれない、国債を売ろうとしても売れなくなるかもしれないという不安が急増殖するようなときには、大量の中央銀行貨幣の供給は意味を持ちそうですし、実際、そうした見方を支持する研究成果も少なくありません。

でも、そうした事態にない経済での異常なほどの貨幣供給増は、別の不安の方を刺激しそうです。要するに、現在の超金融緩和からの出口は、中央銀行首脳たちが望むような「しつこいデフレ」から「緩やかなインフレ」への切り替わりではなく「急激で不連続な貨幣価値下落」への移行になってしまうのではないかという不安です。これは今のところは少数派の不安です。そうした不安を覚える人々が多数派になっていたら、状況はすでにその方向へと変わってしまっているでしょう。ですから、今は少数派の不安です。

しかし、少数派は少数派なりに、自分を守るために行動するはずです。それは、どんな行動でしょうか。彼らは何を選択するでしょうか。

閉じた選択肢の前で

一つの選択肢は貨幣の外の世界への逃避です。預金や国債などの貨幣表示の資産から、不動産や貴金属そして株式などの非貨幣表示資産に逃げ出すのです。これは当たり前の行動でしょう。実際、これらの資産の価格は世界中で大きく高騰しました。それを「バブル」という人もいます。

ただ、今の世界の状態は、バブルというのとは少し違うようです。バブルというのは、自己増殖的な期待の連鎖、要するに、他の人が買っているから自分も買う、皆が買っているようなら値上がりするだろうから自分も買う、という期待の連鎖から資産価格が連続的に上昇する状況のことです。ところが、今の量的緩和あるいは異次元緩和後の世界で起こっているのは、そうした期待の連鎖からの資産価格上昇ではなく、リスクを溜め込み始めた貨幣からの逃避として起こっている資産価格上昇のようにも見えるからです。

もちろん、今の資産価格上昇にバブルの要素がないとは言えません。一般に、「資産」は、食料や衣料あるいは自動車や電化製品などのような「財」と違って、新たな資源を投入しても簡単に増産できるわけでなく、その一方で、消費され地上から消えてしまうのでもなく、いつか再び市場に戻ってくるという性質を強く持っています。ですから、そもそも資産価格は上方にも下方にもバブル的な期待の連鎖を起こしやすいのです。そのため、過去の有名なバブル、歴史に残るオランダのチューリップ・バブルや英国の南海泡沫事件、そして私たちの記憶にある一九八〇年代日本の不動産株式バブルや、二〇〇〇年に崩壊したＩＴバブルなど、多くのバブルは、その対象となった資産の将来についての期待の膨らみから始まり、それを懐疑的にみる人の数が臨界点を超えたときに崩壊しています。

しかし、今回の資産価格上昇は様相がやや違うでしょう。それは手に手を取ってデフレをインフレに逆転させるというメッセージを発し始めた中央銀行たち、彼らが握る国際通貨体制という名の貨幣の世界からの逃避の最初の一歩なのかもしれないからです。

今までの世界であれば、中央銀行のやることに不安を覚えた人が選択する行動は、もう一つありました。自分勝手に不安の海に乗り出し始めた中央銀行が提供する貨幣の船を降りて、他の中央銀行の船に乗り換えればよいのです。要するに、円の将来に不安を覚えたらドルに、ドルにも不安を覚えたらマルクに、などと通貨を乗り換えればよかったのです。変動相場制というのは、それを可能にする通貨システムです。つまりは、貨幣の世界にとどまりながら、他の貨幣へと逃げればよいのです。

ところが、この章の冒頭で示した協調の風景は、そうした選択肢が閉じてしまっていることを示す風景でもあります。もちろん、かつての固定相場制が戻ってきたわけではありませんから、自国通貨から外貨に乗り換えるのは自由です。しかし、そうした通貨を提供している中央銀行首脳たちが仲良くカメラの前に並び、政策の歩調を揃えるのだと声高に宣言し始めたら、もはや通貨の乗り換えは意味を持ちません。選択肢は事実上閉じてしまっている、しかも、異次元緩和とか量的緩和などという非伝統的金融政策を続けるという方向で、選択肢が閉じてしまっているのです。そのとき不安を覚える人は何をするでしょう。株や不動産あるいは貴金属も解決策の一つでしょうが、もっと貨幣に近いもの、しまっておくにも持ち運ぶにも便利なものを探す人も出てくるでしょう。そうした不安の行き先になったのが、今までとは違う種類の貨幣、中央銀行たちが提供するのではない新しい貨幣だったように私は思っています。

次章では、ビットコインのことをお話しします。

第二章　来訪者ビットコイン——枯れた技術とコロンブスの卵

ビットコインの仕組みを見ていると「コロンブスの卵」の話を連想してしまう。1492年にスペインからインドを目指して船出し、翌年に見事帰還したコロンブスに対し、「船に乗って西へ行くだけなら誰でもできる」となじる者があり、対して彼は「あなた方はゆで卵を立てることができるか」と問いかけ、誰も立てられないのを見届けてから、卵のはじを少し潰して卵を立ててみせた。すると、また「それなら誰でもできる」という声が出たのを見計らって「私がやった後なら誰でもできる」と応じたというあの話である。ビットコインも、それが動くのを見た後なら、同じようなものを誰でも作れるようになった。図は18世紀英国の画家ウィリアム・ホガースが描く「卵を割るコロンブス」。

東地中海にキプロスという島があります。ビーナス誕生の神話で知られ昔からギリシャと深い関係にあった島ですが、一時はオスマントルコの支配下にあったこともあり、政治的には多数派ギリシャ系住民が主として居住する南部と、少数派トルコ系住民が多く住む北部とに分離しています。国際的に広く承認されているのは南部のキプロス共和国の方で、この地域は文化的経済的にはギリシャの一部とみなされてきました。通貨も、二〇〇一年に欧州共通通貨ユーロに参加したギリシャに追随し二〇〇八年からはユーロになっています。このキプロス共和国の金融事情に異変が起こったのです。二〇一三年春のことでした。

キプロス共和国の最大の産業は観光なのですが、ユーロに参加して以降は、低税率を売りものに海外とりわけロシアからの資金を集め、いわゆる金融立国を目指す路線を進んできました。それが裏目に出てしまったのが原因でした。もっとも、海外からの資金を集めて金融立国を目指していた国が躓くことは、二〇〇八年のアイスランドなどの例もあり驚くほどのことではないのですが、キプロスはユーロに参加してしまっていたので、問題がややこしくなりました。

ユーロに参加していなかったアイスランドは、銀行を国有化しましたが、自国通貨クローネ建ての預金そのものは保護できました。また、クローネが危機で大きく値下がりしたことも貿易収支の改善を通じて事態打開に役立ったはずなのですが、共通通貨ユーロに深入りしてしまっていたキプロスはそういきません。このため、支援に入ったＥＵと欧州中央銀行そしてＩＭＦとの条件交渉は難航しましたが、結果として、銀行預金課税という方法、つまり銀行が預かっている資金の一部を国が取り上げ、それで損失を穴埋めするという方式が採用されることになったのです。

考えてみれば、アイスランドで自国通貨クローネの価値が大きく値下がりしたということは、結局はクローネ建て預金を持つ預金者たちに金融立国失敗のツケを払わせたことになります。これに対して、ユーロに参加していて自国通貨切り下げという手が使えないキプロスでは、銀行預金課税という方法で強制的に預金者にツケを払わせたのだと考えれば、両者に大きな差はないとも言えるかもしれません。

でも、人はなかなかそう考えないものです。自国通貨の価値が下がったとき、それで自分が世界の他の人より貧しくなってしまったと悲しむ人もいますが、これで景気が良くなると喜ぶ人だって少なくありません。自国通貨の下落は単なる災厄とは受け取られないのです。しかし、預金を国に力で取り上げられるとなると話は別でしょう。これは誰にとっても災厄にほかなりません。キプロスも混乱に陥りました。その混乱の中で「異変」が起こったのです。それはキプロスの銀行が海外から大量の資金を預かり運用していたことにより増幅されました。

銀行課税の話が広まると、預金者とりわけロシアからの預金者は何とか逃げ出そうとしました。ロシア政府がキプロスの銀行課税を非難したことも預金逃避に勢いを与えたようです。そうしたとき、当局による海外送金監視の網の目を逃れて資金を国境の外に持ち出す方法として浮上したのが、そのときまではインターネットで遊ぶのが好きなオタク族の玩具のようなもの、貨幣遊びのようなものとみられていた「ビットコイン」だったのです。ビットコインの価格は急上昇しました。それが、玩具だったはずのビットコインが、本当に使えることに多くの人が気付いた、その瞬間だったでしょう。

キプロスの金融危機でどのくらいの規模の資金が実際にビットコインを乗り物にして島から脱出したかは分かりません。でも、貨幣のことを考える立場からすれば、ビットコインが玩具ではなく貨幣として使える、しかも国境に関係なく相当の資金を動かすのに使えるということが分かった、そのことの方に大きな意味があります。

この章では、そのビットコインについて考えることにしましょう。ビットコインは、いくつかの危機の材料を抱えながらもほどほど安定を享受していたかのようにも見えた国際通貨制度への突然の来訪者だったわけですが、そのビットコインの仕組みを分析すると、だんだんそれが奇異なものに見えなくなってきます。来るべくして来た来訪者のようにすら思えてくるのです。そして、いつものことながら、新しい来訪者を迎えることは、現在の自分自身をよりよく理解することに繋がります。

一　ビットコインの要素技術

枯れた技術の水平思考

ビットコインは、サトシ・ナカモトという人物の名前で、二〇〇八年にインターネット上に掲載された文書を基礎とするシステムです。

もっとも、この日系の名を名乗る人物が、どうもその名前では実在しないようであるばかりでなく、彼が単独の人物なのかグループなのかも分かりません。また、ビットコインというシステムがこの文書をもとに生まれたのか、その反対に、何らかの人またはグループによるプロジェクトが先にあって、つまりインターネット上で使えて現金的な性質を持つシステムを作ろうとする試みが先にあって、その試みに結果が出そうになった段階で、その意味や内容を説明する文書をサトシ・ナカモトという名で世に出したのか、そのどちらかも分かりません。ちなみに、ビットコイン関連のビジネスに取り組む人たちは、この文書を「ホワイトペーパー」と呼ぶことが多いようですが、訳すと「白書」になってしまって、これではお役所が出す年次報告書のようなものと紛らわしいので、この本では、これを「ナカモトペーパー」と呼ぶことにさせてください。

さて、このビットコインについて、これを先端的なテクノロジーと天才的な数学理論の所産と評価をする人がいますが、それは違うでしょう。ビットコインの特徴は、良く知られた常識的な理論と技術を、いわば「コロンブスの卵」のようなアイディアで組み合わせ、今までは誰も気が付かなかった使い方をしてみせたところにあると言った方が良さそうです。

繰り返しますが、ビットコインの要素技術は、先端的な科学技術や数学ではありません。でも、それが良いのです。

常識的な技術というのは、長い間にわたって多くの人が使って来た「試されたテクノロジー」です。技術系工学系の人たちが言う「枯れた技術」です。枯れた技術の良いところは、すでに多くの人が使っているので、誰にでも分かりやすく、その活用に時間も費用もかからず、しかも隠れた欠陥が少ないところにあります。

ビットコインの面白いところは、そうした既存の概念や技術を組み合わせて、いわば「コロンブスの卵」的なアイディアから、今まで貨幣の電子化のようなものを追いかけてきた人には思いつかなかった、これまでとは趣の違う新しいプロダクトを世に出すことに成功したその思考法にあります。

こうした「コロンブスの卵」のような思考法を「水平思考」と名付け、その重要性を指摘して一世を風靡したマルタ生まれのエドワード・デボノという学者は、著書の中で「英国の国防省の調査によると、最近、開発されたもののほとんどが、実際には何年も前に当然開発されていてよかったものだったという」(白井實訳『水平思考の世界─電算機時代の創造的思考法』講談社・一九六九年)と書いていますが、ビットコインもその典型のようなものでしょう。ビットコインの仕組みを観察して整理すると、そこで使われている基本的な要素技術は、現在の世界で広く使われている普通の暗号技術と、その暗号技術の親類のような関係にあるともいえるハッシュ関数という普遍的技術だけだということに気が付くはずです。システムとしてのビットコインを理解するためには、この二つの技術の基本を押さえておけば十分なのです。

暗号の始まり

暗号というと何を思い浮かべるでしょうか。あの「ニイタカヤマノボレ」でしょうか。日本の対米英開戦のサインになったこの文字列は「使い捨て暗号」などと呼ばれるもので、一度使ったら二度と使えないし、また事前に取り決めておいた内容しか伝えることができません。これに対して「換字」あるいは「転置」などと呼ばれる操作を繰り返して、その換字や転置を決める数値さえ秘密にしておけば、どのような文字列でも暗号化できるという考え方から組み立てられた暗号もあります。

たとえば、アルファベット表の上で指定された数だけ文字を後ろにずらす、というやり方でも「暗号」を作ることができます。今でも名作とされるスタンリー・キューブリック監督の作品『二〇〇一年宇宙の旅』（一九八六年）には、「ＨＡＬ」という名の知性を備えた超コンピュータが登場しますが、この名を、当時のコンピュータ業界で圧倒的な存在だった「ＩＢＭ」という社名をアルファベット表上で二十五文字分の後ずらしで得た「換字」による文字列だと考えれば、これも暗号の一種となります。また、映画ではここまでやっていませんが、もし暗号化後の文字列を三文字セットで一字分だけ位置を後ろ送りすれば、文字列は「ＬＨＡ」となります。これが「転置」です。

こうした暗号化手法のうち、アルファベット表上の換字の部分はジュリアス・シーザーが使ったという伝説があることから「シーザー暗号」と呼ばれるものですが、もちろん、こんなやり方では簡単に解読でき過ぎて実用にはなりません。ただ、このシーザー暗号には、現在に至るまで暗号技術の基本概念であり続けている「暗号化のやり方」と「暗号化に使う数値」という二つの概念の分離などが含まれていて説明には便利なので、例として取り上げました。

ちなみに「暗号化のやり方」、この場合なら「アルファベット表上での後ずらし」のことですが、これを「アルゴリズム」といい、暗号化に使う「数値」（この場合なら二十五文字の後ずらしですから「二十五」です）のことを「鍵」と言います。また、暗号化する前の文字列のことを「平文」と言い、暗号化した後の文字列のことを「暗号文」と言います。ちなみに実用になる暗号アルゴリズムでは、暗号化前の平文に何らかの癖のようなものがあっても、暗号文では癖が消えていることが条件になります。エドガー・アラン・ポーの『黄金虫』には換字方式の暗号が登場しますが、この暗号は文字の出現頻度解析から対応文字を探し当てられて解読されてしまいます。こうした解読が可能では実用になる暗号ではないわけです。

ところで、こんな簡単な換字と転置の繰り返しでも、その手順を大きな数表を使って定義し、さらに、それを何回も繰り返して実行すると、そのやり方によっては、もとの平文の「癖」がほとんど消えるまでに攪拌が進んでしまって、解読が極めて困難になることが知られています。第二次世界大戦前あるいは戦中に軍用や外交通信用として使われていた機械式暗号機というのはほとんどがこの原理を利用したものでした。

換字とか転置というのは、基本的に通信機の歯車の組み合わせやローター（回転盤）と言われる換字機構などに置き換えることができるので、こうした暗号通信機が開発されたわけです。また、それと同時に、敵方の暗号を必死で解読するという「暗号戦」も始まりました。この時代までは、暗号とは基本的に軍や政府などの巨大組織で開発し運用するものだったのです。

パネル7：機械式暗号機エニグマ

機械式暗号機として最も有名なのは、1918年に初期型が開発され第二次世界大戦中のドイツ軍が広汎に運用していた「エニグマ」だろう（採用台数は3万台と言われている）。エニグマは、タイプライター式のキーボードに平文を打ち込むと、それが3枚のローターの作動により暗号文に変換されるという換字式暗号なのだが、どのローターをどの順で暗号機に組み込むかということと、ローターの初期状態および使用履歴（ローターの状態は暗号機を使用する度に変化する）が鍵として作用するので、原理そのものが解析あるいは推測できたとしても、傍受した暗号通信から平文を推定できるわけではない。ただ、それだけでは暗号機やローターが敵方に捕獲されると解読が容易になってしまうので、ドイツはプラグボードという電気式の鍵設定システムを追加して機能を補強していた。エニグマは、ポーランドの数学者マリアン・レイェフスキによる数学的解析を軸に、電子計算機の原理の発明者として知られるアラン・チューリングらによる並行的な鍵探索による候補鍵の絞り込み、さらには沈没したUボートからの暗号機と暗号書の捕獲などによって最終的には解読されるが（連合軍はエニグマが解析できていることを大戦を通じて極秘としていた）、そこで決定的な役割を果たしたレイェフスキの解析成果が英仏情報機関に秘密裏に開示されたのが1939年7月末で、その約1か月後の9月1日にドイツ軍がポーランドに侵入し第二次世界大戦が始まったわけだから、連合軍側からみれば実に際どいタイミングである。写真はロンドンの戦争博物館に展示されているエニグマ。

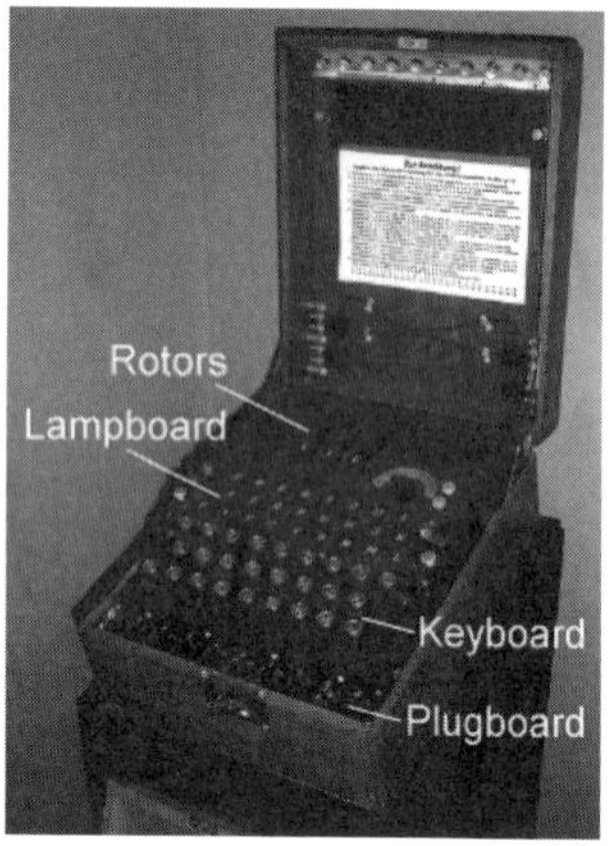

計量的安全性という概念

そんな「軍や政府のもの」だった暗号を商業や金融業に役立てようと考えたのが第二次大戦後の米国政府です。米国は一九七三年に「商業用標準暗号」のコンペつまり公募を行い、応募して合格したIBM社のDESという名のアルゴリズムを一九七七年に正式規格として採用し一般に利用可能としました。ここで、公募の条件としたのが「アルゴリズムの完全公開性」と「鍵の秘匿による計量的安全性」の保証でした。要するに、暗号の計算方式つまりアルゴリズムには秘密の部分があってはならず、暗号の安全性（解読困難性）は十分な多様性のある鍵の秘匿だけに依存し、かつ、その安全性は解読可能確率として数字で示されなければならないという意味です。

これは画期的でした。何しろ「暗号」という名の通りで、暗号と言えば隠すもの、人には教えないものというのが常識だった時代です。暗号アルゴリズムに秘密があってはいけないなどというのは、当時の人たちにとっては十分すぎるほど驚きだったはずです。ところが、コンペに合格したDESはこの条件を満たしていたのです。

DESは、コンピュータのプログラムで実行され、六十四ビットの鍵を使って換字と転置を何度も繰り返し、最終的には平文の癖をほぼ完全に取り除いた暗号文を作り出す暗号アルゴリズムです。このため、DESで作られた暗号文を解読するためには、鍵の全部の組み合わせを片端から試していく以外にほとんど方法がありません。ここで、試すべき鍵は、見かけ上は六十四ビットなのですが、そのうちの八ビットは他のビットから計算できる冗長ビットなので、実際に試す必要があるのは五十六ビットの組み合わせ、つまり二の五十六乗通りの鍵だということになります。なぜ、こんな冗長ビットが設定されているのかということの裏には、民間向けの暗号でも最大限まで強力な暗号を作り出したいという設計側の意識と、強すぎる暗号を誰でも使えるのは困るという安全保障当局のせめぎ合いがあったようで、その物語もなかなか面白いのですが、ここではその話に入り込みすぎないようにしましょう。ともあれ、DESを解読するのに試すべき鍵は二の五十六乗通りある、ここがポイントです。

それなら簡単だ。コンピュータでどんどん試せばよい、とそう考えるでしょう。そうです。その通りです。でも、二の五十六乗というのは、なかなか手ごわい数なのです。

たとえば、一つの鍵に当たる五十六桁の任意の二進数が本当に鍵になっているかどうかを百万分の一秒でチェックできたとしましょう。しかし、二進数五十六桁を十進法に直すと七の後にゼロが十六個くらいつながる数になりますから、一つの鍵を試すのが百万分の一秒でも、全部の鍵を試し終わるのには二千年くらいはかかる勘定になってしまいます。まあ、そんなに時間をかけなくても、試し計算が最大値の半分くらいまで到達したころには平均的には暗号を解読できるでしょうから、それならDESに使われている一つの鍵を発見するには平均で千年かかるはずという評価が可能だという計算になります。これで「DESは千年安全です」という怪しげなキャッチコピーができました。

断っておきますと、この「千年安全」というのは間違った評価です。コンピュータの演算速度はどんどん速くなっていますから、たとえばそれが「一年半で二倍（このくらいが今までの経験則のようです）」というものだとしたら、それは「十五年で千倍」に相当します（二の十乗は概ね十の三乗に等しいのです）。ですから、DESの安全性というのは、十五年もすれば一年程度で解読され、三十年もすれば八時間程度で解読される程度にまで落ちてしまいます。

要するに、この「千年」というのは吹っかけなのですが、でも、こうして数字で評価できるということは、とりわけ暗号を民間の取引で使おうとするときには大事なことになります。何しろアルゴリズムの方は公開されているのですから、取引にトラブルが生じたときには、鍵がきちんと管理されていたかどうかが決め手になります。きちんと管理できているはずなのに、そこで暗号が解読できないとあり得ないような嘘や抜け駆けが生じていたら、千年はともかく百年に一度とか十年に一度とかでしか起こらないような偶然が生じたとしか言い逃れできないことになります。そんな言い逃れはまず通らないでしょう。これなら、民間の取引における秘密保持や不正の防止には十分に役立ちます。こうした暗号の安全性評価基準を「計量的安全性」と言います。

ちなみに、現在の世界ではDESはほとんど使われていません。一つは、いま説明したようなコンピュータの性能向上に対応するために計量的安全性をさらに高めた、しかし動作原理はDESと大きくは変わらない次世代暗号への移行が進んだからなのですが（そうした暗号の多くはDESの改良系で、AESなどという名で標準化されて、DESに代わって広く使われています）、もう一つの理由は、換字と転置によるのとはまったく異なる原理の暗号が登場し、暗号技術の用途が大きく広がったからでもあります。それが「非対称鍵暗号」とか「公開鍵暗号」といわれる暗号技術の登場でした。DESやAESのような暗号技術は、この「非対称鍵暗号」と比較するときには、「共通鍵暗号」と呼ばれることもあります。

データに署名する技術

一九七八年、米国のコンピュータ学界誌に「デジタル署名と公開鍵暗号について」という論文が掲載されました。これは衝撃でした。インターネットを通じた論文照会などない当時なのに、前年に発表されていた彼らの研究成果に対し四千通ものコピー請求があったという話が残っています。書いたのは、ロナルド・リベストとアディ・シャミアそれにレオナルド・エーデルマンというマサチューセッツ工科大学の三人です。彼らが作り出した暗号アルゴリズムは、三人の頭文字を取ってRSA暗号と呼ばれるようになりました。RSA暗号は今でも広く使われています。それがどんなものかは数字例で示した方が面白いでしょう。

たとえば、何でもよいのですが、程々の大きさの数字を適当に思い浮かべてください。仮にその数字が「三十」だとしましょう。これを七乗つまり七回ばかり同じ数の掛け算をして七十七で割って余りを計算すると「二」になるはずです。

そこで問題です。ここで、計算に使った「七」と「七十七」そして計算の答である「二」だけを知っていて、元の数字である「三十」を言い当てることができるでしょうか。それは何とかなるでしょう。片端からいろいろな数を試してみればよいのです。たとえばあなたが律儀な人で、最初の「一」から検算を始めれば、三十回目には答えの「三十」にたどり着くでしょう。でも、実はもっと簡単に答を見つける方法があります。それは「二」を四十三乗して七十七で割って余りを取ればよいのです。そうすれば一度の計算で答の「三十」を見つけてしまうことができます。

ウソだと思ったら試してみてください。普及品の電卓一つで確かめてもらうことができます。理由は、要するに「七」と「七十七」そして「四十三」という数の組み合わせは、もともとこうした性質を持っているからなのです。

そんなことあるかと思ったら、「三十」と「二」の代わりに、いろんな数を入れて、また試してみてください。どんな数を入れても、同じことになることが確かめられると思います。これはちょっと不思議な数の組み合わせですね。そこで、どうしたらこんな数の組み合わせを作れるのか。それを説明しておきましょう。

ここで大事なのは実は「七十七」という数です。種明かしをすると、この数は適当に選んだ二つの素数、具体的には「七」と「十一」を掛け合わせて作った数なのです。そこで「七十七」のもとになっている「七」と「十一」から「一」を引き算して、その答同士つまり「六」と「十」を掛け合わせて積の「六十」を計算し、これと「互いに素」になる数を適当に選びます。ちなみに「互いに素」とは、最大公約数が「一」という意味です。選んだのが「七」だとします。今度は、この「七」と掛け合わせて、その答を「六十」で割り、そこで余りが「一」になる、そうした条件を満たす数を探します。簡単に見つかります。そうした数の一つが「四十三」なので、これを選んで「七」や「七十七」とあわせて「鍵」として使うのです。

RSAの論文というのは、こうした数の組み合わせが、大きな素数を探し出しさえすれば、いくらでも作り出せるということを、比較的簡単な数学の定理を使って証明したものです。使う素数というのが、右の計算例での「七」と「十一」なのですが、実用的にはもっと大きい何十桁何百桁というような素数を使うことになります。

ちなみに、彼らが使った比較的簡単な定理というのは「フェルマーの小定理」というもので（実は、これとは別に「フェルマーの大定理」というのもあります、こちらは見かけは簡単だが証明は非常に難しいという困った代物です）、どのくらい簡単な定理かというと、高校から大学の理科系に進んだ新入生が、おそらくは教養課程あたりに配置されている数学科目の整数論というような講義で最初に習う定理がこれのはずですから、要するに高校数学レベルで理解できる基本的な定理なのです。それほど基本的な定理を使って、すごいことを考えたというのが、彼らの論文にコピー請求が殺到した理由でした。RSAのやったことは、ちょっとした感動ものだったのです。それは、こうした暗号アルゴリズムがあれば、面白いことができる、今までの共通鍵暗号ではとてもできないことができるということが、彼らの発表の前年、ホイットフィールド・ディフィーとマーティン・ヘルマンという二人の学者によって提唱されていたからなのですが、RSAの三人は、これを簡潔な証明が可能な数学的アルゴリズムとして具体化し、かつその印象的な使用法を強調する論文に仕上げました。少し具体的に説明しておきましょう。

こんな状態を想像してください。まず「私」がRSAのアルゴリズムを使うための鍵のペアを作成します。そしてペアになった鍵の片方を「みんな」に知らせてしまうのです。知らせる方法は新聞に広告を出すのだとでも想像しておいてください。「みんな」に知らせる方の鍵を「公開鍵」、そして知らせずに自分だけが持っておく方の鍵を「秘密鍵」と呼ぶことにしましょう。

そうすると面白い状態が起こります。まず、「みんな」は誰でも「私」に暗号化したメッセージを送りつけることができます。送りたいメッセージを「私」の「公開鍵」で暗号化すればよいのです。そうすると、その文章をたとえば街角の掲示板に張り出しておいても、中身を実質的に読むことができるのはペアの「秘密鍵」を持っている「私」だけになります。

これは、なかなか「すごいこと」です。シーザー暗号以来の伝統的な暗号技術では、暗号通信を始めるのには、通信をしようとする者同士で一対一での鍵設定の手続きが必要でした。しかし、この暗号技術なら、その手続きは無用です。「私」は私だけの準備で暗号通信を利用できるようになるからです。この原理は、今でも普通に使われています。インターネットを使ったショッピングやバンキングのサイトにログインすると、「この通信はSSLで保護されています」というような表示が出ることがあるでしょう。あれは、この原理で通信を暗号化して盗聴透視されないようにしていますよという意味です（本当はもう少しややこしいことをしているのですが省かせてください）。

ところが、この暗号技術はもう一つの使い方ができます。「私」が自分だけに取っておいた「秘密鍵」で何かのメッセージを暗号化して、「みんな」のうちの誰かに送りつけるのです。中身は「今日の夜にどこそこで会いましょう」などという艶っぽいものでも良いのですが、「あなたからウン千万円の借金をしていますが何月何日にお返しします、返せなかったら自分の住んでいる家屋敷を取られても構いません」という味気ないけれども、書いてあることは重大という借用証文のようなものを想像した方が分かりやすいでしょう。大事なことは、この「デジタル借用証文」は、メッセージの相手方だけではなく、そうしたメッセージを見せられさえすれば、公開鍵を知っている「みんな」が理解でき、しかも、そのメッセージの作り手が「私」であることを確信できるということです。これは、紙の文書の世界における印鑑や署名の効果と同じではないでしょうか。なぜなら、こうした効果が存在すれば、あの証文を無視して借金を踏み倒してやりたいなどと思ってもうまく行きません、「私」が公開している鍵を使って意味のある文章が読み取れるという事実が、その文書の作成者が私であることを証明してしまっているからです。これが「デジタル署名」の原理です。

もちろん、こうした公開鍵暗号の信頼性は「公開鍵から秘密鍵が簡単に推定できないこと」に依存しています。RSAの場合は、これは前にお示しした計算例での「七十七」という整数値、その素因数分解の計算量つまり難しさに依存しています。

中学受験のための算数などでも悩まされた覚えのある人も多いでしょうが、素因数分解には基本的にスマートな解の見つけ方がありません。小さい方から順番に知っている素数で次々に割算をしていく、それ以外に原理的に良い方法がほとんどないのです。ですから、RSA暗号を使う側は大きい素数を選んできて、それを使って鍵のペアを作れば良いのですが、暗号をこっそり解読してやろうとする側や、誰かの署名を偽造してやろうなどと企む側は、候補となる素数の総当たりをやるほかはありません。要するに、十分に大きな素数を使って作ったRSAの鍵は計量的安全性の基準を十分すぎるほどにパスできるのです。

これで、非対称鍵暗号に関心の火が付きました。ただ、その火は、当時は、技術系あるいは数学の分野での研究に限られていて、その実際における応用にまでは手が届きませんでした。理由は、十分に実用に耐えるほどの強度の鍵を作って運用するためには、RSAの計算負荷が大きすぎたのです。私がこの種の暗号に関心を持ったのは、一九八〇年代の半ばでしたが、その頃、すでにDESは小型コンピュータの汎用プログラムですらマイクロ秒単位の速さで演算可能だったのに、RSA暗号でそれくらいの性能を得ようとすると、専用でしかもかなり大きいコンピュータの能力を目一杯に上げ、それで何とかというほどの大変な話だった記憶があります。

しかし、理論の分野では、RSAを上回ろう、つまり鍵の作成や暗号の運用段階での計算負荷を押さえて、しかも十分な計量的安全性を持つ暗号を作ろうという研究は、この間にもどんどん進みました。そうした中で主流になっていったのは、一九八五年にビクター・ミラーという学者が提示した「楕円曲線離散対数問題」という非対称性を持つ数学的な問題を使うやり方です。楕円曲線離散対数問題というのは、RSAのそれと違って「高校数学＋α」で何とかなるというわけにはいかないレベルの話なので、名前だけを紹介して解説はお許しください。概念だけは次ページのパネル8に簡略に書いておきました。

RSA暗号は現在でも使われていますが、この楕円曲線離散対数問題を使った楕円曲線暗号という暗号方式の採用が進むにつれて、まもなくそれにとって代わられそうな勢いです。その理由は、基本的には楕円曲線暗号の方がRSA暗号よりも性能が良い、特に大きな桁数の運用で問題が生じにくいということによるもののようです。ビットコインも、この楕円曲線暗号を使ったECDSAというデジタル署名技術を使っています。

こう言うと、楕円曲線暗号は先端技術のような感じもしますが、米国政府は二〇〇五年に、こ

パネル８：デジタル署名と楕円曲線暗号

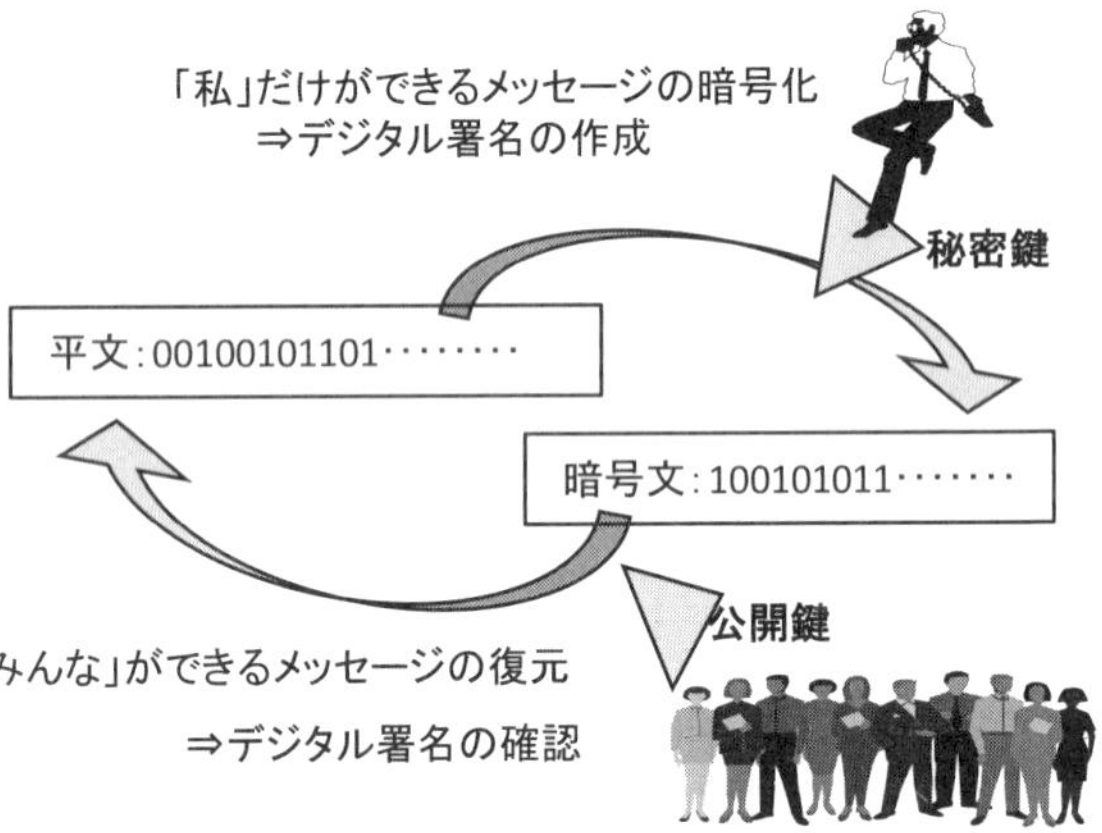

非対称鍵暗号におけるデジタル署名の運用イメージを図示すれば上の図のようになる。一方、楕円曲線離散対数問題における非対称性とは、

$y^2 = x^3 + ax + b$（a と b の値には条件があるが省略する）

という式で表される楕円曲線と呼ばれる曲線上の基準点から、任意の自然数を介して倍数演算のような関係にある点を求めることは比較的容易だが、逆に基準点およびそれと倍数関係にあるはずの点の組み合わせから自然数を探り当てるのは難しいという性質のことで、これを利用する非対称鍵暗号が楕円曲線暗号である。なお、楕円曲線とは壺を寝かせた断面のようなかたちを特徴とする曲線でいわゆる楕円ではない（左図参照）。

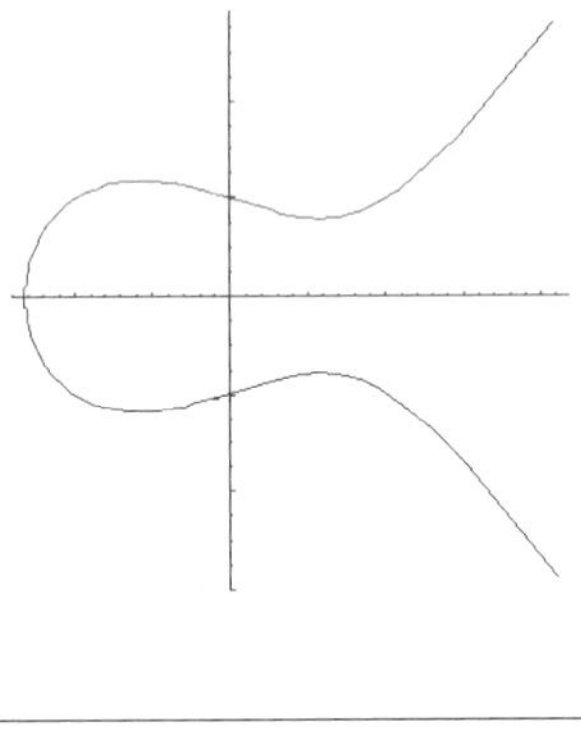

の暗号を特にデジタル署名向きの方式として標準暗号に指定していますから、多くのエンジニアにとって公知のものであるという点では、これも「枯れた技術」に分類してよさそうです。

手形は電子化できるが現金は……

さて、デジタル署名の使い方の話に戻ります。これへの実務界の注目は一九九〇年代半ばから急速に高まりました。理由は何といってもインターネットが実際の商取引の分野で実用の域に入り始めたからでしょう。インターネットはネットワーク全体の管理者がいないコンピュータ同士のつながりです。したがって、そこで通信をしたり取引をしたりするには、人で混み合っているバザールで取引をするのと同じように、間違いなく相手を見極め、取引が成立した相手からは証文を取り上げておかなければなりません。これに非対称鍵暗号はぴったりだったからです。

非対称鍵暗号によるデジタル署名を使えば、相手の確認はもちろんのこと、手形や小切手ばかりかインターネット上で通用する現金だって作れそうです。関心は一気に盛り上がりました。でも、それは、半分は正しく、しかし半分は間違っていました。それは、「署名がしてある紙」と「署名がしてあるデータ」は、やはり違うものだということにすぐ気付かされたからです。どこが違うのでしょうか。

それはコピーされることの効果が違うのです。紙の不便なところであり、また便利なところでもあるのは、原本と完全に同じコピーは作れないというところにあります。銀行券というのは、要するにこの性質を使って流通しているわけです。ニセ札は、いくら本物に似ていてもニセはニセなのです。

しかし、データには、そもそも原本とコピーの区別そのものがありません。私たちは、パソコンやモバイル機器を使って「ファイルを送る」などという言い方をしますが、その実質は、送り側のパソコンなどの記憶装置から送り先のそれへとデータをコピーしているに過ぎません。ですから、いわゆる電子マネーでは、マネーに相当する情報をICカードのメモリーのような「容れもの」に書き込んでおいて、それを現金として使っても世の中に存在する現金の総量が増えることのないよう、これも暗号技術で守られたプログラムなどを使って「容れもの」そのものを管理するようにしています。

したがって、そうした「容れもの」を使わず、一定の形式を備えたデータ群つまりファイルに、金額その他のオカネとみなすのに必要な情報を書き込み、さらに発行者がデジタル署名を付与しただけで、それを「インターネットで使える現金」だということにし、そのファイルを誰かに転送するようなやり方を採用してしまうと、転送したとたんに現金が二倍に増えてしまいます。これでは「現金」にはなりません。そうした、紙とデジタルデータとの違いからみて、汎用のパソコンやモバイル機器を使って（それ「だけ」を使って）、インターネット上の現金のようなものを作り出すのはどうにも難しいわけです。

付け加えますと、この点は、インターネット上で使える「手形」や「小切手」のようなものを考えるときには大きな問題点にはなりません。手形や小切手を他の人に譲渡することを不可としておくとか、譲渡するときには債務者である振出人に通知して承諾してもらうことにするとか、あるいは、そうした譲渡に関する情報をまとめて管理するセンターに記録しておくことにするとかすれば、問題は解決できます。

考えてみれば当たり前です。手形や小切手は、それを作り出した人つまり債務者のところに持って行って、お金を払ってもらうのが本来の目的ですから、その譲渡が少しは不便でもよいのです。債務者やセンターに承諾してもらったり記録してもらったりすることの不便は、インターネットの便利さが補ってくれるでしょう。

でも、現金はそうはいきません。現金を私たちが便利と思うのは、発行体である中央銀行に金貨や銀貨を払ってもらえそうだからではありません。金本位制の昔はその面もあったかもしれませんが、今では手軽に譲渡つまり支払に使えるから、しかも匿名で使えるから、というのが現金を便利と思う基本の理由でしょう。そこが手形や小切手とは違うところなのです。ですから、デジタル署名（日本では「電子署名」ということが多いですね、同じ意味です）を使えば手形や小切手のインターネット版は簡単に作れるが、現金の完全インターネット版は無理というのが関係する研究者たちの常識だったのです。

もちろん、別の意見もありました。インターネットで結びついた人たちが、いわば仮想の台帳のようなものを共有して、その台帳に書かれた権利額を現金のように使ったらどうかという意見です。これなら二重使用の問題は回避できそうです。でも、これも簡単なようで難しいのです。インターネットにつながっている人の各々は「一つの台帳を共有している」と思っていても、それが他の人が思っている「台帳」と同じとは限りません。もちろん、まったく違うということはないのでしょうが（そうなったら「共有」していることになりません）、アクセスした微妙な時間のずれなどから少しだけ違うということは普通にあり得ることです。それをどう解決したらよいか、それが分からなかったわけです。

この辺りまで来ると、それは要するに割り切りの問題だろう、たとえば、多数決で決めたらどうか、そう考える人もいるでしょう。でも、多数決で自分の持っているはずのオカネが取り上げられる可能性があるとしたら、それは穏やかでないでしょう。実際、理論的にはあり得る話なのです。たとえば、多数決に参加する人の間での結託とか裏切りというようなことを想定したら、多数決だから良いとばかりは言っていられなくなります。この問題の一つが左ページの「ビザンチン将軍問題」という有名なコンピュータ設計上のクイズなのですが、これはなかなか厄介な問題です。簡単に解決できそうで誰もが完全に納得できる現実的な解を作るのは難しいというタイプの問題なのです。

ところが、ビットコインは、この問題を思いもよらない方法で解決というよりも迂回してしまいます。それはビットコインにおける「コロンブスの卵」の重要な一部なのですが、その話に入る前に、ビットコインの基礎になっている、もう一つの「枯れた技術」の話をしておきましょう。それはハッシュ関数という技術です。

ハッシュ関数

ハッシュ関数というのは、対象となるデータの攪拌と圧縮を繰り返して一定の長さの要約値で

パネル９：ビザンチン将軍問題

コンピュータシステムに障害対応等の狙いで並行的に動作する複数のプロセスを設置したとき、プロセス間で同じ内容の決定を共有しようとして単純多数決を採用すると、かえってシステム全体が脆弱になることがある。これを「ビザンチン将軍問題」と呼ぶ。そう呼ぶのは、この問題が、離れて布陣して敵の都市を包囲している将軍たちが多数決で攻撃か撤退かを決めようとするとき、もし彼らのなかに裏切者の将軍がいて、その将軍が、意見が分かれている愛国的な将軍たち双方に矛盾した意見を伝えると、全体の行動がばらばらになり最悪の事態に陥るのと同じだと説明されるからなのだが、システム設計の問題としては、裏切者の数が全体の３分の１以下であれば、決定手順を工夫することで解決できることが証明されている（逆に３分の１を超えると解決できないとも証明されている）。ただ、同じ解法を実務の世界に持ち込むと（つまり３分の２基準をそのままルール化してしまうと）、今度は、二つ以上の派閥が駆け引きをしあって何も決定できない状況に陥る可能性もあるはずで、ここが悩ましいところである。余談だが、この問題を「ビザンチン」に喩える理由は分からない。

ビザンチン帝国（東ローマ帝国）の軍事エピソードと言えば、圧倒的大軍を擁しながら指揮の不統一からセルジュークトルコに惨敗、以降、キリスト教社会の東の防壁の役割を果たせなくなった「マンツィケルトの戦い（1071年・図）」を連想してしまうが、直接の関係はないらしい。

あるハッシュ値を算出するもので、このハッシュ値を通信データの後ろに付加しておくと、通信途上でのデータの欠落や改ざんを検知することができます。データの欠落検知のためだったら、対象データを大きな数で割って余りを取るようなことでも用は済むのですが、意図的な改ざんを検知するためには、それでは不十分です。それがハッシュ関数を必要とする理由です。

ハッシュ関数のやっていることは、DESなどとして紹介した共通鍵暗号がやっていることによく似ていますから、ユーザーごとには鍵を設定しない暗号の一種と言えるかもしれません。ただし、普通の暗号は平文を暗号文にもでき暗号文を平文にもできるのですが、ハッシュ関数は平文（もとのデータ）を一定の長さの暗号文（ハッシュ値）にすることだけができて、ハッシュ値からもとのデータを復元することはできません。でも、こうした暗号的アルゴリズムで計算されたハッシュ値が何らかの方法で記録されている限り、誰かがデータを改ざんしようと思っても、それは非常に難しくなります。どのくらい難しくなるか、少し計算してみましょう。

たとえば、どんなデータでも、それを攪拌し圧縮して、六十四ビットのハッシュ値を算出するというハッシュ関数があったとします。六十四ビットというのは六十四桁の二進数という意味ですから、これを十進法の普通の数に直せば二十桁ということになります。このくらいなら、データを改ざんするのは簡単だ、たとえば、そのなかに含まれている「自分の名前の部分」を他の人の名前に入れ替えてやろうなどとするときは、偽造前のデータとハッシュ値が同じになるよう、そこに含まれている「自分の名前以外の部分」を一緒に書き換えればよい、ハッシュ値からもとのデータを逆算することはできないとしても、いろいろな書き換え候補を作っておいて、あとはコンピュータのプログラムに任せてどんどん試し算をすれば、そのうちには都合の良い書き換え文が見つかるだろう、と思うかもしれません。それはその通りです。でも実行は簡単ではありません。

前のDESの計量的安全性の評価基準を思い出してください。もし、貴方がこれを実行するために、試し算一回を一マイクロ秒つまり百万分の一秒で実行できるコンピュータを用意したとしましょう。そうすると、貴方は一秒間に百万回、一年間なら「三十二かける十の十二乗」回ほどの試し算をすることができます。ちなみに、十の十二乗というのは、「一の後にゼロが十二回続く数」で、単位は「億」の上の「兆」なのですが、このくらい大きい数だと「一の後のゼロの数」で考えた方が分かりやすいですね。ともかく大きな数です。でも、この程度の計算速度では、まったく間に合わないのです。

なぜかと言うと、六十四ビットというのは十進法で二十桁、具体的には「十八かける十の十八乗」くらいなので、このコンピュータが最初の一年間で都合の良い偽造の仕方を見つけ出してくれる確率は、これを「三十二かける十の十二乗」で割り算した「六かける十の五乗」つまり「六十万分の一」程度しかありません。これは、偽造を狙い始めてから六十万年ほどもコンピュータに計算させ続けないと首尾よく偽造に成功することはできないということを意味します。これでは、偽造なんてあきらめるほかはないでしょう。

もちろん、こんな計算でハッシュ関数の安全性を確認するためには、それがきちんと設計されていることが条件です。ちなみに「ハッシュ関数がきちんと設計されている」とは、現在の技術標準に対する考え方では、「一方向性」と「衝突困難性」という条件を満たすことだとされています。ここで「一方向性」というのは、ハッシュ値からもとのデータの候補を絞り込むことができないということで、「衝突困難性」というのは、違ったデータから作ったハッシュ値が別のデータから作ったハッシュ値と一致することは本当の偶然以外にはない、というようなことです。こうした条件を満たすハッシュ値が添えられているデータの偽造は、ともかく非常に難しいわけです。

もっとも、こうしたハッシュ値による偽造耐久性は、コンピュータの計算速度が速くなると、だんだん落ちて来てしまいます。ただ、たとえばコンピュータの計算速度が一年で二倍になるという程度の話なら、十年かかっても千倍程度でしか弱くはなりません。でも、その辺りまでも心配するとなると、ハッシュ値の桁数はもっと長い方が安心でしょう。

ちなみに、ビットコインが使っているハッシュ関数は、どんな長さのデータを入れても二百五十六ビットつまり十進法で七十七桁くらいになるハッシュ値を作り出すもので「ＳＨＡ２５６」という名前で標準化されているものです。このくらいの長さのビット列からなるハッシュ値を使っていれば、少なくとも現在の技術の延長で考えられるコンピュータの性能で考える限りは、データの偽造はほぼ完全に防げるはずでしょう。

ハッシュ値についての説明が終わったところで、「枯れた技術」の説明は終了です。今度は、そうした「枯れた技術」をビットコインはどう組み合わせて使っているか、つまり、その「コロンブスの卵」はどこにあるかを見てみることにしたいと思います。

パネル 10：試行は絞り込みになるか

なお注意深い読者は、暗号の計量的安全性を評価した際には、「偶然に鍵を見つける確率」の逆数の「半分」が平均的に答に到達するまでにかかる時間だと説明したのに、ハッシュ関数の評価では「半分」にしないのはなぜと思うかもしれない。これは、暗号鍵を探す問題では答を探すための試行（試し算）を行うごとに答の候補が絞られていくのに対して、ハッシュ値が決まっているときの平文候補を探す問題では、そうした「絞り込み」がほとんど効かないからなのだが、同じようなことは私たちの日常生活でも実は普通に体験している。たとえば、1時間に6本の定間隔で運転されている電車に時刻表チェックなしで駅に行ったとき、平均的に何分の待ち時間で乗れるかと言うと答は5分程度になる（待ち時間最少0分と最大10分の中間である）。ところが、1時間に6台程度の割合で通過するタクシーに乗ろうとして道路に出たときの平均的な待ち時間は、10分程度のはずで電車の約2倍になってしまう（タクシーは2台続けてくることが少なくない割には、何分待っても来ないことがある）。このことは、前者における待ち時間の確率分布が一様分布なのに対し、後者は指数分布とかポワソン分布に従うからだと説明しても良いのだが、要するに「待つことが絞り込みになっていない」からだと言っても良い。この辺りは、都市交通として路面電車が見直される理由の一つかもしれない。他の交通と隔離されたレールを等間隔で走る路面電車は、渋滞で間隔が不規則になりがちなバスよりも運行密度の割に平均待ち時間が小さいという点で便利な乗り物だからである（写真は富山市の新路面電車）。ちなみに、指数分布やポワソン分布は大学で習う確率論の最初の一歩で、またナカモトペーパー愛用の確率論でもある。

二　コロンブスの卵はどこか

秘密鍵と公開鍵そして匿名性

今度はビットコインをどのように「取引」するのか、それを調べてみることにしましょう。なお、以下で「取引」というのは、単にビットコインを使う「権利」を他の人に移転するための手続きを行うという意味です。ものを売り買いするとか、オカネの貸し借りをするというような契約的な意味ではないということをお断りしておきます。

さて、ビットコインを「取引」するためには、少しの準備が要ります。それは、ビットコインのプロトコルに従って、自分がビットコインの取引に使う「秘密鍵」と「公開鍵」のペアを計算することから始まります。使う暗号は前に説明した楕円曲線暗号です。なお、「プロトコル」とはビットコインに関するデータ定義や通信上の規約のことで、ビットコインを使うためにはこれに合意することが前提になります。プロトコルを無視した取引の申し出は無視されます。それは要するに無意味なメッセージだからです。ビットコインのプロトコルは、参加しているみんなで決める、合理的なやり方だと思ったらそれに従う、みんなが従えばそれがルールになる、というやり方で運用されているわけです。

もっとも、普通の参加者は、プロトコルなるものをどう解釈しようかとか、楕円曲線暗号をどうプログラムしようかなどと悩む必要はなさそうです。ビットコインを使うというだけなら、プロトコルに適合したワレットなどと呼ばれる無料のソフトウェアが、いろいろな名前や仕様で出回っていますから、これをダウンロードして使えばよいからです。

こうしたワレットは、秘密鍵と公開鍵のペアを計算するついでに、作った公開鍵のハッシュ値に多少の手を加え、ビットコインの受け取りに使う「アドレス」も作成してくれます。アドレスとは、インターネットやスマホで使うアドレスではなくて、ビットコインという価値の受け渡し用に公開鍵のハッシュ値を短く圧縮し、さらに誤入力防止用のチェック用数字等を付加したものですから、本質的には公開鍵と同じものだと思って構わないでしょう。ビットコインが、本来の公開鍵ではなく、公開鍵からアドレスを発生させて受け渡しに使うのは、実際の取引の場面で、その受け手にまわった側の人が、自分にビットコインを送ってもらうための宛先入力を便利にするためと思われます。

ところで、ビットコインが伝統的なネットワーク管理の方法論と違うところは、現実の社会で生活している「一人の個人としての自分」が、ビットコインの仕組みの中では「たくさんのネットワーク上の自分」になることができる、それを可能にしていることです。何を言っているか分かりにくいかもしれないので説明をしておきましょう。

ビットコインの取引では、公開鍵から作った自分のアドレスを相手に教えることで価値を受け取ります。秘密鍵は教えません。ですから、仮に「私」が百通りの秘密鍵と公開鍵のペアを作れば、それで、ビットコインという仮想の活動空間の中では百人の「ネットワーク上の自分」になれてしまうことになります。ビットコインは、それを可能にしている、具体的には、ビットコインの受け取りのつど、公開鍵と秘密鍵のペアを作り直すことを普通のこととしているのです。

もっとも、私たちの実生活でも、必要があれば「一人の自分」が、活動空間を変えて「別の自分」や「番号としての自分」になること、それ自体は珍しいことではありません。本名とは別のペンネームを使い分ける作家や、何個も携帯電話を持って生活している人は現実にも少なくないでしょうが、これも考えようによっては、一人の個人が何人もの人物になり代わっているのだと言えなくもありません。

ただ、そうしたペンネームや電話番号には何らかの管理が必要です。この管理は、普通は自分でやりません。ペンネームなら出版社が、携帯電話なら電話会社が、つまり活動空間の管理者がやってくれます。それに対してビットコインでは、そうした管理は自分でやります。自分が自分で「秘密鍵」を誰にも教えないように管理し、また、それで困らないのです。なぜでしょうか。

それは、ビットコインの公開鍵やアドレスは、ただビットコインのやり取りをするためだけに使うものだからです。そこがペンネームや携帯電話番号とは違う点なのです。ペンネームと本人とを結びつけることは、出版社と作家の関係維持のために必要です。電話会社が電話料金を請求するためには、携帯番号と本人を結びつける必要があります。でも、ビットコインという空間の中だけで価値のやり取りをしようとするのなら、空間の内と外とを結びつける管理者は自分自身を除いて介在する必要はありません。自分だけで空間の中の自分を管理する、これがビットコインの「匿名性」というものの正体です。

パネル 11：口座番号 F5R6I5D1A3XY

実名でなく「番号」だけで資金の出し入れをするというと、例の「スイスの銀行」の番号取引を連想する人も多いだろう。スイスの銀行には、口座番号だけで取引を行い、口座を持っている人の身許は担当者と極めて少数のマネジメントクラスだけしか知らないという匿名口座取引があるので連想を呼ぶようだ。ただ、この取引は、スイスの銀行法が厳密な守秘義務を銀行に課す一方で、そうして保護された秘密情報に監督当局や捜査機関が踏み込むことも制限しているからで、銀行が特別な法執行上の要請により開示に応じてしまえば、本人情報（本人の実名そのものでないにしても、本人に結び付ける手がかりになる情報）が捜査機関等に明らかになる。近年ではナチスドイツ時代にユダヤ人により預け入れられた資金が、守秘義務を盾に銀行内に保持されたままであることが判明し賠償金が支払われたという事例や、いわゆる「独裁者の金庫番」取引であることが判明して、資金の返還が行われた事例もある。すなわち、スイスの銀行の番号取引は番号と本人との紐付けを行っていないのではなく、それを当局に対しても普通は開示しないというだけなので、ビットコインの匿名性（紐付けは本人にしかできない）とはまったく異なっている。

余談になるが、スイスの銀行の番号取引は小説や映画あるいはコミックの世界ではとりわけ想像力を刺激するようで、多くの印象的なシーンを演出してきた。「カネは番号 F5R6I5D1A3XY に振り込め」は、劇画から映画にもなった『ゴルゴ 13』の決めゼリフの一つであるが（写真は当時 42 歳の高倉健が演じる「ゴルゴ 13」）、今の世界で匿名性を狙うのならビットコインのアドレスを書いて渡した方が守りは固そうだ。

ところで、このように整理すると、ビットコインの匿名性というものが、必ずしも完全なものでないということにも気が付くでしょう。こうしたやり方で価値を流通させる限り、ビットコインの受け渡しには何らかの「取引の名残」がネットワークのどこかに残ってしまいます。ですから、こうした「名残」を追跡すれば、完全にではありませんが、相当程度まではどこの誰がビットコインをどう使ったかは推論できるはずです。これは、銀行券つまり「お札」でもそれが流通する過程では札番号から使用経路が追跡できるだろうというような話にも近いのですが、ビットコインは公開されたネットワークで取引されるものですから、状況によっては銀行券よりも観察も追跡も簡単にできてしまうという面もあります。

もちろん、いま説明したように、ビットコインは「本当の自分」とは別の「ネットワーク上の自分」をたくさん作り出すことを普通のこととしていますから、そうした追跡は必ずしも簡単ではありません。しかし、米国のＦＢＩのような強力な捜査機関が本気になれば、完全に不可能というわけでもないようです。現に、二〇一三年に米国で摘発されたビットコインを使って違法な薬物売買を行っていた「シルクロード」というグループは、この方法で追跡され特定されて最後は逮捕されたようです。

Ｐ２Ｐへのブロードキャスト

次に、こうして獲得したネットワーク上の「自分」が、どのようにしてビットコインのやり取り、つまり「取引」をするのか、それを見てみることにしましょう。本当は、そもそもビットコインとは何で、どうやって作られたのかを先に議論したいところなのですが、ビットコインの取引はどうするのかを先に説明した方が、全体が分かりやすいはずなので、そうさせてください。

ビットコインを他の人に渡そうとするときは、「自分が支配しているビットコインのうちの幾らを何々のアドレスを持つ人の支配に移転します」という趣旨のメッセージを、ビットコインに関係している人の「全員に行き渡るように送信」します。ここで「自分が支配している」というのは、自分だけが知っている秘密鍵に対応するアドレスに紐付けられているという意味です。また、「幾らを」というのは、そうして紐付けられている「量」のうちの幾らをという意味です。ちなみに、ビットコインはその量をBTCという単位で測ります。なお、一BTCは一億分の一まで分割できることになっているので、これが貨幣としてのビットコインの最小単位ということになります。

でも、こう説明すると、待ってくれ、その紐付けられた量というのはどこにあるのだ、パソコンやスマホのメモリーにあるのではないのか、という疑問が生じるかもしれません。しかし、それは、そうであって、そうでないのです。

そうでないというのは、誰が幾らビットコインを持っているかは（正確には「どのアドレスに幾らのBTCが紐付けられているか」です）、コミュニティ全体で共有している仮想台帳に書いてあるからです。

また、そうでもあるというのは、その台帳のアドレスに対応する秘密鍵は各人のパソコンやスマホにあるワレット内に記録されているのが普通で、場合によっては、ワレットではなく、紙のメモ帳のようなものに書いてあるのかもしれないのですが、ともかく仮想台帳には書いてないからです。

さて、そうすると、ここで、メッセージを「全員に行き渡るように送信」するということの意味が分かるでしょう。私たちがインターネットなどの通信ネットワークを使ってメッセージを送信するときは、宛先の人だけに届くよう送信します。しかし、ビットコインでは、ビットコインというコミュニティに参加している人の全部に行き渡るように送信してしまうのです。こうしたやり方を「ブロードキャスト」と言います。訳せば「放送」です。あるいは、「P2Pネットワークに送信する」というように言うこともあります。ここで「P」とはピア(peer)つまり「同等の主体」という意味で、「2」というのは前置詞「ツー(to)」の駄洒落みたいなものです。

まあ、そういう言い方をすると難しそうですが、やっていることの効果としては、街角の伝言板に伝言メモを貼り付けておくようなものと想像した方が良いかもしれません。P2Pへのブロードキャストとは、要するに「みんな」が見る街角ならぬ電子的なネットワーク掲示板へのメモの貼り付けのようなものと本質的には変わりないからです。

そんなやり方で取引が管理できるのかと思うかもしれませんが、それがビットコインではできるのです。ビットコインはコンピュータのネットワークですから、乱雑かつ次々に貼り付けられた伝言メモでも、内容を適切に整理するのは原理的には簡単だからです。つまり、ビットコインというコミュニティが始まって以来の伝言メモを総ざらいして、どのアドレスに幾らのBTCが紐付けられ、あるいは、そのうちの幾らがどのアドレスに移動したかをいつも整理できるように

パネル12：伝言板あるいは掲示板

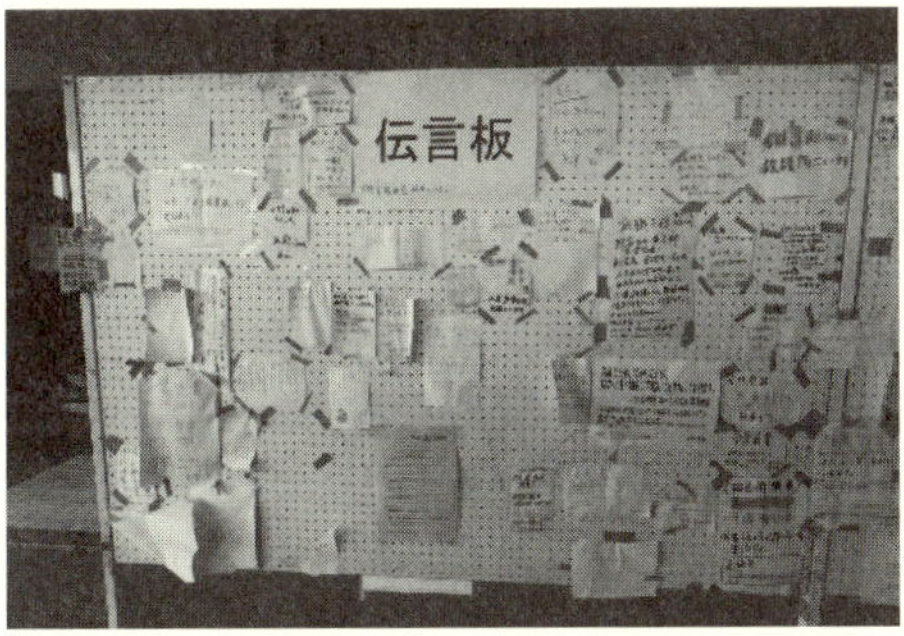

伝言板はかつては多くの鉄道駅に設置されていたが、いたずらの対象になることも多く、携帯電話の普及とともに姿を消しつつある。ところが、東日本大震災時には壁面やボードなどにメモを貼り付けるという形で復活し大活躍した（写真は当時の宮城県山元町役場でのもの）。駅や街角の伝言板の最大の悩みは、イタズラ書きとかメモの勝手な持ち去りなのだが、大災害に出会うことで人々の心が結び合わされた非常時には、地域の強いモラルが復活するので本来の機能を取り戻したのだろう。ビットコインは、この「伝言板のモラル問題」を、善意や監視に頼らず、後で述べるような「マイナーによる競争」という方法で解決している。ビットコインは仮想台帳方式で取引を処理しているのだというと、ついつい不動産登記簿や銀行の預金台帳のようなものを想像してしまいそうになるが、ビットコインにおける仮想台帳とは実のところＰ２Ｐネットワークに送信された取引情報を次々に貼り付けた伝言板のようなものに近い。普通の生活空間にある「次々に貼り付けられたメモ」そのままの伝言板（掲示板）は、データが整理されていないので台帳として使うのは無理があるが、ビットコインの世界では、Ｐ２Ｐネットワークに繋がるコンピュータたちが掲示板データを閲覧して数字を纏めておいてくれるので、その欠点がカバーされているわけだ。

しておけば、情報処理のやり方としては街角の掲示板のようなメモの貼り付けシステムでも、あたかも残高が常に把握できる台帳のように使ってしまうことが可能になるというわけです。

もちろん、街角掲示板のようなシステムを仮想台帳として使うためには、イタズラ書きやメモの勝手な持ち去りなどの「悪さ」への対策が必要になります。ビットコインの「コロンブスの卵」の部分はここにあります。それを次に説明しましょう。

ブロックチェーンというアイディア

さて、ビットコインの取引管理方法です。ビットコインのやり方は、次々にメモつまりビットコインの移動情報が貼り付けられていく伝言ボードを一定時間ごとに取り外して脇に並べ、その後の掲示板立てには新しいボードを掲示し直して、新しいメモの貼り付けはそちらにしてもらう、そのようなことを原理的にはしているのだと考えてしまって良さそうです。

ボードの入れ替えタイミングは十分間毎です。したがって、一日二十四時間では百四十四枚の「過去ボード」が掲示板の脇に置かれる、一年なら五万枚もの過去ボードがずらりと並ぶことになりますから、こんなやり方は現実の掲示板では実用になりません。でも、P2Pで共有するネットワーク上の仮想台帳なら、それはあまり問題にならないでしょう。ビットコインでは、こうしてメモが貼り付けられたまま並べられた「過去ボード」に相当するデータの集まりのことを「ブロック」と言い、それが過去から現在まで連なっている様子を「ブロックチェーン」と呼んでいます。

そんな大ざっぱなやり方で良いのか、そう思う人もいるかもしれません。でも、こうした一定の時間単位で「出入り」と「残高」を集計して管理するシステムというのは、少なくとも以前には珍しくなかったのです。以前、と言っても三、四十年ばかり前まではという程度の話ですが、当時はコンピュータの計算能力が低く値段も高かったので、一日分の「出入り」に当たるデータはともかくシステムに打ち込んでおいて、夜になってから「残高」をきちんと計算するなどということは、普通に行われているシステムの設計方法の一つでした。要するに、一日分が一つのボードになっているわけです。

そうしたことをしないで、「出入り」と「残高」を同時に処理する、データの入力があったらその場で処理する（そういう処理を「リアルタイム処理」と言います）、というのが一般的になったのは、この数十年のコンピュータの進歩と普及そして低価格化のおかげです。ところが、ビットコインは、この意味でのリアルタイム処理あるいはリアルタイム決済ではありません。ビットコインの移動情報を「ブロードキャスト」してから、そのビットコインを受取人が使えるようになるまでに程々の時間がかかる遅延型決済システムなのです。でも、その遅延の程度が大きくなければ（何日もかかる、というのでなければ）、十分に使い物になるはずだというのがビットコインの割り切りでしょう。その割り切りがビットコインに成功をもたらしたのです。

もちろん、この掲示板の話はたとえ話です。しかも細部を簡略化したたとえ話です。実際のビットコインでは、利用者が常に掲示板を見ていなくても済むよう、あるいは、自分が使えるビットコインの量を計算するため過去のブロックを全部閲覧しなくても済むよう、使い勝手の良いサービスがパッケージソフトなどの形で提供されています。それはビットコインのワレットの大事な役割の一つでもあります。

ただ、この本は、ビットコインのような通貨の仕組みを探り、それを通じて、そうした通貨が存在するときの世界の貨幣がどうなっていくかを見極めるための本ですから、そうした実施技術的な話には深入りしないことにしたいと思います。興味がある方は、別のビットコイン解説本やインターネットの解説サイトを見てください。多くの有益な情報があふれています。

でもここまでだったら、ビットコインのアイディアそのものはあまり面白くありません。ビットコインを面白くしているのは、こうしたP2Pネットワークにおける共有台帳、つまりは街角掲示板のような仮想台帳を、特定の管理者を置かずに運用できているという点にあります。それが可能になっているというところが、ビットコインの本当に面白いところであり、またサトシ・ナカモトの「コロンブスの卵」なのです。

仮想掲示板システムの悩み

頭を整理するために、P2P上のブロックチェーンつまり街角掲示板のような仕組みを使うとき、そこでどんな「悪さ」がありうるかを考えてみましょう。

第一に気が付くのは、他人の名を騙ってメモを貼り付けるという「悪さ」です。要するに本当は権利のないビットコインを、その権利者のふりをして誰それに差し上げますというメモを貼り付けるという「悪さ」です。

でも、それはできません。ビットコインの権利移転のためのメモには、渡し手のアドレスのもとになっている公開鍵とメモの中の取引データに対するデジタル署名を書き込むことがプロトコル上必要だからです。公開鍵が書かれているのでメモに付した署名をチェックして権限を確認することは誰でもできますが、その署名自体はアドレスを管理している渡し手にしか作れません。それがデジタル署名の効果です。要するにメモの「偽造」はできないのです。

そこで第二に心配になるのは、メモの勝手な消し去りという問題でしょう。街角に本当に立っている掲示板では、これが最も大きなリスクです。ただ、ビットコインでは、このリスクを考える必要は基本的にありません。

これまで掲示板と言ってきたのはものの喩えで、その実質はP2Pへのブロードキャストだということは説明しました。メモがいったんブロードキャストされてしまえば、基本的には回収の方法がありません。特殊なコンピュータウィルスのようなものをばらまいて、あらゆる人のデータを消してしまうというようなシナリオでも考えない限り、メモのコピーがビットコインというネットワーク参加者の膨大な数のコンピュータ間に散らばってしまっている以上、勝手にメモを消し去ることはできないのです。

で、第三に考えなければいけないのが二重譲渡の問題です。そして、街角掲示板方式での取引管理では、これが最も重要で、かつ厄介な点になります。

なぜなら、ビットコインの仮想掲示板には、ビットコインというネットワークの参加者なら誰でも何時でもメモを貼り付けることができるからです。つまり、自分のアドレスに五十BTC相当のビットコインしか持っていない人が、まずは隣の佐藤さんに四十BTCを送りますという取引をブロードキャストするメモを貼り付け、しばらくしてから、また掲示板のところにやってきて、今度は親戚の加藤さんに三十BTCを送りますというメモを貼り付けに来ても、それを阻止することは出来ないのです。

もちろん、掲示板の横に「管理のおじさん」が立っていて、メモを貼りに来た人のアドレスをチェックして、二番目のメモを貼りに来た人に対して、もうあなたには十BTC以下のビットコインを送る権利しかなくなっている、考え直してくださいとでも言えば話は別です。つまり、システムの監視役になるコンピュータを特定の企業や銀行が運営することになっていれば別なのです。私たちが使う「普通」の銀行オンライン決済というのは、そうした仕掛けで二重譲渡をチェックしているわけです。

しかし、そうした管理者としての役割を果たす運営体を置かずに機能する仕組みを作りたい、それがビットコインの問題設定であり設計思想なのでしょう。したがって、ビットコインでは、メモを掲示板に貼り付けるだけなら、手持ちのビットコインの量にかかわりなく可能になる、そうした作りになっています。

もう分かりますね。これが、P2P型のネットワークで台帳を管理するということの困難さ、つまり二重使用防止の困難さなのです。この問題を突破できない限り、完全分散型の電子現金つまりはセンター不要の電子現金を実現することはできません。どうしたらよいでしょう。

解決の方法論があること自体は少し考えれば気が付くでしょう。ボードに貼られたメモを、貼られたというだけで有効としなければ良いのです。掲示板を見ることができる人つまりビットコイン参加者のうちの「正直者の有志」がチェックして、二重使用の問題がないと確認できたメモだけを有効なメモとして認めることにすれば良いはずです。ただ、それは別の問題を生じさせることになります。理由は、その「正直者の有志」というのを、どう選んだら良いか、それが決まらないからです。

誰か偉い人が指名するのは良くありません。それでは「中央集権型決済システム」つまり銀行がやっているシステムと同じになってしまいます。どうしたら良いでしょう。

それに対するサトシ・ナカモトの答は、確かに人の意表を突いたものでした。それは、参加者たちによる「競争的なチェック」という解決だったからです。

プルーフ・オブ・ワーク

ビットコインで取引の正当性を保証する役割を担うのは、「マイナー」と呼ばれる一群の参加者たちです。ビットコインのプロトコル上は誰でもマイナーになることができます。ただ、マイナーとなって結果を出すためには、後で説明するような理由で、非常に大きな計算パワーを持っていることが実質的に必要になりますから、一種のプロ集団だと思っておいた方が良いかもしれません。

ビットコインでは、このマイナーたちが「正直者の有志」の役割を担って、取引の正当性つまりは二重譲渡が行われていないということを保証してくれるのです。こうしたマイナーたちの役割を、ビットコインでは「マイニング」と呼びます。

もっとも、マイナーたちは、博愛心や義務感から「正直者」になるわけではありません。マイナーが追求しているのは自身の利益です。でも、そこに競争という仕組みが取り込まれると、自身の利益を実現するためには「正直者」になるほかはなくなります。なぜそうなのでしょうか。

それは、彼らがブロック毎の確認競争に成功すると、一定量のビットコインを手に入れる権利を獲得するのですが、それが権利として生きるためには、他のマイナーたちからマイニングが正しくできていると認められ、フォローを得ることが必要になるからです。要するに、マイナーたちにとっての最も合理的な戦略は「正直者」として行動することなのです。ちなみに、マイナーというのは「採掘者」という意味、マイニングは「採掘」です。どうしてそんなことになるのか、それはビットコインの具体的な仕組みを見れば分かってきます。

ビットコインは十分間毎にボードを入れ替える掲示板システムのようなものだと説明しました。そこで十分間が経って掲示板立てから降ろされたボードをどうするのか見てみましょう。そこにマイナーたちが集まります。彼らは、各々にボードに貼られた取引メモを見て、その内容を点検します。そして二重使用などの問題がなさそうだと思えたメモの記載全体を大きな数字列だとみなして、ボードに貼られた全部の取引内容を通算したハッシュ値を計算してボードに書き込んでしまうのです。

いったんハッシュ値が書き込まれると、ボードに貼られたメモの改ざん、つまり書き換えや追加あるいは取り外しは不可能になります。ハッシュ値がボードつまり「ブロック」に書き込まれてしまうと、前に説明したハッシュ関数の性質によって、その計算に使われたデータを少しでも変更するとハッシュ値がまったく変わってしまい、その証跡が残ってしまうからです。

こうしたハッシュ値が付けられていれば、P2Pで分散管理する台帳システムでも、正しいものは正しいと、改ざんがあるものは改ざんがあると、即座に判別できます。ハッシュ値はブロック全体に対して「消印」のような役割を果たしてくれるわけです。つまり、これでブロックが閉じてしまい、あとは書き換えできず閲覧だけができるデータ群としてP2Pの世界で共有されることになります。

ところで、ビットコインは、この消印付与をしようとする者つまりマイナーたちに対して、原理的には非常に簡単だが、実際に充足させるには相当の計算が必要になるよう、微妙に意地悪な条件を付けています。その条件とは、「ブロックの空いているところに『適当な値』を書き込んで、その値まで含めて計算したハッシュ値が、一定の大きさ（これを「ターゲット」と言います）以下になるようにせよ」という要求です。具体例で説明しておきましょう。

たとえば、付いている条件が「二進数で表したハッシュ値の最初の一桁をゼロにせよ」というものだったとします。こうした条件が付いていると、マイナーたちが一回のハッシュ関数計算で「消印」を押す資格が得られる可能性は五十パーセントでしょう。ですから、たまたま最初に計算したハッシュ値の最初の桁が「ゼロ」ではなく「一」だったら「適当な値」を入れ直して再計算することになります。今度はうまくいくでしょうか。そうとも限りませんが、うまくいくこともあるでしょう。この可能性もほぼ五十パーセントです。失敗したら、やり直しです。まあ、

「最初の一桁」程度の話なら、そう何度も失敗はないでしょう。直感的に考えても、平均的に二回程度のハッシュ計算で条件を満たす「適当な値」を発見できそうです（どうして「平均で二回」なのかを説明するのは見かけよりは面倒な話なので、慣れていない人は考え込まないでください、慣れている人のためのヒントは79ページのパネル10にあります）。

こうしてみると、この「条件」ということの意味が分かるでしょう。条件が「最初の二桁がゼロ」だとすると、消印を押すためには平均的に四回のハッシュ計算が必要になります。どうして四回なのか。それは二の二乗だからです。ですから、「三桁がゼロ」なら、平均で八回、四桁なら十六回という具合に、いわゆる倍々ゲームで消印を押すのに必要な作業量が増えていくわけです。

もちろん、平均的な作業量が倍々ゲームではなく連続的に増えるよう、条件の設定の仕方を工夫することも可能です。それは、二百五十六ビットのハッシュ値を計算して答を出すときの条件、たとえば「最初の何桁かがゼロ」という条件の意味を、「ハッシュ値の大きさ」として解釈し直せば可能になります。

何の条件も付いていないときのハッシュ値の大きさは二の二百五十六乗という最大値の範囲内でどんな値でも良いわけですが、たとえば最初の三十桁がゼロと指定されれば、それは「ハッシュ値を二の二百二十六乗より小さくせよ」と言われたのと同じになりますし、三十桁より一桁増やして三十一桁がゼロと指定されれば、「ハッシュ値を二の二百二十五乗より小さくせよ」と言われるのと同じになります。

ですから、その間の値を指定したければ、「二の二百二十五乗よりは大きく、二の二百二十六乗よりは小さい数」を、二進数で表示しても良いし、あるいは十進数で表示しても良いので、それをビットコインのマイナーたちが挑戦する共通の条件としてプロトコルに取り込んでおけば良いのです。ちなみに、現在のビットコインの仕組みを見ると、こうした「消印押捺権限者になるための条件」は、ナカモトペーパーでは「桁数」で記述されているのに対し、プロトコルでは数値つまり「ターゲットの大きさ」として取り込まれています。これは、その方が実際の運用が柔軟になるというのが理由だと思われますが、もちろんことの本質に変わりはありません。

ところで、なぜ、こんな面倒な条件を付けるのでしょう。それは、他のマイナーに先がけて「適切な値」を発見し、それを使って消印としてのハッシュ値をブロックに付したマイナーの作業成果を認め、他のマイナーたちには次のブロックに対する「適切な値」探しに専念する方が良いという環境を作り上げるためなのでしょう。そのことは、こうしたマイニングへの報酬システムと、次のブロックをどう作るかを見れば分かってきます。

ちなみに、こうした目的で設定される条件のことを「プルーフ・オブ・ワーク」略してPOWと呼びます。訳せば「作業証明」ということになります（次ページパネル13も参照）。そこで次には、このPOWがビットコインにおいてどう機能しているか、なぜ面倒な条件をクリアーしようとしてまでマイナーたちがPOW競争に挑むのか、それを考えてみることにします。

パネル13：至るところにあるＰＯＷ

ＰＯＷ（Proof of Work）というのも、その名称も含めビットコイン独自のアイディアではない。インターネットが普及し、いわゆる迷惑メールが問題になり始めたころ、メールを送信する側にも相当の手間をかけさせて、そのメールの送信者が真面目な者であることを証明させようというアイディアがあり、それがＰＯＷと呼ばれていたからだ。迷惑メールの問題というのは、メールの送信側はメールアドレス一覧のようなものを使って相手構わずに軽い負荷で大量のメールをばらまくことができるのに対し、そのメールの受け手側ではシステム的にも時間的にもメール管理に多くのコストを払うことになるという仕組み上のアンバランスの問題でもある。そこで、それならメールの送り手側にも、送るメールの大事さを証明するような作業量を課したらどうだろうというのが当時のＰＯＷという発想の基本で、その方法も、ハッシュ値（一定の条件を満足するハッシュ値）をメールに付すというものが最有力だったはずだから、アイディア自体は程々に知られていたものである。余談だが、私たちの日常を悩ませる面倒で手間のかかる儀式の多くも、ＰＯＷの一種という面がありそうだ。そうした「苦痛の儀式」の通過を強いることで、儀式は儀式としての意味を持つからである。写真は、いわゆるセンター試験の風景だが、これも受験生にとっては「苦痛の儀式」つまりＰＯＷの一種であろう。ビットコインのＰＯＷも、掲示板に貼り付けられたメモを貨幣にするための儀式だと言っても良い。マイナーとは儀式をつかさどる司祭の集団であり、最も迅速に儀式すなわちＰＯＷを演じきった司祭が、そのブロックを貨幣にできるというわけだ。

マイナーたちのインセンティブ

マイナーたちが競争に挑む理由は簡単です。それは、ハッシュ値を付与するための「適切な値」を見つけると、ブロックを閉じたことに対する経済的利益が得られるからです。利益のもとは二つあります。

その第一は、取引をブロードキャストした利用者から受け取る報酬です。伝言板システムのたとえ話でいえば、ボードに貼り付けておくメモに書いてある報酬額をマイナーが受け取ることができるからです。報酬はビットコインで払われます。つまり、AさんがBさんに五十BTCを送るというメモを貼り付けるとき、「相手先であるBさんのアドレスに五十BTCを送りたいので、私のアドレスにあるビットコインを五十・〇五BTC減額してください、差額の〇・〇五BTCはブロックを閉じてくれたマイナーに移転します」というようなことが書いてあれば、ブロックを閉じることに成功したマイナーは〇・〇五BTCの手数料が手に入ります。手数料をいくらと書くかはAさんが決めます。取引の大きさの割にあまり小さい額の報酬しか書いていないと、マイナーたちに無視されるリスクが出てしまいますが、手数料の相場は現状では極めて低いものなので普通は相場通りに支払われるようです。ただ、現在のビットコインの取引規模では、この手数料だけではマイナーたちへの十分なインセンティブになりません。マイナーたちが頑張るのは、こうした手数料報酬よりも、競争に勝つことそのものから得られる第二の利益の方です。それを次に説明しましょう。

マイニングに成功して得られる第二の利益は、ブロックを閉じる権利を得たマイナーが、誰のアドレスのビットコインを減額することもなく、新しいビットコイン、いわば空中から作り出したビットコインを、マイナー自身のアドレス宛に送ることができることから生じます。まあ、自分で自分に「賞金」を設定しているようなものです。賞金の出所は誰のポケットからでもありません。P2Pネットワークのプロトコルがこれを許している、ビットコインはそういうルールになっているのです。現在（この原稿を書いている二〇一五年の晩秋）、世の中には約千五百万BTCのビットコインが存在しますが、これらのほぼ全部は、過去のこうしたマイニングにより生み出されたものです（正確には最初のブロックの五十BTCだけは、ビットコインの最初の取引として作られているので手順が少し違いますが、そこは大した問題ではないでしょう）。

こうした「貨幣」の生み出し方が可能だ、プロトコルで決めれば可能だ、そう考え付いたところに、ビットコインにおける最大の「コロンブスの卵」があると私は考えています。貨幣の流通を確認し証明するための作業そのものが、同時に新しい貨幣を生み出す、ビットコインはそうした仕組みになっているのです。

これは、サトシ・ナカモト以前の誰も思い付かなかったことです。ここで大事なことは、ビットコインのマイナーたちは、博愛心や義務感ではなく、ただ利己心に導かれて、あたかも地下に埋もれた金貨を探すような気分でマイニングに挑戦しているのですが、それが結果的にビットコインの取引の正当性を保証することになっているという点です。

それで良いのか。利己心にまかせてオカネの管理などできるのかと思う人もいるでしょう。でも、それで良いのです。一八世紀の英国に生きた「経済学の祖」、あのアダム・スミスも書いています。引用しておきましょう。「社会の利益を増進しようと思い込んでいる場合よりも、自分自身の利益を追求するほうが、はるかに有効に社会の利益を増進することがしばしばある」(アダム・スミス『国富論』大河内一男監訳・中公文庫)

どうでしょうか。こうしてみると、ビットコインは技術の産物というよりも、経済学の産物のような気もしてくるのではないでしょうか。

ビットコインが成功したのは、現金をネットワーク上で作り出したい、しかも中央銀行のような管理者なしに実現したいという目標を、技術の高度化という観点から追い求めないで、人々の利己心を利用してやろう、あるいは競争原理を利用してやろう、という方向から達成しようと発想を転換したところにあるような気がします。ビットコインでマイナーが自分で自分に賞金を設定することで新たなコインを作り出す取引は「生成取引」と呼ばれていますが、こうした生成取引の存在が、マイナーたちがやっていることを、「マイニング」つまり「採掘」と呼ぶ理由です。このマイニングにより貨幣を生み出すという発想が、ビットコインの最も重要な「コロンブスの卵」の部分でしょう。

もっとも、こう説明をすると、分かった、でも、それならこの名は少し違うのではないか、マイニングつまり採掘などと言うが、やっていることは空中から黄金を生み出すと言うのに近い、これは錬金術まがいのトリックではないかと気にする人もいそうです。でも、表現の適不適はともかくとして、マイニングはトリックとは違います。ビットコインは空中黄金かもしれませんが、それを作り出すマイナーたちは、「希少金属」である金を作ると言ってビットコインを作っているわけではありません。「空中黄金」であるビットコインを作ると言ってビットコインを作っているのですから、そこにウソはありません。マイニングはトリックではないのです。

それに、空中黄金が胡散臭いというのなら、前著『貨幣進化論』で取り上げたSDRなどはどうでしょう。あれは、IMFという国際機関が、何の対価も払わせないで加盟国に一方的に分配した空中黄金、それこそ「空中黄金のなかの空中黄金」です。それに比べれば、ビットコインを作り出すマイナーたちはブロックを閉じるための作業という対価を払っています。ですから、およそ空中黄金作りという点なら、SDRの方がビットコインよりも錬金術に近いような気もします。ビットコインについては、あれはインチキだ、トリックのようなものだ、続いているのが不思議だ、というような発言を耳にすることがあります。でも、それだったら、いきなり空中黄金を作るということで生み出されたSDRが特に非難もされずに続いてきたことの方がもっと不思議な気がします。

仮想掲示板の前のドラマ

ビットコインの要素技術とアイディアについての観察が終わったので、この辺で全体像を整理しておきましょう。と、言っても、整理は簡単です。ビットコインのシステムとは、ページをめくったパネル15で示すような、掲示板ならぬP2P空間上のブロックの連鎖だけが本質だからです。現実のビットコインの仕組みの詳細がどうかというよりは、その機能する原理が大事なので、

パネル14：錬金術師ブラントの貢献

錬金術は科学でないと蔑まれることがあるが、宗教と哲学そして科学が未分化の時代には、錬金術こそが尊敬すべき知性の集合場所だった。17世紀ドイツの高名な錬金術師であるヘニッヒ・ブラントが、その実験中に空気中で発光する物質としての燐（リン、元素記号P）を発見した事件は、錬金術がその後の化学の発展に大きく貢献した物語の一つだが、系統的に物質の精製を繰り返し対象を絞り込んでいくブラントの手法は、今から見ても「科学的」ですらある。錬金術が科学になり損ねたのは、なぜ卑金属が貴金属になるか（実際はならなかった）についての正しい理論を持てなかったからだが、そうした理論の欠如という点だったら、なぜ紙切れが貨幣になるのかを満足に説明できないままで金融政策を論じ続けている現代の中央銀行たちだって相当のものである。時代最先端の知性の集積場所だったことも含めて、中世の錬金術師の工房と現代の中央銀行が似ていると言ったら、どちらかへの失礼に当たるだろうか。図は18世紀英国の画家ライト・オブ・ダービーが描くブラントの燐発見の場面。錬金術は科学にはなれなかったが、その後の科学の基礎になったことは確かである。ビットコインが貨幣理論の発達に同じような役割を果たすことになる可能性は十分にありそうだ。

P2Pへのブロードキャストを街角の掲示板でたとえた、あのやり方で説明させてください。ちょっと大げさな言い方をすれば、P2P空間上の仮想掲示板の前で繰り広げられる上演時間十分間の短いドラマのようなものです。

今、ビットコイン始まって以来で数えて、三十万一枚目のボードが取り外されて、掲示板の脇に置かれたその瞬間だとします。その横には三十万枚目のボードが置かれていますが、こちらにはすでにハッシュ値が書き込まれて「閉じられた状態にある」とでも想像してください。掲示板には三十万二枚目のボードが掲げられ、そこに人々が寄って来て、次々に自分が承認してもらいたい取引の内容を書いたメモを貼り付けていきます。

ところで、取り外されたばかりの三十万一枚目のボードですが、こちらに集まってくるのはマイナーたちです。

その、マイナーたちは、直前つまり三十万枚目のボードに書き込まれたハッシュ値をチェックして正しさを確認したら（この計算は短い時間で可能でしょう）、そのハッシュ値と、ボードに貼り付けられたメモつまり「取引」のデータ、そして「適当な値」をハッシュ関数に放り込んで、ともかくハッシュ値を計算し始めるのです。でも、条件にあうハッシュ値になる「適当な値」はなかなか見つかりません。それもそのはずです。95ページでも計算した通りで、ターゲットの大きさが「最初の十桁がゼロ」という程度のものだったら、二の十乗はおよそ十の三乗ですから平均的には千回ほども計算すれば「適当な値」を見付けてしまうことができますが、ゼロであることを要求する桁数が大きくなると（つまりターゲットが小さくなると）、たとえば「最初の二十桁がゼ

パネル15：300,001枚目のボード

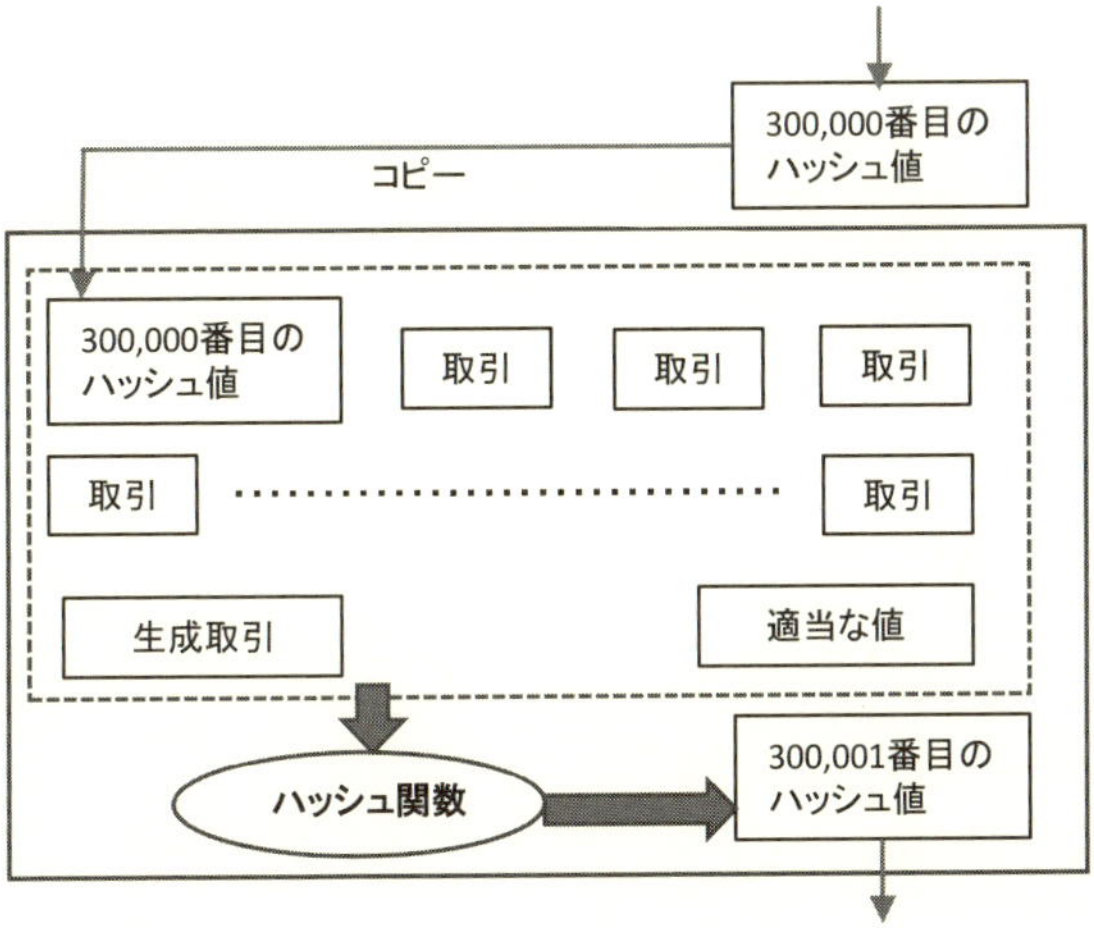

この図は、実際のビットコインの仕組みを忠実に写し取るのではなく、その論理構造を理解してもらうためのものなので細部は省略してある。たとえば、図中の「適当な値」というのは、実はブロック全体で定義される「ナンス」と呼ばれる部分と、マイナーの自己取引部分にマイナーが自分で記入できる部分との両方のはずなのだが、それを別に書くと面倒なので、単に「適当な値」とだけ書いておいた。なお、こうした「ボードの掛け替えインターバル」をどう決めるのかというのも気にかかるところだが、実は1ブロックに消印が付くまでの所要時間を2016ブロック単位で平均し（2016ブロックは1ブロックの形成時間を10分間とすると2週間に相当する）、それが10分間を下回ってくると、ターゲットを小さくして所要時間が延びるようにし、反対のときはターゲットを大きくして所要時間が短くなるようプロトコルが自動調整している。この辺りも聞く人をなるほどと思わせる小さな「コロンブスの卵」の一つである。

ロ」という条件なら平均回数は百万回、三十桁なら十億回、四十桁だったら一兆回、五十桁は千兆回、というような具合にどんどん時間がかかるようになってしまいます。

もちろん、マイナーの数が増えれば、そのうちの「誰か」が成功するまでの時間は短くなりますが、それでも時間がかかることに変わりはありません。

緊張の時間が流れます。で、しばらくすると、マイナーの一人が「見つけた」と声を上げるわけです。そうすると、そのマイナーが計算したハッシュ値がボードに書き込まれ、一方、掲示板に掲げられていた三十万二枚目のボードが取り外されて新しく三十万三枚目のボードが掲げられ、取り外されたばかりのボードにはハッシュ値を計算しようとマイナーたちが集まり、新しいボードには取引メモを貼り付けるための人々が集まる、とこんな風景を想像すればよいでしょう。それが、十分毎に一回のサイクルで繰り返される仮想街角掲示板の運用風景なのです。

もちろん、実際のビットコインのＰ２Ｐネットワークは、見て触れられる掲示板やボードではありません。互いに接続しあっているサーバーやパソコン、そこで共有されているデータの集まりです。したがって、「ボードを掛け替える」というようなアクションが、現実に存在するわけではありません。ですから、マイナーの誰かが答を発見してハッシュ値をブロードキャストしても、これは非常に低い確率でしか生じない事態ではあるのですが（どうして「非常に低い確率」と言えるのかのヒントはパネル10にあります、確率論の心得のある方は考えてみてください）、わずかに遅れて別のマイナーが違うハッシュ値を算出してブロードキャストするということも、あり得ない話ではありません。あるいは、微妙な条件（たとえば書いてある手数料が「相場」と大きく違うというような条件です）が書いてあるメモを外したり入れたりして、別のハッシュ値を計算するマイナーが現れるということもないとは言えないでしょう。いや、何らかの狙いをもって、別のハッシュ値を計算してブロードキャストすることだって、プロトコル上、可能は可能なのです。で、そうしたことが起こると、P2Pネットワークの中で二通りの掲示板列ができる、つまりブロックチェーンの枝分かれが生じてしまうことになります。そのときはどうすれば良いでしょうか。

ビットコインのルールは単純です。枝分かれが生じたときには、事後的に長く伸びている方のチェーンを「勝ち」にするのです。これは悪くない解決法でしょう。一種の多数決システムです。もちろん、これだけでは75ページで持ち出した「ビザンチン将軍問題」は解決されていません。多数決が「正しい解決（正義とか公正という文脈での正しい解決）」とは限らないからです。でも、こうしたルールを作っておけば、話がもつれたときの実務的な解決にはなります。ビットコインが受け入れられた理由は、多数決だけでは「ビザンチン将軍問題」は正しく解決できないことが前提にして、実際にそれが生じてしまったときは、事後的に「より多くのフォローが付いた方を勝ちとする」と割り切ってしまったところにあるように思えます。何か民法の取得時効のような話でもあるのですが、実務の世界では、矛盾が生じたときでも、ともかく「何か」は決まるようにしておく方が、「何も決まらないこと」よりは良いのです。サトシ・ナカモトは、その辺りを良く分かっていたな、という気がします。

もっとも、こうした方法で解決しようとする限り、ビットコインは、それを受け取っても即座に使うわけにはいきません。もともとコインの二重使用を防止するためには、その取引が正当なものと認められ、収容されているブロックが閉じられるまでは待つ必要があるのは当然なのですが、実際のビットコインの取引では、仮にブロックチェーンが枝分かれして、「長い方を勝ちとする」という、やや強引な裁決ルールが実施されたときの影響を小さくするためにか、ブロックが閉じられても、その後に六ブロックがつながるまでは受け取ったコインを使用できないという取引上の慣行のようなものまで存在します。この慣行はワレットの標準的な仕様として維持されているようなのですが、六ブロックというと、だいたい一時間ぐらいですから、まあ我慢の範囲内なのでしょう。

ただし、マイナーが生成取引で作り出したビットコインの方は、その後に百ブロックがつながらないと使用可能になりません。そうプロトコルで決められています。参加者同士の取引の場合は、ブロックチェーンの枝分かれが生じていて、片方のチェーンが事後的に無効になっても、そこに収容されていた取引は収容されるブロックが変更になるだけで、コインそのものが消えてしまうわけではないのに対し、生成取引で作り出されたビットコインは、そのブロックが「負け」になってしまうと本当に消えてしまいますから、そんなことが起こる可能性が完全に無視できるほどに小さくなるまで、コインを他人に渡せないことにしているのでしょう。

これぐらいまででビットコインの仕組みについては、ほぼ説明できたでしょうか。貨幣として機能する技術的な理由は伝えられたと思います。そこで次章では、このビットコインを巡る最近までの状況と将来の可能性について俯瞰しておきたいと思います。

第三章　ビットコインたちの今と未来——それはどこまで通貨になれるか

ビットコインの成功は多くの追随者を生んだが、その意味を考えているうちに、以前にＮＨＫが放送していたブラジル中央高原セラード地域のアリ塚群の光景を思い出してしまった。この高原のアリ塚群には各々のアリ塚に一家族のシロアリが暮らしているのだが、こうして群をなしたアリ塚は、個々にはオオアリクイなどによって破壊されても、その後の空間には新しいアリ塚がすぐに作られるので、全体の景観は変わらないのだという。将来のビットコインとその追随者たちとの関係を思わせる話である。アリ塚にはヒカリコメツキムシの幼虫が寄生しているが、それらの虫は１年のうちの２か月半ほどの間、小さな無数の光を発する。息をのむほどに美しい景色らしい。

勢いがつくというのは、こういうものだったのでしょうか。ビットコインが注目されるきっかけになったのは、二〇一三年春のキプロスでの異変だったわけですが、前年末には一BTC当たり二十ドルもしなかったビットコインの価格は、これをきっかけに二百ドルを超すまでに跳ね上がり、その後も中国最大の検索エンジン「百度」がビットコイン決済に対応すると発表したこともあってか価格は上昇を続け、この年の秋には千ドルを超えました。一年間で数十倍の上昇です。

もっとも、翌二〇一四年はビットコインにとっては災厄の年だったようで、前年末に中国政府が金融機関に対してビットコイン取引を禁止したことも手伝って相場が軟調に転じたところに、東京にあったマウントゴックスというビットコイン取引所（ビットコインとドルや円などを交換する業務を行う会社なので、取引所というのは少し変なのですが、こう言い習わしているようなので従っておきます）が、何らかの犯罪あるいはシステム的トラブルで、顧客から預かっていたビットコインを喪失し会社自体も破綻するという「事件」が起こりました。こうしたことも負のニュースになったのでしょう。ビットコインの価格は年初の八百ドル近辺からずるずると低下を続け、翌二〇一五年になるころには二百ドルをも割り込む水準にまで落ち込んでしまいました。

しかし、こうした価格の動きとは別に、取引件数の方は意外なほどに手堅く増加を続けていました。価格が急上昇を続けていた二〇一三年の秋でも一日平均で五万件程度だったビットコインの取引量は、二〇一五年の初夏には十万件を普通に超えるようになりました。こうしたこともあって、ビットコインの価格も、この原稿を書いている二〇一五年の秋では、三百ドル程度にまでは持ち直しているようです。ビットコインへの関心は投機から利用へと移ってきたのです。実際、私たち日本人が思う以上に、海外とりわけ米国ではビットコインは「普通」になっているようです。マイクロソフトやデルコンピュータなどのＩＴ企業が、あるいは大手旅行サイトのエクスペディアがビットコイン決済を導入するなどということは、とりたてて驚くような話ではなくなっています。そうした状況が荒っぽい価格の動きとは違う、堅実な取引量の増加となって表れていたように思います。ビットコインは、熱狂と混乱から日常へと変化したわけです。

ところで、そうしてビットコインの風景が熱狂と混乱から日常のものへと変わる過程で、いくつかの進展と変化がありました。そのいくつかを拾いつつ、ビットコインとその類族たちの未来を考えてみましょう。

一　ビットコインからビットコインたちへ

アルトコインたちの出現

ビットコインが「成功」すると、それはどんな成功にも付き物の物語ですが、多くの追随者あるいは模倣者が現れました。ビットコインと似ていて、同じように使えて、しかしビットコインとは異なる系列のブロックチェーンを形成する貨幣的なシステムが次々に現れたのです。これら

パネル16：ビットコインの価格

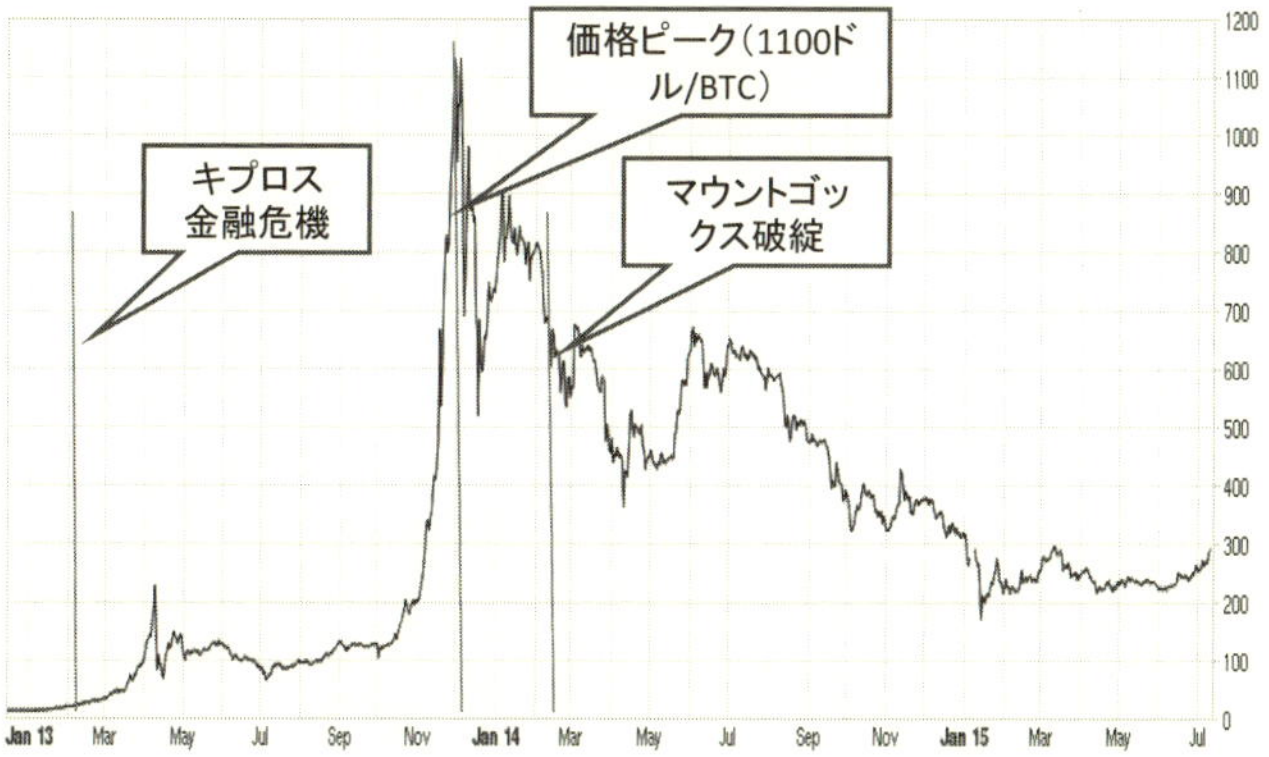

当時世界最大手の取引所だったマウントゴックス社（なぜか東京の渋谷にあった）は、2014年の2月26日に顧客から預かっていたビットコインの喪失を理由に取引を停止すると発表し、翌々日には東京地裁に民事再生の申立てを行ったが、4月に申立ては棄却され破産手続きに移行した。もっとも、こうした騒動の最中にも、世の中では普通にビットコインによる決済は行われ続けていた。考えてみれば当たり前である。マウントゴックス社の事件を日銀券やドル札の世界に置き換えれば、そうした現金を保管していた銀行とか両替所の金庫が何者かに開けられて中身がなくなっていましたというようなもので、それは現金そのものの価値とは関係がないからである。ちなみに、マウントゴックス社は2011年の6月にも侵入の対象となって、ビットコイン市場価格下落の原因を作ったこともあったようだ。セキュリティの弱さでも事情通にはお馴染みの会社だったらしい。

は、ビットコインに代替的（alternative）なコインという意味で「アルトコイン」と呼ばれています。アルトコインとしては、ライトコインとかドージコインあるいはモナコインなどが知られているようですが、ブロックチェーンで権利の帰属者を特定し、そのチェーンの正当性を競争的なマイニングで保証するという点では、同じようなものと考えて良いでしょう。

こう説明すると、アルトコインは要するにただの「モノマネ」で、とるに足らないものという印象を持つかもしれませんが、そんなことはありません。アルトコインたちがモノマネであることは間違いありませんが、モノマネの貨幣が無価値であるとは限らないからです。いや、そもそも貨幣の歴史そのものがモノマネの歴史だとさえ言えるでしょう。

日本史の授業で、日本最古の貨幣として「和同開珎」という銅銭について習った人は多いと思います。現在の秩父地方から銅が産出されたことを機に七〇八年に鋳造されたこの貨幣は、今では、それよりも古い銅銭である「富本銭《ふほん》」などの発見により、日本最古の銅銭としての位置付けは失ったようですが、それはともかくとして、これら富本銭や和同開珎は同時期の中国唐王朝の通貨「開元通宝」のモノマネであることは間違いありません。ただ、モノマネではあってもニセガネではありません。これが大事な点です。和同開珎には「和同開珎」と銘が刻まれていて「開元通宝」とは刻まれていないからです。

いわゆる古代文明の地で、まず貨幣を鋳造するというノウハウが開発され、それが多くの国や地域に広まっていったというのが貨幣の歴史なのですが、そうした歴史は、モノマネの貨幣がいくらモノマネであっても、各々の条件の中で貨幣としての役目を果たしていたことを示していま

パネル17：歴史の中のアルトコインたち

日本で最初の鋳造銭は、その名も和銅元年つまり西暦708年に鋳造された「和同開珎」であると日本史の教科書に書かれていることが多かったが、近年の研究で和同開珎よりも20年以上も前から銅銭が鋳造されていたことが分かってきた。その一つが、表面に「富本」の文字がある富本銭であるが、こうした日本の銅銭たちのオリジナルが621年に唐の高祖の時代に鋳造された「開元通宝」であることは間違いなさそうだ。貨幣の世界では、古来からモノマネは普通のことなのである。こうしたモノマネの貨幣も、その貨幣鋳造や流通に投じた費用や努力つまりは「プルーフ・オブ・ワーク」に見合った価値は普通にあったはずで、それは日本が公的な銭の鋳造をあきらめて、いわゆる輸入銭を使うのを普通にしていた時代の私鋳銭についても言えることだろう。開元通宝をビットコインだとすれば、富本銭や和同開珎はアルトコインに相当することになる。思わず「歴史は繰り返す」などと口走りたくなる歴史の相似でもある。

す。ビットコインとアルトコインの関係も似たようなものでしょう。ビットコインのモノマネであるアルトコインたちも、各々が別個のブロックチェーンを持つ独立した貨幣なのです。

日本の貨幣史を見ても、貨幣が本格的に庶民の生活に入り込み始めた平安時代末期から、徳川政権が、鎖国という名の貿易管理体制を確立させ幕府公認の銅貨である「寛永通宝」を鋳造し始めるまでの数百年の間は、宋や明からの輸入銭と日本国内で鋳造された私鋳銭が入り混じって流通していました。こうした様々な貨幣が混合して流通する状況では、「撰銭」と言って、いわゆる良貨と悪貨を区別して良貨のみを選択しようとする傾向が生じ、一方で、それを制限したり禁止したりしようとする政権側の思惑とはしばしば交錯したようですが、こうした「似たような、しかし異なった貨幣」の混合流通自体は、世界の他の地域でも珍しいものでなかったようです。

もっとも、ビットコインとアルトコインとの関係を、かつての「撰銭」になぞらえるのは、適切でないかもしれません。アルトコインは単なるモノマネではなく、技術の世界での後発者ですから、後発者としての工夫あるいは改善を行っているものがほとんどだからです。セキュリティを高度化したり、ブロック形成のインターバルを短くしたり、マイニング競争やマイナー報酬のルールに手を加えたりと、その工夫は様々ですが、一つ一つを具体的に観察してみると、なるほどと肯ける点ばかりと言ってよいでしょう。

とはいえ、そうしたアルトコインの流通量はまだ少なく、価格も高くありません。しかし、それは、いわゆる「貨幣の外部性」によるところが大きいはずです。貨幣というのは、自分が持っているだけでは基本的に有難味がありません。他の人との間での資金決済に使えるということ、要するに他の多くの人が受け入れてくれることがより大きな価値を持つことにつながるのです。これを「外部性」と呼ぶということは、第一章でも説明した通りですが（45ページ参照）、こうした外部性に支えられた世界では、世の中の多くの人に認知され使われていることが、他との競争において圧倒的に有利になります。今のアルトコインたちは、その流通量から見れば、決して大きな存在ではありません。でも、そうしたアルトコインだって、たとえばビットコインの問題が生じたときには、今はビットコインに集まっている関心を引き付ける受け皿になり得るでしょう。少し説明させてください。

ビットコインの問題とビットコインたちの問題は違う

ビットコインには弱点ともいえるものが少なからず報告されています。当り前の話ですが、ビットコインのインフラとなっているP2Pネットワークを混乱させたり、分断したりすれば、ビットコインは機能を停止させられてしまいます。あるいは、そうした分断を企んだ者が望むような方向へとブロックチェーンが延伸し始めてしまうかもしれません。これが起こったらビットコインの信用は一気に失墜してしまうでしょう。

また、ビットコインに関する取引データの全体にデジタル署名が施されているわけではないという問題、これは、ビットコインの理論ではなく実装上の問題と考えるべきでしょうが、ともかくそんな問題があることも、「トランザクション展性」などと呼ばれ、専門家の間では良く知られているようです。この辺りの問題は、マウントゴックス社のビットコイン喪失事件に関連しても指摘されることがあるようです。

さらに、近いうちにビットコインにとって重大な弱点になりそうなのが「スケーラビリティ」と呼ばれている問題です。これは、現在のビットコインのブロックの大きさが、大量の取引を支えるために必ずしも十分なものではない、具体的には、一秒間に七件以上の取引がP2Pに送信され続けるとブロックのサイズを超過してしまうという問題です。ちなみに一秒で七件を一日に換算すれば六十万件ほどで、これに対して現在のビットコインの一日の取引件数は十万件程度ですから、それだけを見ればまだまだ余裕があるとも言えるのでしょうが、一日のうちには取引が集中する時間もそうでない時間もあるでしょうから、このスケーラビリティの問題は、そこは今後のビットコインの利用状況次第なのですが、意外なほど近いうちにシステムのボトルネックとして浮かび上がってくる可能性がありそうです。

もちろん、これに対して、ビットコインのサポーターたちの間では解決の方法を探る議論も行われているようです。解決の方法は単純で、要するにプロトコルについての合意を形成し直して、ブロックの大きさを拡大すれば良いはずなのですが、ただ、ブロックの大きさを拡大することは、大きな計算能力を持たないマイナーたちを実質的に排除することにも繋がりかねないという反論もあるようで、そこはどう落ち着くか分からないという話を聞くことがあります。

ただ、私は、この辺りの議論を聞けば聞くほど、ビットコインのモノマネであるアルトコインたちの存在を面白く感じます。なぜなら、ビットコインがそうしたボトルネックに突き当たったら、そこはビットコインを「改良」するのではなく、ビットコインはビットコインとしてそのまま置いておくことにし、しかし、徐々に今のビットコインとは別の「ビットコインのようなもの」に乗り換える、あるいは、乗り換えたいと思う人だけが乗り換えるというかたちで、ことが解決されてしまうというシナリオもありそうだからです。

実際、たとえば今のビットコインにスケーラビリティのような限界が来たら、持っているビットコインを無効なアドレスに送り込んで無いも同然にし（これを「プルーフ・オブ・バーン」というのだそうです、訳せば「焼却証明」でしょうか）、それで別のアルトコインに乗り換えることにしてはどうかという提案もあるようです。

そうした話を聞くと、ビットコインとアルトコインたちとの関係は、一つの生物種の中での亜種や変種のようなもの、あるいは同一種の中での家族集団のようなものに近いという気がしてくるところがあります。そうだとすると、ビットコインとアルトコインたちは、全体として一種の生態系のようなものを形成し発展させていくという予想も可能となってくるでしょう。この章の最初に「セラードのアリ塚」のイメージを引用させてもらいましたが、そこでも、一つのアリ塚に暮らすシロアリの数が増え過ぎて塚が手狭になると、一部のシロアリたちは羽アリとなって新たなアリ塚を作りに飛び立つのだそうです。これなどは、ビットコインとアルトコインたちとの関係を連想させるという点で、何とも面白い話のような気がします。今のアルトコインたちは、ビットコインという巨大なアリ塚に圧倒されているようなのですが、このスケーラビリティ問題などをきっかけに様相は変わるかもしれません。

整理しましょう。スケーラビリティのような問題が「一つのブロックチェーンとしてのビットコイン」に存在することは間違いなさそうですが、それは「アルトコインまで含めたビットコインたち」の弱点にはならないと思えるのです。いや、むしろそこが、中央銀行たちが独占的に貨幣を供給するという今の国際通貨体制にはない、個人の利益追求的な動機で集まったマイナーに支えられるビットコインたちが作る生態系の強みなのではないでしょうか。ビットコインやアルトコインたちのどれかに大きな欠陥や弱点が発見されたり、あるいは、そうした欠陥や弱点を突いた攻撃が行われたりしても、そのときには、他のアルトコインのどれかが役割を引き継ぐということもありそうですし、また、そうしたリスクを利用者やマイナーが認識しているとすれば、あらかじめ取引や投入資源を複数のビットコインたちに分散しておくことで、こうむるショックを緩和することもできそうだからです。

ブロックチェーンの活用法さまざま

議論が仮定の話に深入りし過ぎた感じもしますので、ここで少し話を変えましょう。ビットコインの追随は追随でも、いわゆるアルトコインとは別の方向を目指す動きもあります。そうしたなかでは、主として国際間の資金決済を意識していると思われる「リップル」というプロジェクトなどは早くから注目されていました。

このプロジェクトの構想自体は、どうやらビットコインよりも早く提案されていたようですが、伝えられているところによると、その後になって、ビットコイン的なアイディア、具体的には参加者により共有された仮想台帳をブロックチェーンとして管理するというアイディアを重要な部

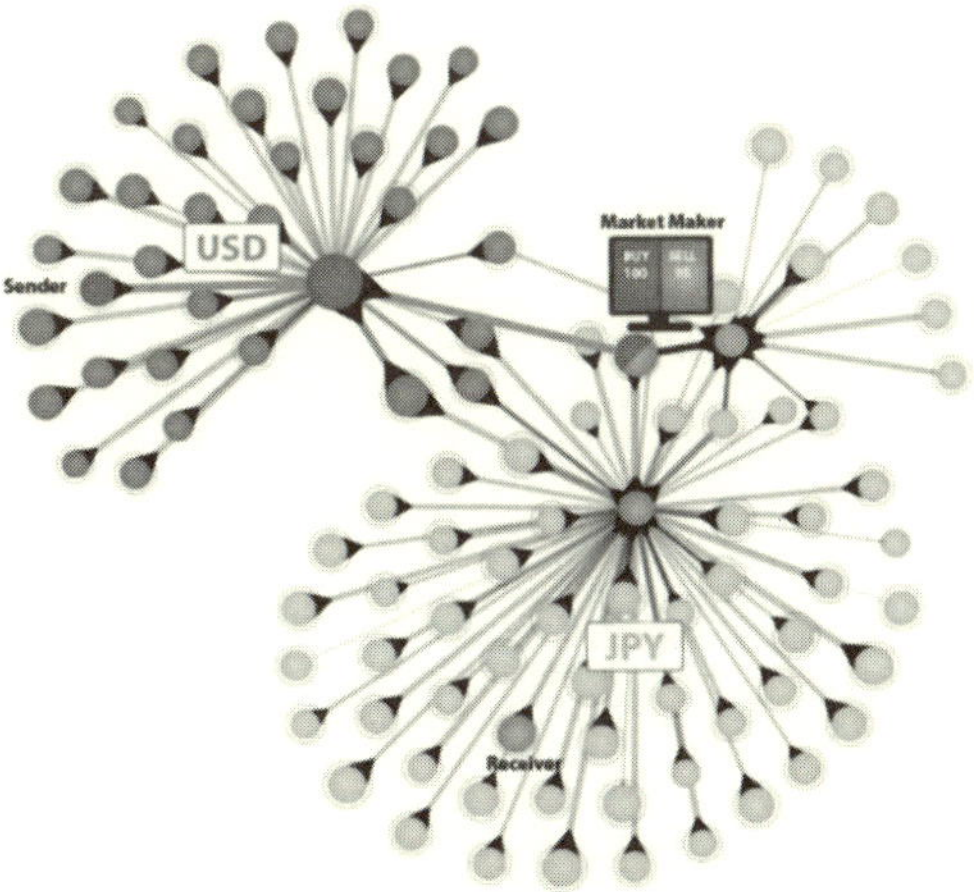

リップルの概念図

分として取り入れたようです。どんなものかは概念図を見た方が分かりやすいでしょう。プロジェクトとしてのリップル自身が公開している概念図を掲載しておきます。

この概念図をみると、銀行業務に通じた方なら、なんだ、これは普通の銀行取引における伝統的な「為替」の仕組みとほとんど変わらないのではないかという気がするのではないでしょうか。確かに、図でＵＳＤとかＪＰＹと書いてあるところに具体的な銀行名を入れ、その中間の結節点のようなところを外国為替市場とでも書き直せば、細部の省略の仕方にもよりますが、形はよく似たものになります。ちなみに、現在の国際間の為替決済システムでは、この図に相当するようなネットワークとは別に送金の内容を伝達するＳＷＩＦＴなどという情報ネットワークが必要になることもあって、送金開始から完了までに時間がかかり手数料も高くつきます。

リップルは、こうした現在の為替決済の仕組みを取引情報と貨幣価値とを同時に仮想台帳上で管理してしまえば、効率が向上するはずということに眼を付けたのだと私は思っています。

リップルについての印象をやや複雑にしているのは、リップルがネットワーク内部での計算単位として使用できるXRPという「通貨」を用意していることでしょう。もっとも、リップルがXRPを用意しているのは、身近に直接交換が可能な為替市場が存在しない通貨間での「出会い」の機会を増やす目的や、取引一回ごとにわずかでも費用をかけさせることで、大量の往復取引データなどを入力して機能を停止させようとする「攻撃」からシステムを守る目的で設定されているようですから（これはPOWのもともとの考え方に近いでしょう、98ページのパネル13参照です）、ビットコインがBTCという価値を作り出しているのとは作り出す目的あるいは論理が違うようです。そもそも、XRPはマイニングの報酬として生成されるのではなく、システムの開始時点で、いわば「空中」から無対価で作り出されている通貨です。これはビットコインとXRPとの最も根本的な相違点です。

ちなみに、XRPが「空中から無対価で作り出される」という点を奇異に感じる必要はありません。無対価で当事者間でのみ通用する「通貨」を作ってしまうという点では、前にも言及した国際機関IMF提供のSDRという大先輩がいます。SDRは良くてXRPがいけないという理由はありません。それに、XRPはSDRよりも良いところがあります。それは、SDRは自分がなくなるシナリオを用意していないが、XRPは用意している、具体的に言えばXRPはちょうど有限な地下資源のように、取引をサポートするごとに消えて行ってしまって、二度と戻っては来ないからです。

空中から当事者間でのみ通用する通貨的な価値を作り出すこと自体は悪いことではありません。ただ、作ったものが誰にも迷惑をかけずに消えるシナリオを準備しておくのは、仕組みを作り出す者のモラルの一つです。前著の『貨幣進化論』で、一九四四年の夏のブレトンウッズ会議でケインズが提案した為替不均衡を調整するための勘定であるバンコールと、一九六九年にＩＭＦに集う「識者」たちによって作られたＳＤＲとを比較して、二つが「似て非なるもの」と書いたのは、この点にあります。

私は、バンコールはさすがにケインズの提案だと思っています。ケインズはバンコールが生み出されるシナリオと消え去るシナリオをきちんと考えています。ＳＤＲには生み出すシナリオだけがあって、消え去るシナリオがありません。その意味では、消え去るシナリオが用意されているＸＲＰはＳＤＲよりも正統的に考えられた「通貨」だと思っています。そして、こう整理すると、ＸＲＰはビットコインとは完全に別ものと位置付けた方がよさそうにも思えて来るでしょう。リップルの本質的な部分は、ブロックチェーンに類似する決済のネットワークであって、マイニングによる貨幣の生成ではないからです。

一方、こうしたリップルなどの方向感とは別に、ブロックチェーンそのものに新しい利用価値を発見しようという動きもあるようです。

前の章での仮想掲示板のたとえ話からも明らかだと思いますが、原理的に言えば、ブロックチェーンに書き込むことができる事柄は「貨幣的な価値の移転」に相当するような情報に限りません。したがって、ブロックチェーンの中に何らかの証拠性を保持したい文書のハッシュ値を埋め込んでおけば、文書の秘密性を維持したまま後日の証拠とすることができます。実際、今のビットコインのプロトコルのままでも、短いハッシュ値ぐらいは取引の中に挿入することでブロックチェーンに埋め込んでしまうことができそうです。これは、すでに手数料ビジネスとしてサービス提供が小規模ながら行われているようですが、こうしたサービスの利用は、たとえば企業内発明者が企業に対して主張したい知的財産権の保持などにも有効かもしれませんし、もう誰かは実行しているかもしれません。

また、このようなブロックチェーンの新たな利用可能性を正面から掲げているプロジェクトとしては、たとえば「イーサリアム」というようなものが知られています。イーサリアムは、こうしたブロックチェーンの利用を意識して状況や状態の移り変わりについての記述力を強化したビットコインの発展版のようなものなのですが、マイナーに報酬が支払われる理由が「POW／プルーフ・オブ・ワーク（作業証明）」ではなく、「POE／プルーフ・オブ・イグジスタンス（存在証明）」になるという方向を目指しているそうですから、その意味では、他のビットコインの追随者たちとは違う方向へと発展するかもしれません。

もっとも、こうしてブロックチェーンに単なる決済情報以外の要素をどんどん持ち込むことは、今までとは別のリスクをシステムに持ち込むことになる可能性があります。ビットコインの「コロンブスの卵」が、取引の正当性証明問題を計算量負荷競争という経済性問題に置き換えて実務的に解決したという点にあるとすれば（言い換えれば、ビザンチン将軍問題を「解決」せずに経済の論

パネル18：誰が記録を公正に保持するか

重要な記録文書を誰なら公正に保持していると言えるかは、ときに熱い問題になる。私的な文書を改ざんなしと保証する仕組みとしては公証人による公正証書などという制度があるが、国家により作成された文書は、普通なら「公」の立場を代表するはずの国が当事者になってしまうので、過去時点における存在や不存在を証明することがときに困難となるからだ。本来は、文書を作成したら直ちに公開することをルール化すればよいのだが、そうとばかりもいかないのが外交とか国防の公益なのだろう。そのため、そうした公益を盾にとっての情報操作の疑惑はどんな国にもついて回ることになる。ブロックチェーンに文書のハッシュ値を書き込んでおくなどというのは、こうした文書の事後証明問題を解決する方法になるかもしれないし、都合の悪い文書をなかったことにしたいと願う国にとっては悪夢の一つになるかもしれない。写真はウィキリークス創始者のジュリアン・アサンジ。彼の活動には多くの批判と非難があるが、また根強い支持もある。彼らのような活動に対する国の側の対抗のパターンの一つは、文書の存在を否定し事後的に捏造されたものだと主張するというものだが、そうなると、ブロックチェーンの中のハッシュ値はなかなか手ごわい相手になるはずだろう。ただ、それは、後ろめたいものを持つ国たちに、自らハッカーとなってブロックチェーンを枝分かれさせるなどという戦術も含めて、ブロックチェーンそのものを攻撃する誘因を生じさせるということでもある。笑えないシナリオである。

理を使って「迂回」したところにあるとすれば）、ブロックチェーンの構造に計算量負荷以外の目的を設定することは、それ自体が新たなブロックチェーンへの攻撃誘因になり得るからです。この辺りをどう解決するかは、第三者に過ぎないはずの私でも少し気になり、また少し楽しみな点でもあります。

暗号通貨あるいは仮想通貨そしてPOWモデル

ここで少々の用語の整理をしておきましょう。ビットコインと数多くのアルトコイン、そしてリップルとかイーサリアムのようなブロックチェーンを使ったネットワーク通貨的なサービスまで全部を一括りにして、それらを「暗号通貨」とか「仮想通貨」と呼ぶことがあります。

でも私は、この「仮想通貨」という呼び方はあまり好きではありません。およそ、通貨とか貨幣というものの多くは、もともと何らかの意味で「仮想」の要素があるはずだからです。ただ持っているだけでは特に嬉しくない銀行券や、他者に付け替えたりすることができるだけの預金通帳上の数字に意味を持たせて、それを取引の決済や価値の保蔵に使うという点では、これらも「仮想」の価値の一種と言えないことはありません。また、ＩＭＦを中心とする国際通貨体制の要のような顔をしているＳＤＲなどは、「仮想通貨中の仮想通貨」でしょう。これらに比べれば、ＰＯＷだということで莫大な電気代を払って生成されるビットコインの方が、ずっと「仮想」ではありません。金貨や銀貨だって、その素材金属の価値は貨幣としての価値を下回るのが常ですから（そうでない金貨や銀貨は退蔵されるか鋳溶かされてしまうので貨幣として流通しないのが普通です）、程度問題とは言え、これらにも「仮想」の要素があるわけです。

ですから、こうした「ビットコインたち」にあえて名を付けるとすれば、私は「仮想通貨」というよりは「暗号通貨」という呼び方の方が適切と思えます。ただ、「暗号通貨」というのも、やはり少しおかしな呼び方です。暗号通貨と呼ぶのは、それが正当なビットコインの取引であることを確認する手段として主として暗号技術を使っているという意味でしょう。しかし、それだったら銀行券は「印刷通貨」ということになるし、預金通貨は「勘定処理システム通貨」とでも呼ばなければなりません。それも、何かぎこちないですね。ただ、何か名前がないと議論に不便ですから、そんな問題も多少はあることは承知のうえで、ここでは、こうした通貨を総称するときには「暗号通貨」と呼んでおくことにしようと思います。実際、海外とくに米国での呼び方も、「バーチャルカレンシー」つまり「仮想通貨」よりも、「クリプトカレンシー」つまり「暗号通貨」の方が今のところは優勢のようです。

また、最近になって、リップルやイーサリアムのような暗号通貨を「暗号通貨2・0」とか「仮想通貨2・0」などと呼ぶこともあるようです。「2・0」というのは、コンピュータのソフトウェアなどで、抜本的な改訂版をバージョンと言い、若干の手を加えた改訂版をリリースと呼んで、「2・1」とか「2・2」などと番号付けするイメージなのでしょうが、これもどうでしょうか。「2・0」というと技術的に進んだもの、凌ぐものという雰囲気がありますが、それは当てはまらないからです。

ビットコインやアルトコインが、これまでの「電子マネー」などと呼ばれていたシステムとまったく異なる点は、条件にあうハッシュ値を探すという競争の仕掛であるPOWつまりプルーフ・オブ・ワークを使ってその取引を支えるだけでなく、同時にそのPOW自体が貨幣としてのビットコインの価値源泉になっているところに大きな特色があります。それが、マイナーたちの競争を金の採掘になぞらえる理由でしょう。

これに対してリップルやイーサリアムなどの「暗号通貨2・0」は、ブロックチェーンというP2P仮想掲示板の目的を、オリジナルのビットコインとは違うところに求めたというところに特徴があるわけですが、他方で、貨幣の価値源泉を独自に作るということについての「こだわり」は薄いように思います。それは悪いことではない、言い換えれば、暗号通貨としての「技術の使い方」に注目すれば、「暗号通貨2・0」たちは、その「1・0」たちを凌いでいると言っても良い面もありそうですが、貨幣理論という観点からは、むしろ退屈なものになってしまっているものが多いというのが私の感想です。

そんなこともあるので、これ以降は、ビットコインやアルトコインたちをリップルやイーサリアムのような「暗号通貨2・0」たちと区別して呼ぶときには、それを「ビットコインたち」と呼んだり、もう少し厳密に議論したいときには「POWモデルの貨幣」と呼んだりすることにさせてください。これらの通貨あるいは貨幣たちの特徴は、それらが「貨幣としての価値の源泉」を、現代の世界の主流である中央銀行が作り出す貨幣つまり銀行券とは異なるところに求めているところにあるのですが、それが貨幣価値にどんな効果をもたらすかについては、次節で改めて考えることにしましょう。その前に、ビットコインへの関心が、熱狂から日常へと移って行く過

パネル19：電子マネーと地域通貨

ビットコインを、Suicaなどの「電子マネー」の一種、あるいはそのネットワーク版と思ってしまう人もいるが、それは違う。Suicaなどの電子マネーは既存の円やドルなどの貨幣を預かったり立て替え払いしたりして、それで生じる支払い義務や請求権をICカードやサーバーなどに記録しているだけで、電子マネーというシステムが新たな価値を作り出しているわけではない。これに対してビットコインには、そうした外の世界からの「価値の取り入れ」がなく、マイナーたちがＰＯＷに投じた設備費や電気代そのものが、たとえば金や銀の採掘費が金や銀の市場価格を支えているのと同じように、その価値源泉となっている。これは、ビットコインが、いわゆる「地域通貨」などともまったく異なる点である。地域通貨の多くは、労働奉仕や寄付などの実物経済の世界での意味がある活動の価値を紙幣その他の価値媒体に化体させる、つまり価値の根源を貨幣の外の世界から取り入れることで成立していて、「貨幣を作り出すのにかかった資源消費そのもの」が貨幣としての経済価値を支えているわけではない。写真は、1991年に活動が開始され今に至るという意味で地域通貨の中では名門とも言える米国のイサカ市の「イサカアワーズ」で、この通貨は委員会方式で運営されるコミュニティの活動を価値源泉としている。ちなみに、これらの地域通貨たちには各々に工夫して「紙幣」を印刷しているものが多いが、そうした面であれば、ブロックチェーンという技術は有力な代替的インフラになり得るはずだろう。

程で現れたマイナーたちの変化について観察しておきたいと思います。

産業化するマイニング

ビットコインが熱狂から日常へと移り行く過程で現れた変化は、アルトコインや暗号通貨2・0の出現だけではありませんでした。この間に、マイニングの「産業化」とも言える現象が急速に進行したのです。最初はパソコンの空き時間を使う遊び半分の仕事に近かったはずのマイニングが、ビットコインの価格が高騰するとともに急速にビジネスになり、そして投資の対象となっていったのです。

これにはビットコインが「枯れた技術」を「コロンブスの卵」で結び合わせたプロダクトだったことの効果が大きいでしょう。もし、ビットコインが先進理論や先端技術の産物だったら、そうは行かなかっただろうと思います。でも、ビットコインは「枯れた技術」の組み合わせです。ですから、その構造が理解され、かつ、その価格が急騰するとなれば、ビットコイン探しは、文字通りゴールドラッシュのような様相を呈することになります。最初のころのマイニングはパソコンの空き能力を使って、いわゆるバックグラウンド・ジョブのようにして行うという点で「牧歌的」ともいえるものだったようですが、たちまちのうちにハッシュ計算を効率よく行うためのASICという専用のチップを使うのまでは常識となり、やがてもっと本格的に組み上げた専用のハードウェアを売る業者も出現しました。マイニングは工場で行う産業となってしまったのです。

そうなってくると、マイニングの「産業構造」にも変化が起こります。マイナーたちはプールを作ると言って、共同してマイニングを行うようになりました。現在の状況を見ると、ビットコインのマイニングはごく少数のプールによって大部分が行われていて、単独でマイニングを行っている例はほとんどないようです。

ところで、共同でマイニングをすると言うと、それは互いに連携してマイニングの対象となる「鉱区」のようなものを作って競合を避け、それでマイニングの効率を上げるためかという印象を持つかもしれませんが、それは必ずしも正しくありません。もし、マイニングが遊園地の砂場に落とした一枚の金貨を探すようなものなら、確かにマイニングを行う空間を分割すれば効率は上がります。しかし、ビットコインのマイニングは、気が遠くなるほど大きな空間の中に、これまた気が遠くなるほど大量の金貨がばらまかれていて、ところが単位空間当たりに存在するコインの平均個数は普通には考えられないほど少ない、そうした環境の下での金貨探しのようなものですから、それは前章の79ページのパネル10で説明した「試行が絞り込みにならないケース」にほぼ相当するものとなります。したがって、プールはマイニングの効率を上げるためのものではありません。プールが形成される目的は、何よりも投資の確実な回収なのです。

少し計算してみましょう。ビットコインのマイニングでは十分間に一人の割合で競争に勝つマイナーが現れます。一日なら百四十四人、一年でも五万人を少し超える程度です。この競争に世界中のマイナーが群がったら、一人一人のマイナーが短期間に投資を回収できる可能性は極めて小さくなります。プールへの参加は、そうしたマイニングの投機性を緩和してくれる答になったわけです。

そして、プールがだんだん大きくなると、プールには左ページのパネルで示したような設備へのリースあるいはレンタルで参加するのが普通になり、ついにはネット上で交わされる契約書と資金の授受だけのものに近付いている、それが現状のようです。

もっとも、マイニングのプールがビジネスあるいは産業として形成されること自体は、ビットコインの「品質」に直接的に負の影響を及ぼすものではありません。ただ、プールが産業化し、プールの運営が企業経営に変化すると、別の問題が生じてきました。マイニングが少数のプールによって担われるという意味での寡占化が進むにつれ、個々のプールの戦略的行動によって、ビットコインのフェアなマイニングが脅かされるシナリオが意識され始めたのです。

ビットコインのリスクと限界

ビットコインのマイニングの寡占化が進み、その過半を一つのプールが担うようになった場合を考えましょう。彼らが共謀すれば、ブロックチェーンの延び方をコントロールすることができます。特定の取引を排除したり、その反対に有利に取り扱ったりすることも、ビットコインの多数決ルールの下では可能だからです。もっとも、そうした戦略的行動をしても、普通は得るものがありません。なぜでしょうか。

理由は、そうしたプールに参加しているマイナーの利益は、基本的には自分が生み出すビットコインの価値に依存しているからです。ですから、そんなことをしてビットコインの評判が落ち

パネル20：産業化したマイニング

マイニングは完全に産業化している。2014年が終わるころにはパソコンに専用チップを組み込んだUSBボードを接続して行うマイニング（下）は完全に過去のものとなり、できる限り電気代の安い国に立地した設備で大量の電気を消費しながら操業する「工場」がマイニングの主流となった。上の写真はThe Economist（2015年1月配信）掲載ので、記事によればスウェーデンのマイニング専用設備の由だが、これだけの設備をフル稼働させると、設備そのものが喰う電気代だけでなく施設の冷房費もばかにはならないはずで、これは冷涼な気候のスウェーデンの有利な点だろう。ちなみに、スウェーデンの電源構成は水力と原子力でほとんどが占められ、温暖化ガス排出量は少ない。また、ほぼ完全な発送分離により電力料金契約における利用者の選択の余地は大きい。

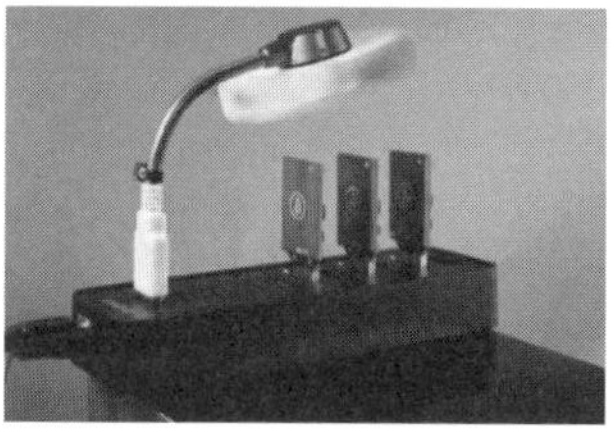

れば、損をするのは、マイニングという産業に膨大な資金をかけて参入した自分たちなのです。そうなると、そこまでの計算パワーを持っていたら、ブロックチェーンを支配していることで何か不正なことを試みるよりも、マイニング競争そのものでより多くのビットコインを獲得した方が得のはず、そういう論理がマイナーたちに働くのではないでしょうか。

実際、ナカモトペーパーの論理展開には、そうした雰囲気があります。ビットコインは多数決のシステムですが、同じ多数決でも、自身が利益関与しているときの多数決は、そうでない場合に比べてビザンチン将軍問題のような罠にはまる可能性は少ない、そう考えているようなのです。しかし、それには二つの落とし穴があると私は思っています。

第一の落とし穴は、今のビットコインのやり方だと、ブロック形成ごとに新規に生成されるコインの数が四年に一度の割合で半減してしまうことから生じます。つまり、ビットコインの価格が四年間に倍増のスピードで上昇し続けないと、新規のビットコインを獲得することによる利益はだんだん減少してしまいますから、マイニング産業を支配することで他人の権利を侵すことの誘因の方が相対的に強くなってきてしまいます。これは、四年に一度の割合でコインの生成速度を一気に半減させるという、いささか荒っぽいビットコインの設計が生じさせている問題なのですが、この設計は遠くないうちにもビットコインのリスク要因として浮かび上がってくる可能性があります。左ページのパネルも参照してください。

第二の落とし穴は、ＰＯＷモデルにおける競争は、同じコインの中でのマイニング競争ばかりではないということから生じます。現在ではまだ考えにくい話ですが、アルトコインの中からビ

パネル21：四年に一度のチキンレース

そもそも4年に一度、ビットコインの生成量が一気に半減するというのはマイナーにとって最も困った問題の一つだろう。たとえば、2015年中におけるビットコインの生成速度は約10分間で25ＢＴＣなのだが、この速度は2016年の夏ごろのある時刻（プロトコルによればブロック番号420,000番のブロックが形成された時刻）を境に12.5ＢＴＣへと半減すると決まっているので、この時刻の前後にビットコインの価格が2倍になってくれなければマイナーの採算は一気に悪化するからである。もちろん、この時刻を境に半数のマイナーが撤退してくれれば、マイニング競争を勝ち抜ける確率が2倍になるので、残ったマイナーの採算は悪化しないが、それは、マイナーたちは4年に一度の度胸試し競争を強いられていることを意味するものになる（マイニング残留戦略を全部のマイナーが選択すると、全部のマイナーが赤字になる可能性があるが、他のマイナーが撤退するなかで赤字を恐れず残留すれば採算が維持できる可能性もある）。ちなみに、こうした度胸試しは、ある時期の若者たちにとっては熱中の対象になるようで、ジェームス・ディーン主演『理由なき反抗』（1955年制作・写真）にも、崖に向かって自動車を疾走させ度胸を競うというシーンがあった。これは「チキンレース：臆病者競争」と呼ばれ、経済学のゲーム理論などでもよく取り上げられるお題の一つであるが、反抗期の若者ではないマイナーたちにとっては度胸試しでは済まされない話だろう。2016年のレースを乗り切れたとしても、630,000番ブロックが形成される2020年のそれを乗り切れる保証はないからである。

ットコインの有力な競争相手が生じ、そのコインの大きな割合を特定のプールが保持していたとします。そうしたプールのメンバーたちにとっては、ビットコインのブロックチェーンを意図的に混乱させ、利用者を自身がさらに多数のコインを保有するアルトコインに惹き付け、自分のアルトコインの価値を引き上げたいという誘惑が生じる可能性を否定できないでしょう。そうして競争相手であるビットコインの価値を下げておいて、今度は自身の計算パワーを自分が多くのコインを持つアルトコインの方に振り向ければ、アルトコインの価値は高止まりするでしょうから、それで彼らの企みは成功してしまうかもしれません。

こうしたシナリオが描けてしまうのは、ＰＯＷモデルの貨幣においては、マイナーたちの競争がその移転取引の公正さ維持に決定的な役割を果たすよう制度設計されているにもかかわらず、彼らのコインの価値維持に対する責任が大きいとは限らないという仕組みになっているところにあるとも言えます。ですから、こうした弱点を補うためには、ブロックの正当性維持にかかわるマイナーに応分の責任を負担させれば良いという考え方もあり得ます。この場合の責任とは、簡単に言えば既存のビットコインの財産的な価値維持に対する責任ですから、責任を負担するというのは、要するに自身が関与するコインの価値が下落したら自分が損をするような仕組みを作れば良いということになります。

どうするのかと言うと、たとえばブロックチェーンの正当性を判別するときの多数決をビットコインのように計算パワー比例で行うのではなく、持っているコイン数比例の多数決にすれば良いなどと考えるのです。この考え方は「プルーフ・オブ・ステーク」と言うのだそうで（ちなみに「ステーク」を訳せば「持ち分」です)、具体的には、持っているコインの持ち分(コインの数と保有期間など)に応じてマイナーごとにターゲットの大きさが別々に設定され、持ち分の大きいマイナーは相対的に有利にマイニング競争の勝者となれるようプロトコルを設定するというような形を取ります。このタイプのアルトコインは既に存在しているようですが、ここまで来ると、今度は、そうしたコインにはどうして価値があるのか。そうした疑問が湧いてきてしまいます。

次節でもう少し詳しく議論しますが、ビットコインに価値がある理由やその価格が激しく上下してしまう理由を説明すること自体は特に難しくないと私は思っています。ビットコインはマイニングという作業に膨大な電気代がかかる、そのことによって貴重なものになり結果として価値が生じている、要するにプルーフ・オブ・ワークが価値を生むと考えれば、ビットコインの価値に生じている現象のほとんどは説明できるからです。

では、「プルーフ・オブ・ステーク」はどうでしょう。この、プロトコルによってもコインがマイニングという作業を通じて生み出される以上、そうした面も確かにあるにはあるのですが、他方では価値が価値を生むという連鎖つまりバブル的な価値形成との境界に来てしまっているように思えます。バブル的な価値形成がそれ自体で悪いとは言いませんが、その価値の拠り所を曖昧にして不安定にさせる要素になりかねないことも間違いないでしょう。つまり「プルーフ・オブ・ステーク」は「プルーフ・オブ・ワーク」に代わるものではない、せいぜい微修正をする程度のものにとどまるだろうと私は思っています。

二　それはどこまで通貨になれるか

貨幣と通貨の間にあるもの

話を変えましょう。左ページを見てください。冗談の一種としても洒落たことを考えたものです。ビットコインを本当に手で触れることができるコインにしてしまったというのです。要するにビットコインを支配するための「鍵」データを紙に書いてコイン型の容器に収めた、というだけの話なのですが、でも、こうした「容器に入ったビットコイン」は、この容器の作り手を信じる人の間では、容器のままで使うことができそうです。そうなると、この容器の中に入っている秘密鍵は、いつまでも取り出されることなく、しかしビットコインという名の「コイン」と同様のものとして世の中を循環していく、そうしたシナリオを考えることもできることになります。

これは面白いことです。それに、こうした「コイン」を作れるということは、私たちに貨幣としてのビットコインについて、うっかりすると見落としがちな、でもそれなりに重要なことを改めて気付かせてくれるものでもあります。何でしょうか。

それは、どのように形を変えても、ドルはドルであり、円は円であるのと同じように、ビットコインはビットコインだということです。ビットコインは、確かに「ビット」のオカネです。P2Pで共有された無体のデータです。でも、それは、ビットコインが何時までも「ビット」のままだけでいるということを意味しません。他の形をとることもあり得るわけです。

パネル22：コインになったビットコイン

冗談のような話だが「ビットコインをコイン」にしてしまった人もいるらしい（左）。要するに、金貨や銀貨を思わせる金属製の容器の中にビットコインを使うための秘密鍵をプリントした紙が入っているという仕掛けである。写真のものは今は販売されていないようだが、この仕掛けを信用してくれる人の間では、こうした「容器」のままでビットコインが流通することだってあり得る話である。

ちなみに、日本の江戸時代には、有力な両替商などが金貨や銀貨を紙に包んで封をし、中身の金貨や銀貨の量を表書きした「封金銀」というものが流通していた（下）。それらは、封を切らない限りでは、表書きの価値で（表書きと中身とが違っていても）そのまま通用したのだという。似たような話と言えなくはない。写真は天保期のもので、中には丁銀12本と目方の調整のための豆板銀が収められている。

たとえば、ビットコインをモノの形にすることができるのなら、それを預金や貸出の形にすることだってできそうです。想像してください。誰か信用のできる人が、新たな金融的サービスの一環としてビットコインを取り扱うことを始めれば、そこでビットコイン建ての預金取引や貸出取引だって始まりそうです。そうなれば金利だって普通に生じるのではないでしょうか。

金利が生じる理由は、今日の一ＢＴＣが一年後の一ＢＴＣと等価とは限らないからです。もし、私たちの多くが、ドルや円などの既存の通貨の価値は安定していてその金利もほぼゼロなのに、ただビットコインだけは一年のうちにドルや円との対比で大きく値下がりする、具体的には対ドルで五分の四ほどの価値にまで値下がりすると本気で思うようになったら、何らかの理由でビットコインを借りたいという人が貴方の前に現れたとき、今日は一ＢＴＣを貴方に渡すから、一年経ったら値下がり分を補えるよう二十五パーセント増しの一・二五ＢＴＣにして返してくださいと求めて、その要求を通せるはずでしょう。それが資本市場における「裁定」というものだからです。こうした予想の下ではビットコインに金利が生じてくることになります。この場合だったら、その金利は年利二十五パーセントというわけです。金融契約の本質は今日の購買力と将来の購買力とを交換することです。そうした交換に適用される今日の購買力と将来の購買力との交換価格が、すなわち「金利」なのです。

もう、何を言いたいかお分かりいただけたでしょうか。ビットコインはビットコインとして、円やドルと同じように独自で独立した「金融システム」あるいは「通貨系」を作ることができるはずなのです。

円やドルには、銀行券という形があり、またコインという形があり、預金という形があります。あるいはICチップなどを利用した電子マネーという形もあります。ですから、同じことはビットコインでもできるはずです。インターネット上で存在するビットコインがあり、またコインの形のビットコインもあり、そして預金の形もあり得るし、ビットコイン建ての電子マネーだってあり得るのです。ただ、残念ながらと言うべきでしょうか。ビットコインは、まだそこまでできません。なぜなのでしょうか。

法律が禁じているからではないでしょう。できない理由は、ビットコインの「出来」がそこまで良くないので、円やドルと同じようには通貨系を形成する力がないからです。どのように「出来」が良くないのでしょうか。それは要するにビットコインの価値が不安定すぎるからなのですが、そこをどう修正すればビットコインのようなコインたち、つまりはアルトコインたちの「出来」を良くすることができるか、それを考えるのがここでの課題です。そして、ビットコインの「出来」をどう良くすることができるかを考えれば、円やドルだって、その「出来」をもっと良くすることができることに改めて気が付くことになるでしょう。

そこで、まずは、そもそもPOWモデルの貨幣に価値があるのはなぜか、その価値はどこから来たのかという問題の答を探すことから考察を始めましょう。

ヤップ島の巨石貨幣

私がビットコインというものについて考え始めたのは、他の人たちに比べれば比較的遅い方で、実は二〇一三年の暮れごろだったのですが、年が明けて中身が理解できたような気がしてきたころ、面白いタイトルのエッセイに気が付きました。それは、慶應義塾大学研究員の斉藤賢爾さんが書いていた「ビットコイン～人間不在のデジタル巨石貨幣～」と題するエッセイで、タイトル中の「巨石貨幣」というのが、私がナカモトペーパーを含めてビットコインについて書いたものを読むうちに抱くようになった感想そのものだったからです。

その斉藤さんとは、その後、ちょっとした機会があって知り合うようになり、一緒に議論したりものを書いたりする仲間になったのですが、それはともかく、この「巨石貨幣」というのは、ビットコインを喩えるのに最適な表現でしょう。なぜなら「巨石貨幣」というだけで、ああ、あのことか、と頷いてくれている人に簡単に出会えそうだからです。

二〇世紀の初めに、アメリカ人のファーネスという旅行家が太平洋上カロリン諸島のヤップ島を訪れたときに、その島で見聞きした「石貨」について書いた旅行記は、学界デビュー時代のケインズがそれを取り上げたことで、すっかり有名になりました。また、第二次大戦後しばらくの時代に大学で金融論というような講義を受けた人にとっては、ロバートソンという大先生の、その名も『貨幣』という名の当時は有名だった著作でこの石貨のことが言及されていることもあって、教科書などを通じて知っている人も少なくないかもしれません。

前置きはさておき、石貨の説明をしておきましょう。ヤップ島の石貨というのは、ページをめくったパネル23で示したような形の文字通り石でできた貨幣です。面白いのは、この石貨の材料になる石材はヤップ島には存在せず、遠く五百キロメートルも離れたパラオ島から運ばれてきたものだということです。しかも、その石貨には大きいものから小さいものまであり、その最大のものは輸送途上に海底に沈んでしまったのですが、それでも海底にあるはずの石貨には持ち主が存在し、誰がその石貨を持っているかということは島民相互間ではきちんと認識されていて、その石貨を持っている誰それが島の有数の資産家であることも島民の間では常識だったのだそうです。ちなみに、この石貨、小さいものは直径数センチですが大きいものは三メートルに達するものもあり、そうした大きい貨幣は動かさずに、ただ誰のものだということを「島民みんな」が認識しているので、それだけで貨幣として使えるようになっていたということです。

なお、やや余談のような話ですが、第一次大戦前にこの島を領有していたドイツが、島民を道路工事に駆り出すために、労務提供に応じない島民の石貨には十字印を付けて接収すると宣言したところ、島民たちは十字を消してもらうために労務提供に応じるようになり、それが終わるとドイツ政府の代理人は十字を消してやり、それでメデタシメデタシとなったというエピソードも伝えられています。確かにこのお話、ビットコインを連想させるものがあります。理由は大きく二つです。

その第一は、石貨の大きなものは動かすことができないが、それがだれのものかは島民たちみんなが知っている、だから貨幣として使える、という点です。これはP2Pで共有する仮想台帳というビットコインの性質に通じるものがあります。

そして、第二は、石貨になぜ価値があるのかという点です。石貨に貨幣としての価値があるのは、まずは、それが一定の約束事に沿って作られているからでしょう。丸いことや表面が美しい

パネル 23：ヤップ島の石貨

ヤップ島の石貨だが、実は日本に「実物」がある。あるのは東京の日比谷公園で、背景は第1次大戦で戦勝国となった日本が旧ドイツ領太平洋諸島の赤道以北を委任統治領として政庁を置いたことによるものらしい。併置された解説板によれば、この石貨は1925年にヤップ島支庁長より寄贈を受けたものである由で、長径が1.35メートルで短径は1.00メートル、現地での価値を当時の円に換算すれば約1000円だったとあるから、これは相当に高価なものである。ちなみに、1925年の日本は金兌換を停止していたが、兌換停止前および再開後の円平価は1円＝金0.75グラムだから、この石ひとつで750グラムの金塊に相当していたことになる。金1グラムを近時の金相場平均値でみて約5000円とすれば、この石は現代の価値に換算して375万円もの高額貨幣だったというわけだ。なお、解説板によれば、石貨の価値は、直径の大小、表面の滑らかさ、形のよさ、そして運搬の難易によって決められていたとある。石貨の大きさは小さいものは直径6センチ程度だが、大きなものなら3メートルのものまであったそうだが、それにしても日比谷公園には立派なものが置いてあることになる。感謝して大事にしたいものだ。

ことも重要なはずです。でも、最も重要なことは、それを作って運んでくるのに相当の作業量がかかること、製造作業や輸送作業さらには輸送途上の危険防止への苦労など、さまざまなコストがかかっていることでしょう。これは、ビットコインに価値があるという理由と同じではないでしょうか。ビットコインに価値があるのは、それを作り出すのにPOWつまりプルーフ・オブ・ワークが要求されるからです。それは、石貨に価値がある理由、つまり遠い島から運んでくるのに費用と苦労を要したからだという理由、その理由と同じです。石貨の重さと原産地の遠さは「石貨を得るのに必要な作業の証明」であり、つまりは石貨のPOWなのです。石貨はビットコインと同様にPOWにより価値を生じているというわけです。

しかし、このPOWと石貨の市場価値の関係は、POWとビットコインの関係と似てはいますが、完全に同じではありません。そこを次に考えましょう。

石貨の価値と金の価値

まず石貨についてです。これは想像上の話ですが、ある日、何かの理由で、島民たちがもっと石貨が欲しい、石貨は今まで考えていた以上に魅力的だ、そう思い始めたとしましょう。たとえば、今までは直径六センチの石貨一つでタロイモ一個が相場だったのに、急に石貨一つのためならタロイモを二個出しても良いと考え始めたとします。そうすると何が起こるでしょうか。

ここで、もし島民たちの中に利にさとい人がいれば、その人は石貨の原産地であるパラオ島まで船出し、そこで石貨を作って持ち帰ろうとするでしょう。そうして持ち帰られる石貨の量が増えれば、石貨の相場は最初の予想の「タロイモ二個相当」ではなく、それよりも低い水準、たとえば「タロイモ一個半相当」程度で落ち着くことにならないでしょうか。これが、いわゆる市場の機能なのですが、こうした市場の機能が働けば、島民たちの石貨に対する人気が変化しても、実際の石貨の価格への上昇圧力の一部は、石貨の供給増によって吸収され、その人気の変化ほどは上昇しないはずです。石貨の追加的な供給が石貨の価値を安定させてくれるのです。

同じことを、金貨が貨幣として普通に使われていた時代に直して考えてみたらどうでしょうか。そのときの状況を描いてみたのが「金の需要と供給」と題した左ページの図です。ここでは、金あるいは金貨に対する需要に予想外の変化（ショック）が生じたときに起こることを概念的に整理してあります。

この図で右下がりの実線として描いてあるのが需要曲線と言われるもので、金も他の商品と同じく、その価格が高くなりすぎれば購入を手控えるだろうという関係を「右下がり」というかたちで示してあります（ここでは図を簡単にするために「曲線」ではなく「直線」で描いておきました）。一方、右上がりの直線が金の供給曲線です。こちらは、金価格の上昇が予想されれば金山や精錬所の活動が活発化するだろうという関係から「右上がり」になります。このときの金価格と流通量は点Pで決まるでしょう。こうした関係で決まる価格と流通量の関係は「均衡」と呼ばれるもので、経済学の教科書などで最も普通に説明される価格と量との関係の基本そのものです。

ここで、金に対する人々の見方が強気化するということがどんなことか、それを考えてみましょう。それは、右下がりで描いた金の需要曲線の位置が右方向に移動することを意味します。そ

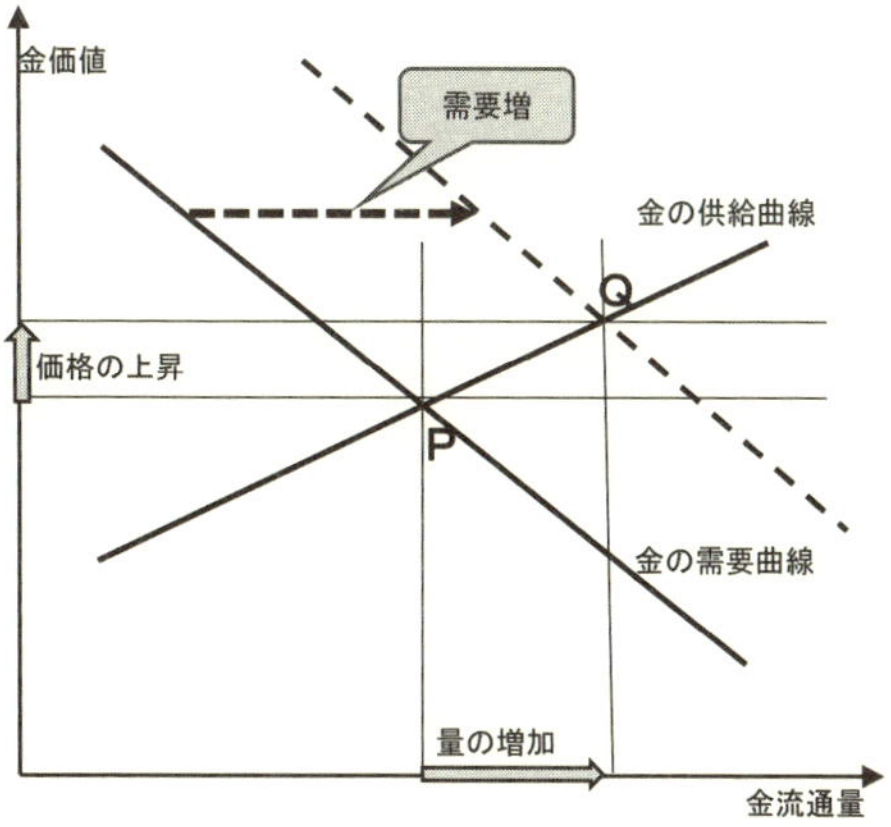

金の需要と供給

こで図では、そのときの需要曲線を点線で描いておきました。そうすると新しい均衡は点PからQへと移動します。この図で分かることは、金の供給が増えることが、金に対する人々の強気化がそのまま市場価格に現れてしまうことを防いでくれているということです。金への需要増の一部は金供給の増加によって吸収され、残りの部分だけが金価格上昇となって表れているからです。

　実際の歴史、とりわけ金本位制と呼ばれていた一九世紀後半から二〇世紀前半までの時代をみると、この金の供給曲線は図で描いたものよりも、もっと水平に近いものだったようです。この時代になると、金の市場には政府とか中央銀行というものが登場し、金備蓄とか金準備というようなものを活用して、金価格の下落が生じそうになると備蓄や準備を積み増し、その反対のことが起こりそうになると備蓄や準備を放出するということを始めたからです。

この時代のことを、ケインズは一九二三年の著作で「金が比較的多量に流入する場合は、金準備率を多少引き上げれば吸収されてしまうし、また、金が比較的稀少であるときは、金準備を実用に供する意図はないという事実が、〔準備〕率を多少引き下げても、平静を保たせることができたのである。ボーア戦争（一八九九年―一九〇二年）の終りから一九一四年までに流入した南アフリカの金の大部分は、ヨーロッパその他の諸国の中央銀行の金準備となり、物価に対する影響は僅少であった」（『貨幣改革論』中内恒夫訳・東洋経済新報社・一九七八年刊）と書いています。このケインズの記述は金の供給面で起こった変化に対する政府や中央銀行の対応について書いたものですが、変化が起こるのが需要についてでも、ことは同じだったでしょう。金価格の維持は英国政府とイングランド銀行および金本位制下の各国の責任の一部と認識されていたようだからです。

私たちは、いわゆる経済史の知識として、物価（貨幣価値）が極めて安定していた金本位制といわれる時代について、それは「金のように実際の価値のあるもの」に貨幣価値が結びついていたことによるものだと教えられてきました。しかし、金本位制の舞台裏はそれほど簡単ではなかったようです。当時の世界の金価格は、覇権国であり基軸通貨国でもあった大英帝国の事実上の支配下にあり、その英国が金価格を安定させたいと欲し、また、それに成功していたことが、金本位制時代の貨幣価値安定の背後にあったと考えるのが事実に近いのではないでしょうか。ケインズの解説に沿って考えれば、金本位制下の貨幣価値は、「金のように実際の価値のあるもの」に結びついていたから安定していたのだと言うよりも、「大英帝国が価値を安定させていた金」

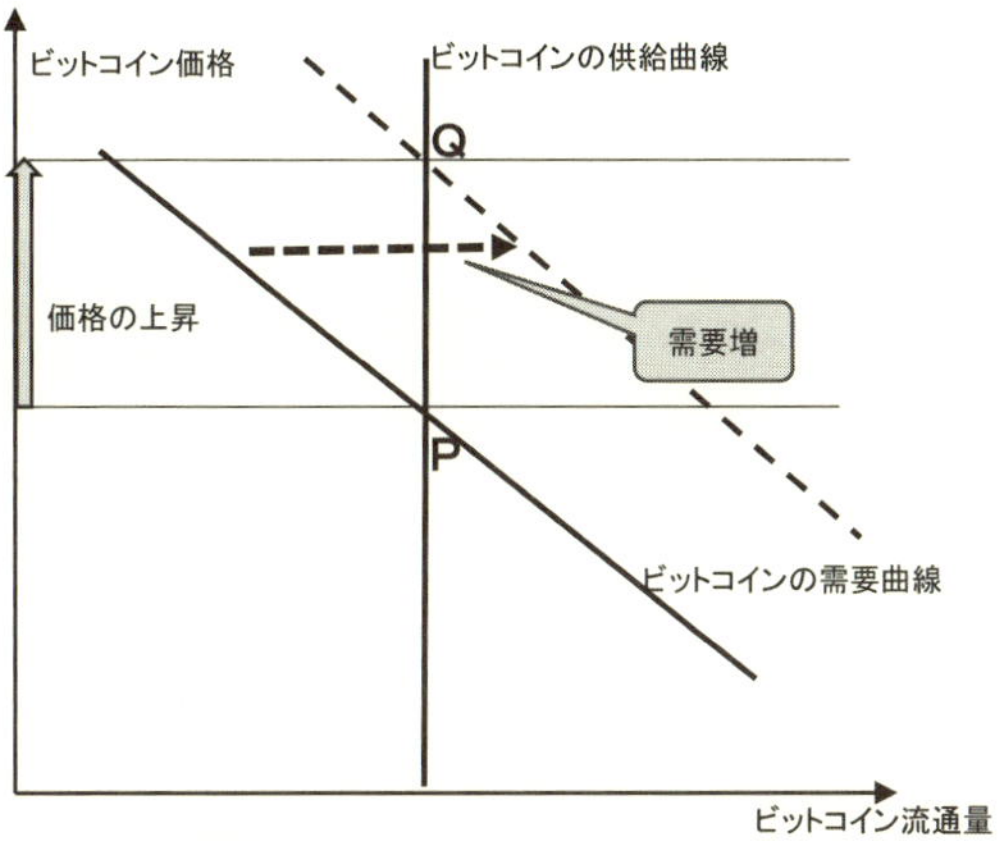

ビットコインの場合

に結びついていたから安定していたと考えるべきなのです。

それを通貨にする方法

さて同じことをビットコインで考えてみたのが、「ビットコインの場合」と題した上の図です。ビットコインの特色は、その供給量がプロトコルで事前的に決められていて変動の余地がないところにあります。図で表現すれば、ビットコインの供給曲線は「直立」してしまっているわけです。これが何を意味するかは明らかでしょう。

こうした硬直した供給スケジュールの下では、ビットコインに対する人気つまり需要が少しでも変化すると、その価格は大きく揺れ動くことになります。ビットコインが注目を浴びて以来の価格急上昇と急下落の繰り返しは、その硬直的な供給スケジュールに原因があると考えて良いように思われます。これでは、通貨としては欠陥品であると言うほかありません。

貨幣としての価値を合理的に予想できないということは、「将来のビットコイン」と「現在のビットコイン」を交換する、つまりビットコインの貸付や預金をするときの金利に相場観が形成できないということです。あるいは将来の他の通貨との交換取引つまり先物の為替取引ができないということを意味するものです。これでは、ビットコインを買い物の決済に「貨幣」として使うことはできても、金融契約を支える価値尺度つまり「通貨」として使うことはできないと言うほかはありません。

では、どうしたら良いでしょうか。どうしたらビットコインを貨幣から通貨へと「格上げ」できるでしょうか。

答えは簡単です。ビットコインを生成するときの原価を一定にして（あるいは、少なくとも合理的に予測可能なものとして）、その原価を超えたらビットコインの供給がどんどん増えるようにし、それを下回ったら供給が抑制されるようにすれば良いのです。

たとえば、ビットコインと基本的な構造はまったく同じで、ただ、ブロックを閉じるときに要求されるターゲットの「大きさ」についての「ルール」つまり「プロトコル」を変更して、ターゲットの大きさを一定値で固定し、ブロック形成の間隔が十分間より長くなろうが短くなろうが調整しない、そんな方式を採用したアルトコインを想像してみたらどうでしょうか。

こうしたアルトコインについて、もし全世界にマイナーが一人しかいなければ、そのマイナーが、プロトコルで要求されるターゲット内に収まるような答を見つけ出すのに要した電気代その他の費用を、ブロック一つを閉じる際に生成できるコインの個数で割った値が、コインの生成原価ということになります。たとえば、ブロックが閉じるまでにかかる時間が百時間、その時間に要した電気代とマイナーの設備費の期間帰属分の合計が二千五百ドル、ブロックを一つ閉じるときに得られる新規のコイン個数が二十五個なら、コイン一つの生成原価は百ドルになります。この辺りを喩え話の出発点にしましょう。

さて、このとき、コインの市場価格が百十ドルだということが分かったとしましょう。このマイナーはマイニングを続ける限り、一つのブロックを閉じるごとに「百十ドル×コイン生成個数」の収入を得ることができます。これに対してかかる費用は「百ドル×コイン生成個数」ですから、その差額、この数値例では二百五十ドルが、百時間当たりでのマイナーが得る利益ということになります。これは、まあ悪くない事業でしょう。

ところで、ここにマイニングへの新たな参入者がもう一人現れたと考えてください。新たなマイナーも既にいるマイナーと同じ設備を持っているとすれば、ブロックが閉じられるのにかかる時間は、おそらくこれまでの半分の約五十時間になるでしょう。では、このとき、マイナーたちの生成原価はどうなるでしょうか。

二人のマイナーが競い合ってマイニングしている状況を想像しましょう。自分が、現在のブロックについての競争に勝ってコインを手にする確率は、一人でマイニングを行っていた時の半分になります（参入前は確率百パーセントで自分がブロックを閉じていたのが、今度は半分の確率の五十パーセントになってしまいます）。しかし、そうなっても、参入前に比べてブロックが閉じるのに要する平均時間も半分になっていますから、個々のマイナーにとってのコイン獲得個数は、単位時間当たりでは変化しません。一ブロックごとに考えれば、個々のマイナーが勝つか負けるかは半々の可能性ですが、何回も何回も競争を繰り返せば、マイナーの単位時間当たりのコイン獲得個数は平準化してしまうからです。統計学で習う「大数の法則」というあれですね。

ここまで考えれば、ブロック形成時間に応じたターゲット調整をやめたときに、マイナーの参入がコイン価格に及ぼす影響が理解できると思います。マイナーの参入は単位時間あたりでのコインの生成個数を増やすはずです。そして、そうしたコインの「供給増」はコインの市場価格を、これは最も普通の市場原理によって冷やしていくことになります。そうなると何が起こるかは容易に想像がつくでしょう。

もし、このコインのマイニングに十人のマイナーが取り付いていれば、マイナーが一人のときの十倍もの速さでコインが生成されることになります（厳密には、ほんの僅かだけ違うのですが、要するに79ページのパネル10の説明と同じですので、あまり気にしないでください）。しかし、各マイナーの原価は変わりません。新たなマイナーが参入しようが、既存のマイナーが撤退しようが、彼らのコスト構造は技術進歩や電気料金の変更がなければ変わらないからです。

ところが、コインの市場価格は変わります。たった一人のマイナーだとコインは単位時間に二十五個のコインしか作られないのに対し、今度はその十倍つまり二百五十個もの数のコインが市場に供給されることになるからです。マイニングへの参入が進めば、コインの価格は下がって来るでしょう。すると何が起こるでしょうか。

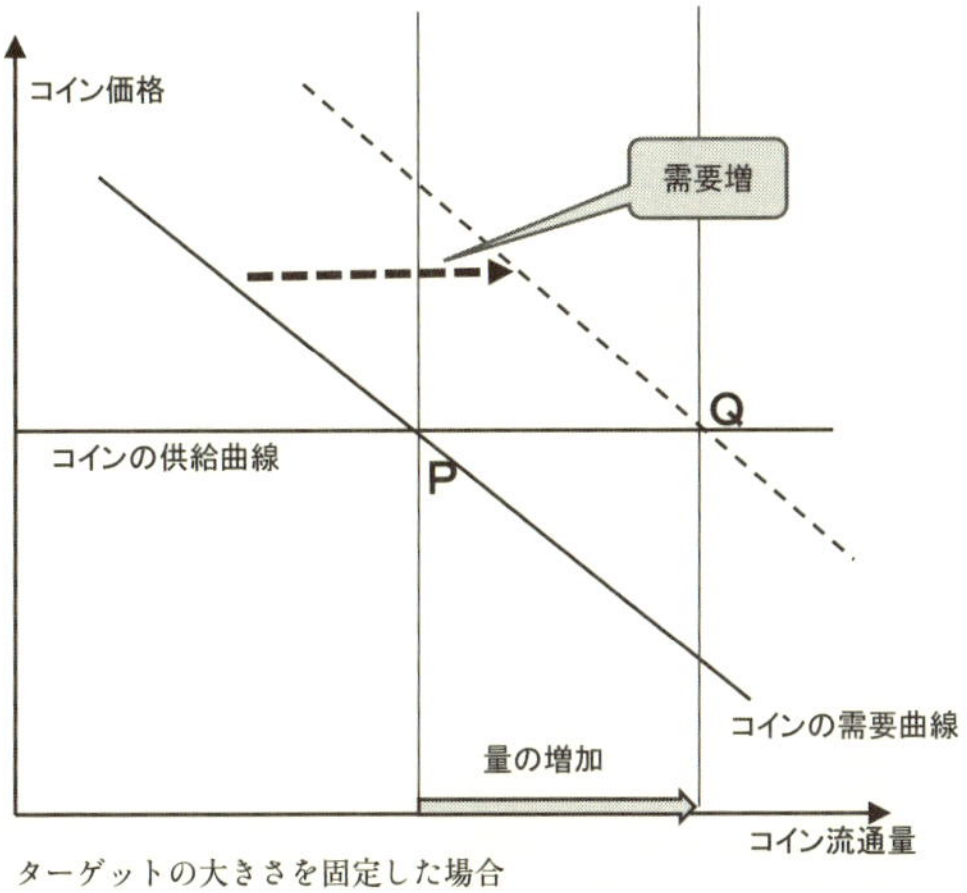

ターゲットの大きさを固定した場合

予想されるのは、市場価格の変化を見越したマイナーの行動変化です。マイナーたちは、このコインの市場価格が百ドルを超えそうなときはマイニングに参入し、逆に百ドルを下回りそうなときには撤退するということになります。そのようにマイナーたちが行動すれば、コインの市場における供給曲線は上の「ターゲットの大きさを固定した場合」と題した図で示す通り、水平に伸びるものとなるはずでしょう。こうなればコインについての人々の見方が強気になろうが弱気になろうが、そうした人々の人気の変化はマイニングへの参入撤退や既存のマイナーの活発化あるいは消極化によって完全に吸収され、結果、コインの価格（つまり貨幣価値）は変わらないという状況が生み出されるはずなのです。これは、経済学の教科書の入門編で言う「限界費用価格」の応用問題そのものだと言っても良いでしょう。

ちなみに「限界費用」とは、市場で取引される財について、今、取引されている財と同種で同等のものを追加的にあと一単位作り出すのにいくらかかるか、そのかかる費用のことです。自由な競争環境にある財の市場では、市場価格はこの限界費用と等しくなるので、そうした価格を形成させる市場のメカニズムを、経済学の教科書では「限界費用価格」と呼んでいるわけです。ここで「ターゲットの大きさを固定する」とは、ビットコインのマイニングつまりマイナーによる新規コイン生産の限界費用を固定するということと同じです。ですから、ビットコインあるいはビットコインたち、つまりはPOWモデルの貨幣の価格を安定させ、あるいは合理的な予想が成立するようにすることは、原理的に極めて簡単なことなのです。

さて、ここまで考えてくると、POWモデルの貨幣について、改めて名前を付けたくなります。たとえば、「計算パワー本位制」あるいは「計算コスト本位制」の貨幣などというのはどうでしょうか。そう呼び直してみると、改めてPOWモデルの貨幣価値というのが、ただ数量が限られているから生まれてきたのではなく、同種で同等のものを作り出すのに相当の対価が必要だから生じてきたものであること、経済学でいう「再生産コスト」が計算できるから価値が生じてきたものであること、そうしたことがよりはっきりするのではないでしょうか。

同種で同等のものを作ることができないものは、市場における価格形成に客観的な基準がありませんから、わずかな人気の揺れで市場価格は大きく揺れ動いてしまいます。また、同種で同等のものを作るための対価つまり再生産コストについての予想が不安定であれば、その市場価格もまた不安定に揺れ動くことになります。ビットコインに生じているのは、この「症状」なのです。

パネル24：1ドル札が40億円？

数量が限られるものに「人気」が集まると、驚くほどの高値が付くことがある。写真は20世紀アートの巨人アンディ・ウォーホルの「200枚の1ドル札」と題する作品で、1ドル札を縦20枚×横10枚に並べただけの図柄なのだが、2009年11月のニューヨークでのサザビーズのオークションで予想落札価格の約4倍に当たる4,380万ドルで落札され話題を呼んだ。ちなみにウォーホールには、1枚の「1ドル札」を縦1.3メートル×横1.8メートルで手書きで描いた作品もあり、こちらは6年後の2015年7月のロンドンでのオークションで2,090万ポンドで落札されている。200ドルでも1ドルでも落札時の為替レートで評価すれば同じ40億円になってしまうのはただの偶然だが、そうした値の付き方に「どうしてこれが」という気がする一方で「何となく分かる」という気もしてくるのが美術品の価格である。一方、これにひきかえ、ビットコインの価格には、そうした「何となく分かる」という感性的な要素はない。そんなビットコインに値上がりへの期待だけで高い「値」が付いているとしたら、それは煽り商法や品薄商法で売れている商品と同じで、いずれその価格を維持できなくなるはずである。もし新たなマイニングが行われなくなれば、ビットコインの価値を現実の経済活動に結び付けている「原価」という仕組みが失われてしまうからだ。優れた美術品に高値が付くのは、それが画家の表現活動についての「原価計算」などによるものではなく、作品自体が人の心に訴えるからである。ビットコインにはその要素は皆無である。

価格が不安定に揺れ動くこと自体は、嫌うべきことでも非難すべきことでもありません。しかし、そうしたものは決済を支えるだけの「貨幣」にはなっても、資本市場や金融取引を支える「通貨」にはなりません。ビットコインの設計に不十分なところがあるとしたら、何よりもこの点ではないかと私は思っています。

POWモデルにおける貨幣間競争

POWモデルの貨幣の価値がどこから来たのか、それがどう変化するかということを分析できたことを手掛かりに、もう少し議論を進めましょう。まず再確認しておきたいのは、経済学の教科書でいう「限界費用価格」とは、今の市場で流通しているコインと同種で同等のコインを、もう一つだけ作り出すのにどの程度の費用がかかるか、その文脈での費用つまり「想定上の原価」が市場価格になるという意味で、過去から現在までにマイナーたちが投じてきた総費用を生産済みのコイン総数で割った平均的な費用が市場価格になるという意味ではないということです。

したがって、コインの原価（マイニングの限界費用）を決めるターゲットの大きさを、何らかのスケジュールによって徐々に変更していけば、コインの価格が一定の率に沿って変化するようシナリオを仕組んでおくこともできます。ビットコインの価値が不安定になってしまったのは、そうしたコインの原価が誰でも予測できるようなルールによらず、参入あるいは退出するマイナーの数つまりビットコインの「人気」そのものによって決まるようルールを作ってしまっているところにあります。したがって、ここを工夫すれば今のビットコインよりは価値が安定したアルトコインを様々に設計することが可能になるはずなのです。

たとえば、そのアルトコインの最初のブロックが形成されて以降、一定数のブロックが形成されるまでの間はターゲットが徐々に小さくなっていくが、一定のブロック個数に達したら縮小をやめてターゲットの大きさを固定する、などというのは最も基本的なアイディアになるでしょう。こうしたやり方で、初期のマイニング参入者に後から来る者よりも程々の有利さを保証すればシステムの立ち上がりを確実なものとできる一方で、将来の採算についても確度の高い原価計算根拠を与えることができそうだからです。

ちなみに、確度の高い原価計算を可能にすることは、POWモデルの貨幣たちを独立した「通貨」にするための重要な条件になるはずです。なぜなら、こうした原価計算（正確には将来の限界費用に関する予測原価計算）が可能になれば、限界費用価格の原理によってコインの将来の市場価格が予想できますから、現在と将来のコインの交換取引つまり貸出や預金の取引を考えることが可能になり、アルトコイン間あるいは円やドルなどとの為替市場、そして先物やオプションの市場だって生まれることができるはずでしょう。現在のビットコインにそうした役割を果たす金融市場が存在しないのは、要するに、その将来の市場価格についての予想に投機の要素が強すぎて、合理的な予想に基づく価格形成が行われていないからに他なりません。

ここで大事なことは、ターゲットの大きさをどう設定するかなどのスペックについては、各々のコインごとに各々の考え方があるはずで、また、あって良いのだということです。また、そうできることが、POWモデルの貨幣の強みにもなります。

あるアルトコインは一定数のブロックが形成された後でも、さらにターゲットの大きさを一定率で縮小させ続けるというプロトコルを採用するかもしれません。その方が、コンピュータの計算速度が年々上がっていくという、技術論の世界で良く知られた経験則に整合的だからです（左ページ参照）。こうした設計のアルトコインは、そうでないアルトコインに比べて、コンピュータ技術の進歩という外部条件変化の中でも、作り出すコインの価値を安定的に維持できる可能性があります。そうしないとコンピュータ技術の進歩はコインの価値における「インフレ要因」になってしまうからです。もっとも、得られるのは良いことばかりではありません。たとえばエネルギー問題などで電力料金が上昇したようなときには、それにつれてコインの価値も上がりますから、今度は別の角度からの「デフレ要因」に悩まされることが多くなるかもしれません。何事にも一長一短はあるということでしょう。

改めて考えてみると、貨幣の供給スケジュールを「インフレ的」なものとして維持するか、あるいは「デフレ的」なものとして維持するかは、貨幣制度を運営するときには避けて通れない問題です。ただ、ＰＯＷモデルの貨幣の場合は、現代の中央銀行提供のドルや円のように、それが果てしない論争になり、最後は選挙で決めなければ決着がつかない、決着はついても不満の人は相変わらず不満だ、などというジレンマに陥ることを回避することだけはできます。ＰＯＷモデルの貨幣が、その供給スケジュールを決めるターゲットの設定ルールについて競い合って私たちにアピールしてくれれば、そこに自由な「選択」の余地が生まれるからです。それは、しょせんは市場で取り引きされる価値の一種でしかないはずの貨幣を、時代の空気に流されやすい選挙や

パネル25：ムーアの法則

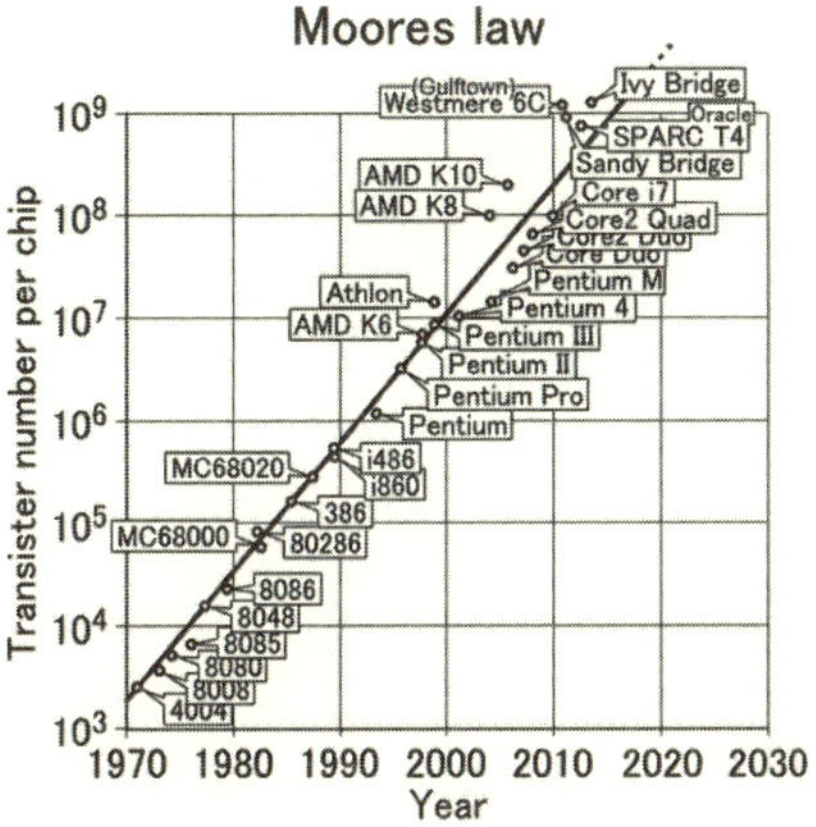

コンピュータの計算速度についての有名な経験則に、それを言い出したインテル創業者のゴードン・ムーアの名を取った「ムーアの法則」というのがある。図は、横軸に「時間」を取り、縦軸にICチップ内の回路集積度を対数目盛で取ったもので、これが直線になるということは、コンピュータの計算速度は指数関数的つまり「倍々ゲーム」的に増加することを意味する（図から読み取れる変化のスピードは「計算速度は1年半で2倍になる」というものである)。なお、こうした計算能力向上性をコイン設計に組み込むときに注意する必要があるのは、ここで図示したような能力向上における「時間」は、文字通り自然の時間の流れとしての「実時間」で、ブロック形成数で数えるような意味での時間ではないことである。すなわち、ムーアの法則のような要素をプロトコルに組み込んだときのターゲットの大きさに関しては、ブロック数を基準にしたルールと、実時間を基準にしたルールとの両方が取り込まれる必要があるわけだが、そこは工夫次第で何とでもなるように思われる。

政争の的になることから外し、個人の責任を持った多様な選択を許容する世界のものとして位置付けし直すことを意味するでしょう。これが悪いことであるはずがありません。

さあ、ここまで考えてくると、私たちが使っている普通の「オカネ」つまり円やドルなどの銀行券モデルの貨幣たちにおいても同じような問題がないか、その議論に戻りたくなります。金融政策の問題、そこでの目標設定の合理と非合理の問題、そこに戻りたくなるわけです。しかし、それを議論するのは、問題の全体像を改めて整理するためにも、章を改めて行うことにした方が良さそうです。ここでは、これまで考えたことをまとめて眺めてみたとき、既存の「枯れた技術」を寄せ集めて「コロンブスの卵」のように新しい貨幣を作ってしまったサトシ・ナカモトと、その「卵」のたとえ話の主役であるあのクリストファー・コロンブスとの間の、これは微苦笑したくなるような相似点を書いておくことで、話をいったん区切りたいと思います。

クリストファー・コロンブスとサトシ・ナカモト

クリストファー・コロンブスの名を知らない人はいないでしょう、スペイン女王イサベルの支援を受けたジェノバ生まれのこの冒険家は、一四九二年の八月に女王から提供を受けた三隻の帆船団を率いてスペインのパロスを出て大西洋を西へ向かい、カナリア諸島を経てカリブ海の西インド諸島に到着しました。いわゆる「コロンブスのアメリカ発見」です。しかし、これも良く知られているように、彼は最初からアメリカ大陸を目指していたわけではありません。目指していたのは東洋のジパングでした。ヨーロッパとアジアとの間に二つの太洋と一つの大陸があるとは知らなかったのです。

地球が丸いことは知っていました。でも、それは彼の特殊な知識ではありません。後に大航海時代と言われるようになった一五世紀に入るころには、世界が球体であること自体は、西ヨーロッパの知識人や航海家たちにとってはすでに常識になっていたはずだからです。多く信じられていたのは、丸い地球のまわりを太陽が回っているということの方、つまり天動説の方で、これの逆転は一六世紀にコペルニクスが著した『天体の回転について』まで待たなければなりませんでした。でも、ともあれ、地球は、コロンブスにとってもスペイン王室にとっても、当然に丸かったのです。

ところで、彼を駆り立てたことはもう一つありました。当時の知識人たちが多く信じていた地球観では、地球の大きさは実際よりかなり小さく、しかも推定にばらつきがあり、したがって地球の直径を小さめに推定すれば、ヨーロッパから東洋に至る西回りのルートの距離は、現在の私たちが知っている本当の距離よりもはるかに短いと主張することが可能だったからです。なぜかは分かりませんが、当時の人の考える地球の大きさは、紀元前二世紀初めに古代アレクサンドリアの大学者エラトステネスが現在からみても驚くほど正確な算定を行っていたにもかかわらず、その後の地誌編纂過程で三割ほども縮んで伝えられてしまっていたものが基本となっていたようなのです。

もっとも、そうした「小さめの地球」を前提にしても、大西洋と太平洋の間にヨーロッパ人にとっては未知の大陸であったアメリカ大陸が存在しなければ、ヨーロッパの西端からアジアの東端までの距離はおよそ一万から二万キロメートルという途方もなく長いものだったはずです。それを当時のヨーロッパの帆船が乗り切れるとは思えません。コロンブスにとって幸いしたのは、彼自身も真実を知らなかったことで、その結果として、彼はカナリア諸島からの五千七百キロメートルほどの海路を、船員の反乱に怯えながらも渡りきることができたのでしょう。

ただ、近年の研究では、コロンブスがそこまで地誌に無知だったのか、そこを疑う見方も少なくないようです。実は、コロンブスは、彼の「西回り航海プロジェクト」を、最初はポルトガルの王室に提案して断られているのですが、その際に、ポルトガル王室は当時の有名な地図製作者であるフィレンツェのパオロ・トスカネッリに、中国までの推定航海距離を問い合わせ、約八千キロメートルという、当時の標準的な見方をかなり下回る推定値を得ていたことが分かっています。これをコロンブスが知らないはずがないでしょう。いや、積極関与していたのかもしれないのです。トスカネッリとコロンブスの間に何らかの意思疎通があったことは、いくつかの証拠から見て間違いなさそうだと言われています。ですから、もしかすると、トスカネッリは、ジェノバ生まれのコロンブスへの何らかのサービス精神のようなものを発揮して、意識的に少なめの見積もりを出していたのかもしれません。

で、この先は私の単なる「空想」ですが、もしかすると、コロンブスは、ヨーロッパの西方の海上に「何か」があることぐらいは予想していて、その彼の予想あるいは賭けを実現させる手段として、イスラム圏を避けてインドや中国に至るルートへの関心を持ち始めていたポルトガルやスペインの王室を乗せることを企み、そこで一計を案じたのかもしれないのです。彼は、なんと彼らの時代から二百年も前に書かれたマルコ・ポーロの『東方見聞録』を持ち出します。そして、そこに書いてある中国から二千四百キロメートルの東の海の彼方にあるという黄金の島ジパングに行くのだと提案すれば、航海の目的地が香料のマラッカでなく絹と磁器の中国でなくとも理屈は通ると考えた、そんな気がするではありませんか。トスカネッリが相当に無理をして作ったらしい推定、つまり当時の標準的な地誌よりかなり短い推定距離である八千キロメートルから、東方見聞録の距離二千四百キロメートルを引き算すれば、答は五千六百キロメートルですから、それぐらいの距離ならば、当時のヨーロッパの帆船建造技術でも何とか到達できそうです。

そして、彼は到達できてしまったのです。エンリケ航海王子以来の遠洋航海先進国で海洋知識も豊富だったポルトガル王室には断られましたが、ポルトガルのバーソロミュー・ディアスによる喜望峰発見の報に焦りを感じていたはずのスペイン王室が彼に賭けてくれたからです。女王イサベルだって、少しは勘づきながら信じたふりをしていたのかもしれません。ともかく彼にほどほどの大きさの船三隻を貸し与えてくれました。これは史実です。あとは空想の話になってしまうのですが、もしそうだとすると、コロンブスもイサベルも相当なしたたか者という気がしてくるではありませんか。

スペインに帰国すると、彼は、自分が到達したのはインドの一部だと言い出します。そのことが、彼が到達したカリブ海域の島を今は「西インド諸島」という理由ですが、ずいぶん強引にして支離滅裂な命名です。ヨーロッパから西へたった六千キロメートルの距離にインドがあったら、インドより東にあるはずの中国もジパングも、よほど小さくなっているか、それとも海中に沈んでいなければなりません。まあ、すべては結果次第なのでしょう。コロンブスは、ヨーロッパ人として初めて、国という組織の力により、アメリカ海域に到達しました。コロンブスは確かに「偉業」を成し遂げています。

つい長話をしてしまいました。話をビットコインに戻しましょう。で、もちろん、これも「空想」なのですが、私は、サトシ・ナカモトが彼のペーパーで言う通り「インフレなき通貨」を目指していたのか、それ自体が疑わしいという気持ちを捨てきれません。もし、彼あるいは彼らが「インフレなき通貨」を本気で目指していたら、こんな設計をするはずがないのに、と思える部分がビットコインには少なくないからです。

たとえば、マイニング競争一回ごとに得られるビットコインの量が、最初の四年間は五十BTC、次の四年間は二十五BTC、次は十二・五BTCと半減していくという仕掛けなどはどうでしょう。確かにこう設計すれば、ビットコインの追加供給量はどんどん減少していき、最終的には二千百万BTCで打ち止めになります。ナカモトペーパーの論理を借りれば、こうして貨幣の存在量を固定しておくことがインフレのない貨幣を作るのにつながる、そういう筋書きになるでしょう。

しかし、実際に出来上がったのは「インフレなき通貨」ではありませんでした。一年前には五十ドルにも満たなかった相場が千ドルを超えるまでに急上昇し、また二百ドルを切るまでに急下落するという「価値不安定な通貨」でしかなかったのです。もし、本当に「インフレなき通貨」を作りたかったら、そうして彼らがもう少し真剣に考えたら、それは別の作り方をしたので

パネル26：コロンブスのサンタマリア号

コロンブス航海の旗艦になったサンタマリア号は、建造1460年と伝えられる長さ20メートル弱、大きさ100トン少々の中古船である。この辺りに、コロンブスに対するスペイン王室の冷めた姿勢が伝わって来る。当時の知識人の間で共有されていた地誌から算出される東洋までの西回り航路の推定距離1万キロ弱を、この程度の船で航破できる可能性は絶望的に小さそうだからだ。そうすると、この船でコロンブスを送り出したスペイン女王イサベルもまた、相当のしたたか者だったのではないだろうか。ちなみに、当時までの世界で最大級の船は、半世紀ほど前の鄭和の大艦隊で使われたジャンク船で（竜骨がなく木造の水密箱を横につないだ構造の船、非常に頑丈で航洋性にも優れる）、明帝国の国威を乗せたこのジャンク船隊のうち、大きなものは長さ100メートル以上、大きさは数千トンにも上ったというから、サンタマリア号から見れば小山のような巨船群だが、その世界史的な意義はコロンブスの怪しげな冒険心とともにあったサンタマリア号に遠く及ばない。なお、サンタマリア号は西インド諸島到達後に座礁して船材だけとなってスペインに戻ったが、今は資料と夢に基づいて再現されたレプリカが世界各地にあり、観光客を乗せて実運航しているものもある。写真は大西洋上のマデイラ島を母港とするレプリカ船。マデイラ島は、当時のコロンブスに冷たく当たったポルトガル領の島であるというところが少し笑える。

はないだろうか、そう思うのは私だけではないはずです。この節で紹介したのは、そうしたあり得るはずのアイディアの一端にすぎません。

捨てきれない疑い

もちろん、彼や彼らは本当に、貨幣量を固定すれば貨幣価値が安定すると信じていたのかもしれません。実際、ビットコインの外の世界、つまり銀行券の世界でも、銀行券の量を思い切って増やせば必ずインフレが起こると主張する人たちがたくさんいます。実際にはそう簡単にインフレやデフレは起こらないのですが、でも銀行券供給を増減させてインフレでもデフレでも自由自在に起こせたという経験を探すよりは、それができると主張する人を探す方がずっと容易だというのが現代の経済学なるものの状況です。そうした経済学の現状を見れば、サトシ・ナカモトたちが素朴にそう信じたとしても、それは不思議なことではありません。

でも、私は疑いを捨てきれないのです。少し考えれば分かるはずのことでしょう。今のビットコインの設計では、そこに早くから足を踏み入れた人は簡単に大量のコインが発見でき、後から来た人にとっては採掘がどんどん難しくなります。そうした仕掛けを作っておけば、うまくすればコインの値はどんどん上がるだろうというのは容易に想像がつくはずです。ですから、サトシ・ナカモトらはそれを最初から想像しながらシナリオを描き、そしてプロトコルを設定したのではないか、そういう疑いを捨てきれないのです。もしかすると、彼らは、最初から投機の世界に多くの人を誘い込むことを狙い、そして、それに成功したのかもしれない、そう思えてならないわけです。

もちろん、ここにサトシ・ナカモトやその仲間たちがいれば、彼らは反論するかもしれません。あの仕様は仕方がないのだ。ビットコインの最終存在量を二千百万BTCに落ち着かせるためには、ブロック形成当たりでのビットコイン生成スピードを徐々に落とさざるを得ないではないか。四年ごとに半減というのは乱暴かもしれないが、それはそれで分かりやすいはずだ。誰か「管理者」のような者がいて、不透明な裁量のようなもので生成スピードを加減したりするよりは、公明正大なこのやり方の方がずっと良いだろう。そう反論したとしましょう。さて、皆さんは賛成するでしょうか。

私は賛成しません。ビットコインの生成スピードを固定しても、たとえば現在の生成スピードである十分間つまり一ブロックの形成ごとに二十五BTCという速度自体は変えなくても、ブロックチェーンが延伸していった最後の落ち着き先のビットコイン存在量を一定量たとえば二千百万BTCでとどめて動かなくする方法なんて、少し考えれば思いつくはずだからです。どうすればよいでしょうか。

その方法は、一ブロックが形成されるごとに、既に生成されてアドレスに紐付けられているビットコインの残高を二千百万分の二十五の割合で再計算して減額するようプロトコルを作ればよいのです。

そんなことをしたら計算負荷がとんでもなくならないか、そう心配する必要はありません。実際は、ブロック形成ごとに全部のアドレスについて紐付けられているビットコイン残高を計算し直す必要はないからです。ビットコインの取引を起こす際だけに、関係するアドレスにかかわる最近時のビットコイン移動からのブロック数を数えて、その数に応じて課すべき減少率をはじき出して、それを取引の基準値にすれば同じことが可能だからです。そうした生成済みコインの減少に関するルールだけを作っておけば、ビットコインの始まりに近い時期には、コインの残高が減少するスピードに比べて生成されるコインの量の方がずっと多いので、ビットコインの存在量は急速に増加しますが、やがて両者は拮抗してきて、残高が二千百万BTCに達したところで存在総量は安定して動かなくなります。これで何が悪いでしょうか。悪いところはないはずです。

しかも、このやり方は今のビットコインのやり方より良い点があります。それは、「四年に一度のチキンレース」(135ページ参照)がなくなるので、ビットコイン流通の担い手であるマイナーたちに余計な緊張を強いることがなくなり、また、初期にマイニングを行った人たちが、その後のマイニング競争の激化によるビットコインの値上がり益を貪るという構図もなくなります。

さらに、こうすれば、新たに生成されるコインの数がだんだん減っていって、やがて極端に少なくなったりゼロになったりすることもなくなるので、システムのリスクも小さくなります。ビットコインの「コロンブスの卵」は、解けない難問であるはずの「ビザンチン将軍問題」(75ページ参照)を、マイナーへのコイン付与という経済的インセンティブをシステムに組み込むことで、無理に「解決」しようとせずに別の角度から「迂回」したという点にあります。この点は、イーサリアムというプロジェクトのリスクにも絡めて説明したことなのですが(124ページ参照)、それは、ビットコインでは、ブロックの形成とマイナーの新規コイン獲得とが結びついているからこそ、ブロックチェーンの枝分かれも生じにくくなっているということでもあります。ですから、そのリンクが失われてしまったり極端に細くなったりすれば、やがて「ビザンチン将軍問題」はビットコインの信頼性への脅威になって戻って来てしまうはずなのです。その観点からみても、今のビットコインのプロトコル、つまりコインの生成量は四年で半減というペースで減り続け最後はゼロになるというプロトコルは良いデザインではありません。

ビットコインの構造をみると、なるほど良く考えてある、サトシ・ナカモトはさぞ頭の良い人なのだろうと思うところは少なくありません。でも、そこまで考えることができる人や人たちだったら、こんな簡単な点にどうして気付かなかったのだろう、もしかすると気付いていて気付かなかったふりをしていたのではないか、そうしてコインの生成数がどんどん少なくなるようにシステムを作り上げ、それで先行者としての利益を確保しようとしたのではないか、そんな気がする部分もあるわけです。私が疑いを捨てきれないのは、こうしたあたりの何か不自然なシステムのデザインのあり方なのです。

でも、そのことをいま多く言う必要はないでしょう。あの、アメリカ海域への到達という「偉業」をなし遂げたコロンブスだって、何を本当に企んでいたのか良く分からないところがあります。でも、そのことと、彼の偉業の世界史的な意義は関係ありません。もちろん、そこで新大陸と呼ばれることになった世界に住んでいた人々にとっては災厄だったというほかはない偉業ではありましたが、それが世界史を大きく変えるものだったことは確かだからです。コロンブスがやったことは、その「コロンブスの卵」の逸話が示す通りで、彼がやった後なら誰でもできることだったのですが、それだからこそ、その後の世界を大きく変えたのです。それが彼のやったことを偉業という理由でしょう。ですから、それと同じように、そこは今後の発展次第ではありますが、サトシ・ナカモトは世界の金融システムに対して大きな貢献をした、「偉業」と呼んでよいほどの貢献をしたということになるかもしれません。

そして、このことが重要なのですが、コロンブスの航海は、そこで「発見」されてしまったアメリカ大陸の状況を大きく変えましたが、それと同時にアメリカ大陸の存在に気付いたヨーロッパ世界の状況をも大きく変えました。そこで、私たちも、再び今の世界の金融システムを眺め、その将来について考えるという最初の問題意識に戻ろうと思います。

次からは、再び中央銀行たちの物語、その今と未来の物語です。次章ではビットコインたちについて考えるのはしばらく措き、私たちの現在の通貨制度、円とかドルとかが織りなす世界と、そこでの中央銀行たちの抱える問題を改めて整理しましょう。そして、それを踏まえて、その次の章つまり本書の最終章では、そうした既存の通貨たちの世界にビットコインを生んだ新しいアイディアが入り込んできたとき、そこで何が起こるかを考えたいと思います。

第四章　対立の時代の中央銀行――行き詰る金融政策とゲゼルの魔法のオカネ

このピーテル・ブリューゲルの作品タイトルは「ベツレヘムの人口調査」である。もっとも、タイトルこそ聖書の故事を借りてベツレヘムと言いながら、そこに描かれている情景はブリューゲルが生きた16世紀フランドル地方（現在のベルギー）の情景そのものである。それを、沈み行く弱々しい夕日の下に描き、さらには「人口調査」というタイトルを与えたところに、当時「陽の沈まぬ国」と形容されていたスペインによるフランドル支配への怒りと呪いが込められているとされる。歴史上の多くの帝国において人口調査は徴税作業の一部だったが、そうでもなくなった現代の世界でも、人口動態が国の未来を左右することだけは変わらない。

制度やシステムには、それが生まれた背景というものがあります。そして、背景が変化したときには、それらも変わらなければなりません。変わるのに失敗すれば退場を余儀なくされることになります。現代の通貨システムの基幹をなしているはずの中央銀行も例外ではないでしょう。ですから、貨幣とそれを発行している中央銀行たちの未来を見通すためには、そうした制度が生まれた時代背景というものを確認しておく必要があるわけです。では、現代の中央銀行たちを生んだ時代背景とは、どんなものなのだったのでしょうか。結論から言いましょう。それは「経済成長」です。

やや驚くデータかもしれませんが、西欧圏つまり西欧諸国に米国・カナダ・オーストラリア・ニュージーランドを加えた地域の経済が、一人あたりの豊かさという文脈での成長の時代に入ったのは、意外なほど新しいことでした。次ページのグラフは前著の『貨幣進化論』でも紹介したマディソン（Angus Maddison, 1926年～2010年）たちのプロジェクトのデータによるものですが（彼の最後の著書『世界経済史概観・紀元一年－二〇三〇年』に期間を延長した数字が掲載されていたので、前著と表示項目を少し入れ替えて再グラフ化しました）、このグラフからも見て取れるように、西欧圏の諸国が本格的な経済成長を始めたのは、ナポレオン戦争の決着がついた一九世紀初頭、具体的には一八二〇年代あたりからのことだったのです。

そして、この時期は、現代の中央銀行たちのモデルになったとされる英国のイングランド銀行

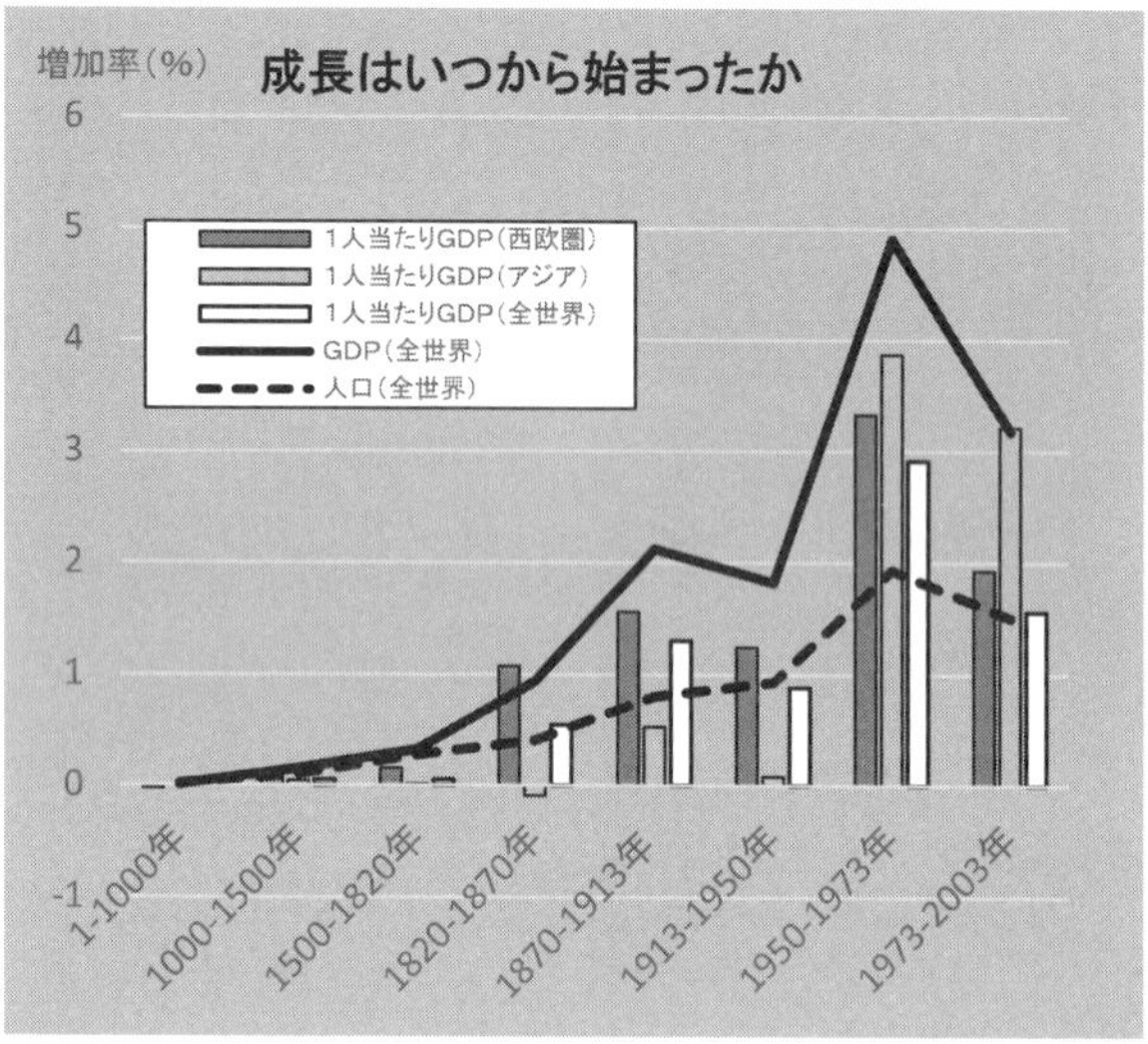

が、発券銀行から中央銀行へと「進化」し、やがて金融政策を付託されるようになる時期と重なります。イングランド銀行にポンド紙幣の独占的な発行権を付与するピール銀行条例が制定されたのは一八四四年のことでしたが、それは、英国を含む西欧経済圏で一人一人が豊かになるという意味での成長が始まった時期にやや遅れ、でもおおむね重なっているのです。中央銀行は経済成長とともに生まれ発展してきたものなのです。

ちなみに、米国のペリーが四隻の艦船を率いて浦賀に現れたのは一八五三年ですから、中央銀行という仕掛けが世界で最初に成立したのは、ペリー来航の九年前のことに過ぎません。私たち日本人は、黒船来航の衝撃から始まった十数年の試行錯誤の末に、一気に「欧米の進んだ文化」を取り入れる方向へと国の舵を切ったこともあり、その時代の欧米とりわけ英国を中心とする西欧社会の仕組みをあたかも永遠の真理であるかのように学び、その制度的コピーを急速かつ忠実に作り上げたような傾きがあります。中央銀行制度というのも、そうして取り込んだ制度の中の一つでした。

日本銀行が設立されたのは明治一五年つまり一八八二年ですから、イングランド銀行が中央銀行に「なった」のから遅れること四十年ほどのことに過ぎません。それは日本が西南戦争とその後のインフレの時代を、いわゆる松方財政によって克服することを試み始めた、その時期に当たります。その後の日本が本格的な経済成長の軌道に乗り始めたことを思えば、中央銀行の歴史と経済成長の歴史は、ここでも一致していることに私たちは気付くことになります。

この章は、そうした経済成長の歴史と中央銀行制度の歴史を踏まえて、そこに日本の状況を重ね合わせることから話を始めたいと思います。

一　中央銀行は成長とともに生まれた

日本は運が良かった

なぜ一九世紀初めの西欧が、それまでのマルサス的な制約つまり生産力の向上が人口の増加にほぼ吸収されるという制約から離れて、はっきりと一人一人が豊かになるという意味での経済成長を始めたのか、その理由はよく分かりません。多くの人が思い浮かべるのは産業革命とも呼ばれる工業技術の発展が成長の原動力になったのだろうということでしょうが、それだけが理由だとは思えないのです。産業革命を彩る主要な技術、動力紡績機や蒸気機関あるいはコークス高炉による製鉄などの技術の多くは一九世紀ではなく、その一世紀前の一八世紀に発明されていたものが多いからです。産業革命と呼ばれる技術革新が始まった時期と成長が始まった時期とは大きくずれているのです。

では、他に要因はなかったのでしょうか。そこで思いつくのが制度的要因、具体的には私有財産権制度の確立と資本市場の成立でしょう。これらがなければ、人々は今日得たものを明日に持ち越す、すなわち貯蓄や投資を行うインセンティブを持てませんし、そうするための場も得られません。ですから、私有財産権制度と資本市場は成長のために不可欠な制度なのです。これらは一八世紀の英国ではすでに形成されていたわけですが、西欧という交易圏全体に普及するのはナポレオン戦争の終結つまり一八一〇年代半ばまで待たなければなりませんでした。一定の空間的な広がりを持った交易圏全体において私有財産権制度と資本市場とが確立することは、おそらくは成長というものの必須の条件だった、そう考えて良いように思います。ちなみに日本は明治期にそれらを確立させましたが、隣の中国では「改革開放」を掲げた一九七〇年代末にようやくその重要さに気が付き、それらを基本に据えた経済成長を手に入れるには一九九〇年代まで待たなければならなかったわけです。

こうした歴史のなかの日本について改めて考えると、そこには「運が良かった」という面が少なからずあるようにも思えてきます。日本が明治という名の新体制に舵を切ったのが一八六八年とすれば、それは西欧社会が新しい成長という時代に入ってから四十年ばかりのハンディを負っていたに過ぎません。しかも、それ以前から、日本は長く続いた幕藩体制の下で地方での資本蓄積が進み、また勤勉や正直を尊重する道徳観が浸透し、識字率に至っては当時の英国をもはるかに凌ぐ水準にありました。江戸期の日本の都市部では、武士階級のほぼ全部が難しい古典までも読みこなすだけの教育を受け、庶民でも大都市部では七割を超える男女が読み書きができたという記録があるそうです。同時代、一人一人が豊かになるという意味での経済発展を始めたころの英国の首都ロンドンでの識字率が一割そこそこだったと言われていますから、教育程度という点では日本は江戸期において世界で超一流の水準にあったわけです。そうした環境に投資や金融取引に関する法制が導入され多くの産業技術が紹介されれば、とりたてて「成長戦略」などというものがなくとも、日本が経済成長を手に入れたこと自体は不思議なことではありません。

私たち日本人は、明治期入りから四十年を経ずにロシアとの戦争に勝った日本の歴史を知り、また、一九四五年の廃墟から三十年そこそこで「経済大国」を名乗るようになった経験を踏まえて、それらが何か日本人の特別な資質によるものだと誇らしく思う一方で、その日本が一九九〇年のバブル崩壊以降の閉塞から抜け出せないでいる状況に苛立ち、そうした「失敗」の原因を政策運営や制度的欠陥に帰そうとする傾向がひときわ強いように思えてなりません。

しかし、これは前著でも書いたことですが、日本が奇跡と思うほどには、日本の二度の成功は奇跡ではなかった、それらの成功の時代背景を改めて点検すれば、日本は普通に成功するべくして成功した国であったし、また、環境が悪くなれば普通に失敗する国でもあると考えた方が良いのではないでしょうか。

危ういのは、環境のおかげで成功した人たちが、環境の変化のせいで失速したことに過剰に反応し、そこで一気呵成とか乾坤一擲とでも表現するほかのない賭けへと突出してしまうことの方でしょう。明治期に入ってから成功を続けてきた日本は、第一次世界大戦の戦勝国として「列強」の一員を自ら名乗るようになったころから、皮肉にも大きな屈折点を迎えることになったわけですが、そこで事態を悪化させたのは、自らを当然に成功する国であり民族だとする過剰なままでの自己認識あるいは慢心だったように思えてなりません。そして、バブル崩壊後の日本人の「失われた十年」あるいは「二十年」という表現の中にも、それに似た匂いを感じるのは私一人ではないと思います。

今は病気か常態か

少しデータを見てみましょう。左ページのパネル27はバブル崩壊の年といわれた一九九〇年以降の日本と米国および中国、そして日本と基礎的な状況が似ていると言われることが多いドイツの成長率を比較したものです。黒い縦棒グラフが日本のGDP成長率ですが、これを実線折れ線グラフの米国や点線折れ線グラフの中国と比較すれば、日本が焦りを感じるのは無理もないという気がします。これだけを見ると、日本のこの二十年は確かに「失われた二十年」であり、バブル崩壊後の日本はデフレという病にかかってしまった病人のようでもあります。

しかし、日本の隣に白い棒グラフで表したドイツと比較したらどうでしょうか。ずいぶん印象

パネル27：日本と米中そしてドイツ

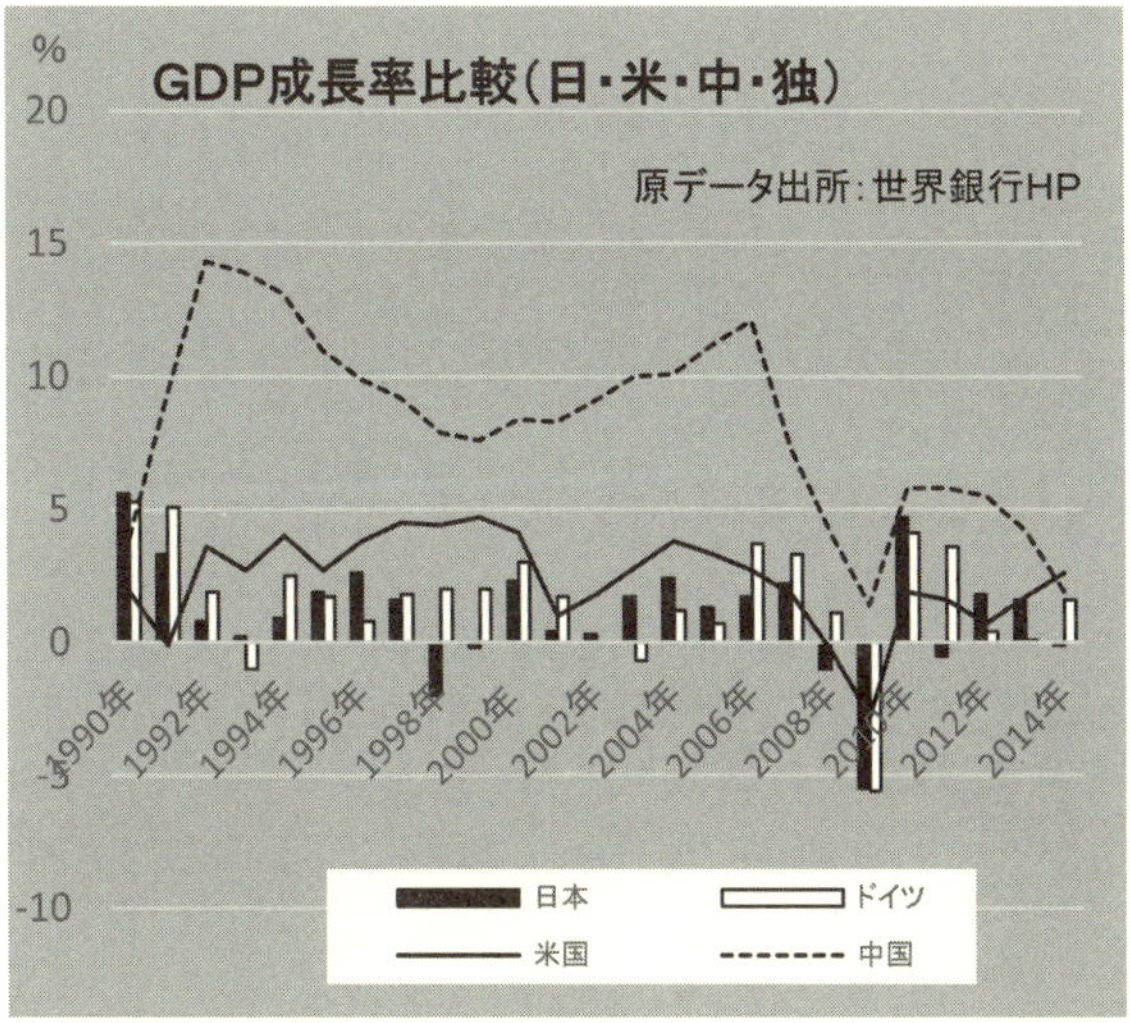

バブル崩壊後の日本の成長率は、日本人が常に比較の対象とする米国や中国と比べれば大きく水をあけられている。しかし、比較の対象を基礎的条件という観点から日本に似ているはずのドイツに置き換えて眺めると、受ける印象はずいぶん変わる。日本におけるバブル崩壊の影響が深刻になった1990年代半ばから10年余の彼我の差は明らかだが、それ以降の時期のＧＤＰ成長率を実質ベースで見る限り、どちらがどうとも言えない面があるからだ。どうやら、2000年代後半以降の日本は実力より多く自信を失い、ドイツは実力を超える自信を手にしたという面がありそうだ。そのドイツは、今、ユーロ圏の軋みにあえぎ、かつ、その原則主義に対する周辺国からの反感と警戒心とを溜め込みつつあるようにみえる。圧倒的な国力なくして大きな影響力を行使する立場に至ったユーロ圏の「半覇権国ドイツ」の悩みはそこにある。

は変わってくると思います。日本でバブル崩壊の影響が深刻化した一九九〇年代の半ばから金融危機の二〇〇〇年代半ばあたりまでの時期を除けば、両国の差は大きなものではないようにもみえるからです。

実際、いわゆるグローバリゼーションの下で両国の企業がやってきたことには似たようなところがあります。日本企業は東アジア地域とりわけ中国に生産拠点を移転しましたが、ドイツ企業は新たにユーロ圏に加わった東欧地域へと生産拠点を移転しています。そうした生産拠点の海外移転は、国内における賃上げ要求への牽制として労働コストを抑制する効果があります。ただ、日本における労働コスト抑制の効果は内需不振というかたちで企業自身に跳ね返ってきたのに対して、ユーロ圏という市場を手に入れたドイツ企業の場合は、内需へのマイナス要因を旧ソ連圏崩壊で手に入れた市場の拡大効果で穴埋めして余りあったという面がありそうです。ドイツの国民は、ドイツの企業が成功した割には豊かになっていないようですが、それは、生産活動の対価として国民に分配される所得を扱うGDP統計と、各々の国に中枢機能を置く企業の経営者実感の集積である景況感とが、そもそも別々の指標であることを理解すれば、当然にありうる話なのです。

ドイツとの比較はともかく、こうした日本やドイツと米国や中国との勢いの差の背景に人口構成の違いがあることはまず間違いないでしょう。左ページのグラフを見てください。このグラフは、この二十年間の中間年の二〇〇〇年における各国の人口構成いわゆる人口ピラミッドを並べたものですが、こうした人口構成を見れば、大きな高齢者人口を抱えた日本やドイツと米国およ

各国の人口ピラミッド

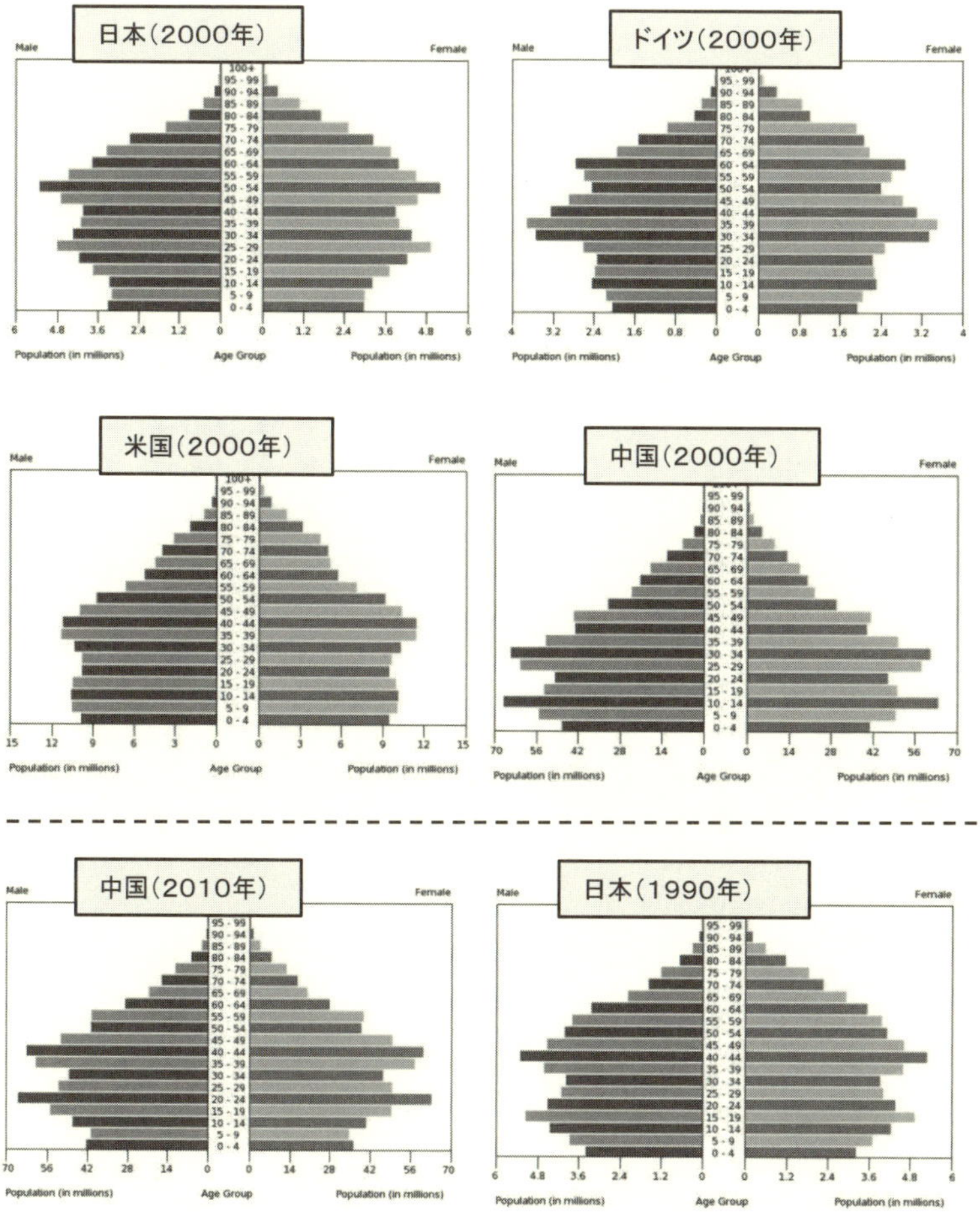

資料出所:米国センサス局HP

び中国との差異は明らかでしょう。もう少し詳しく言えば、米国は砲弾型つまり若年人口が減少せずに安定しているという点で先進国の中でも最も「良い形」をしていますし、一方の中国は日本が高度成長のただなかにあったときの独特の形、つまり幼少年人口も高齢者人口も少ないという意味で、最も急速な経済成長に向いた人口構成になっていることに気付くと思います。これが二〇一〇年までの二十年間の差の大きな背景になっていることは誰も否定できないでしょう。

もっとも、こうした図を眺めることは、今までの世界の経済成長というものが、これから大きな曲がり角を迎えるのではないかという予感を、改めて私たちに抱かせるものでもあります。掲載のグラフには、二〇一〇年の中国の人口構成と日本の一九九〇年のそれとを加えておきましたが、その相似に驚く人も少なくないでしょう。成長と人口構成という観点からみれば、日本には既婚女性の労働再参加という成長機会があり、中国には都市部から大きく遅れた地方における経済発展という成長機会があります。しかし、そうした個別の成長機会をどう見るかを別とすれば、現在すなわち二〇一〇年代半ば以降の世界が、今までとの異なった循環、代わる代わる登場する成長センターが全世界を豊かにするという循環から、基本的にはゼロ成長が続きその中で浮き沈みもあるという循環へと移行していく可能性を、そろそろ私たちは真剣に考えた方が良いという気もしてくるはずです。それは、一九九〇年代以降の日本は病気だったのではなく、世界の新しい「常態」が他の国より早く現れただけだ、日本の常態はやがて世界の常態になるという可能性について考えることでもあります。

もちろん、世界の全部でゼロ成長が常態になるとは思えません。インドをはじめとする南アジアやアフリカの状況は欧米や東アジアの状況とは大きく違います。また、欧米と一括りにするには、多くの移民とその子孫たちの高い出生率に支えられて砲弾型のピラミッド形を維持できている米国と、そこまで移民たちを同化できていない欧州諸国との間の差も無視しがたいでしょう。米国に限って言えば、この国だけは、いわゆる先進国グループの中でも相対的に良好なパフォーマンスを示し続ける可能性がありそうにも思えます。

この章では、そうしたいくつかの条件は留保しながらも、起こり得る経済動態の変化の可能性を踏まえて、そこで無理なく機能する通貨システムのあり方について、考えを巡らすことにしたいと思います。

金融政策が始まったころ

事実の再確認になりますが、現代の中央銀行のモデルでもあるイングランド銀行が、英国ポンド紙幣の「事実上」の独占発行権を得たのは一九世紀の半ば、一八四四年のピール銀行条例によるものでした。銀行券そのものの歴史はイングランド銀行の「中央銀行化」よりはずっと古く、記録に残っている限りでも一七世紀のスウェーデンぐらいまでは遡ることができますが、政府が定める通貨単位での銀行券を「独占的」に発行するという意味での「中央銀行」というシステムの確立は一九世紀半ばだったのです。

もっとも、この頃の中央銀行たちが、その設立の当初から通貨価値を維持することを目的としていたかと言うと、そうとは言えない面があります。この時代の通貨制度は、まず政府が一定の

パネル28：イングランド銀行は中央銀行でない？

イングランド銀行の独占権について「事実上の」と断ったのは、同行にポンド紙幣の「独占発行権」を付与したピール銀行条例の適用地からスコットランドと北アイルランドが除外されていたため、条例以前から紙幣の発行を行っていたスコットランドの3行と北アイルランドの4行がポンド紙幣発行権を保持したまま今でも紙幣発行を続けているからである。これらの銀行券は発行体こそ各々だが、その価値はイングランド銀行券と同等になるようイングランド銀行により監督され、実際にも区別なく流通している。イングランドとスコットランドおよびアイルランドとの歴史を考えると、せめて紙幣のデザイン程度には何らかの独立志向のようなものがないかとも思うのだが、調べてみると、クライデスデール銀行（本店グラスゴー）の20ポンド紙幣にスコットランド独立戦争の英雄ロバート1世の肖像が現れているほかは、バンク・オブ・アイルランド（本店ダブリン）の紙幣にアイルランドを象徴するヒベルニアの姿が見られる程度で（ヒベルニアはイングランドの象徴であるブリタニアの妹分とされているから、イングランドにとっては友好的キャラクターである）、野次馬根性的にはやや拍子抜けする。背景にはイングランド銀行の監督に対する遠慮のようなものもあるのかもしれない。

量目での金貨あるいは銀貨を鋳造し、その金貨あるいは銀貨との交換を保証することで（これを「兌換」といいます）、金貨や銀貨と同等に銀行券を流通させるという仕組みですが、どうしてそうした仕組みを考え出したのかというと、おそらくは経済成長に伴って増加する決済手段つまりは貨幣に対する需要増に対応するためのものだったはずだからです。そして、そうして形成された中央銀行の基本の任務は、銀行券と金貨あるいは銀貨などの「本位貨幣」との兌換を維持することでした。本位貨幣そのものの量目を維持するのは、少なくとも制度上は造幣局を擁する政府の責任だったのです。

ところが、そうは言っても、中央銀行がどう動くかは貨幣価値と無関係にはなりません。この時代の銀行券は基本的に兌換券でしたから、その銀行券の総量が政府と中央銀行の金庫に収まっている支払準備とも呼ばれた純金銀の量に対して大きくなりすぎると、いずれ中央銀行が兌換を停止するか、それとも金貨や銀貨を改鋳して含まれている金や銀の量目を落とすほかはなくなります。そこで、中央銀行が活用し始めたのが「金利」でした。中央銀行は自身あるいは政府の金準備が減少しそうになると金利を引き上げて、銀行券の発行増を抑制するということをやり始めたのです。これが金融政策の始まりですが、こうして始まった金利の操作は、少なくともその始まりの時代には、金準備を適正に保つためという目的が濃厚で、景気や物価を安定させるという意識は強くはなかったようです。

しかし、その始まりがどのようなものであっても、景気が良くなって銀行券需要が増えると金利を引き上げ、銀行券需要が減ると金利を引き下げるという行動を中央銀行がとり始めるということは、結果として中央銀行が景気政策の役割を担うようになるということを意味します。また、当時は金本位制の時代ですから、景気が過熱して海外からの物資の輸入が増えると、貿易赤字の決済のため金準備が流出し始めます。そこで、そうした金準備流出の抑制のためにも金利操作は有効だと考えられるようになりました。こうして、もともとは中央銀行が自分を守るために始めたはずの金利操作は、やがて金融政策へと「出世」し、景気政策の基本を構成するようになったわけです。

一方、この時代、金融政策に物価安定という目的意識は希薄だったはずです。金本位制の時代の通貨価値は「永遠の価値がある」と信じられていた金に紐付けられていましたから、金準備を守れば貨幣価値は自動的に保証され、したがって物価も安定すると多くの人は考えていただろうからです。ただし、それは必ずしも起こっていたこと全部の正しい理解ではありません。金のように採掘量が限られた資源の価格は少なくとも短期的には激しく変動するのが普通です。したがって、これはケインズの言葉を借りてすでに説明したことですが（第三章148ページ参照）、当時の安定した金価格の裏には、大英帝国とも呼ばれた覇権国家としての英国の財布を握る大蔵省と中央銀行がいて、彼らが金価格を安定させるべく走り回っていたことがあったと考えた方がよさそうです。もちろん、彼らが世界の金価格を安定させてしまうことができた理由は、要するに英国の国力が充実していて、国債償還の負担が重くなっても金平価を引き下げて逃げを打つようなことはしない、それに疑いを生じさせないだけの実力と律義さを英国政府が備えていたことにあるのでしょう。

では、ここで質問です。銀行券の価値を支えるための同じような構造は、金本位制が過去のものとなった現在でも、今そこにある、そう考えて良いのでしょうか。それとも現在の銀行券は、この時代とはまったく違う構造に支えられて価値を維持できているのでしょうか。そこを整理してみたいと思います。

銀行券の価値はどこから

まずは、次ページのパネル29を見てください。これは日本の中央銀行つまり日本銀行のバランスシートですが、そこで眼を引くのは、何と言っても資産に占める国債の大きさでしょう。国債が日本銀行の総資産に占める比率は、何と八割を超えてしまっています。でも、そうすると、何かおかしな気がしてこないでしょうか。これでは、日銀が発行する銀行券とは形を変えた国債のようなものということになってしまいそうだからです。そう理解するのは間違いなのでしょうか。

結論から言うと、それで間違いではありません。その理解で良いのです。前の章では「ビットコインをコインにしてしまう」というお話を紹介しましたが（138ページ参照）、日本銀行が国債を買い入れて銀行券を発行するというのは、規模や目的こそ違え、この話と似たようなところがあります。中央銀行とは、銀行券あるいは銀行券へといつでも交換できる預金を世の中に提供し、その代わりに国債や社債などの金融資産を金庫に入れて保管している社会的装置のようなものなのです。

別の喩えもできます。中央銀行のやっていることは、投資信託のようなものだと考えたらどう

パネル29：日本銀行のバランスシート

資産の部		負債および資本の部	
国債	269.8兆円	銀行券	89.7兆円
社債など	5.2兆円	預金	206.1兆円
金銭信託など	6.1兆円	政府預金	1.8兆円
貸出金	34.1兆円	売現先	17.6兆円
外国為替	7.1兆円	上記以外の負債	4.6兆円
上記以外の資産	1.3兆円	純資産	3.9兆円
資産の部合計	323.6兆円	負債・資本の部合計	323.6兆円

これは、2014年度末（2015年3月末）の日本銀行のバランスシート（貸借対照表）を要約したもので、簡単化のため残高で1兆円に満たない項目は上記以外の資産あるいは負債として一括してある。資産の側で眼を引くのは何と言っても国債で、269.8兆円（総資産の83%）という残高は、日本の国債発行残高合計774.1兆円の35%に上る。ちなみに、アベノミクスおよび異次元緩和が始まる前年の2011年度末における日銀の国債保有額は87.2兆円（総資産の63%）で、同時点の国債発行残高669.9兆円の13%だった。また、負債の側で眼を引くのは、預金の206.1兆円と銀行券の89.7兆円だが、預金のほとんどは民間の金融機関から当座預金として預け入れられているものである。また、意外なほどに金額が小さいのは、純資産の3.9兆円で、資産からは基本的に利息や配当が見込まれるのに対して、負債のほとんどは無利子（銀行券の場合）あるいは非常に低い金利（一部の預金）であることを考えると奇異に感じる読者もあるかもしれないが、これは日本銀行が計上する利益のほとんどを税金および納付金として政府に移転し続けているためである。なお、日本銀行の総資産323.6兆円は、日本の名目GDP 489.6兆円の66%に相当する。同じ比率は2011年度末では30%だったから、この間に日本銀行のバランスシートは異常なまでに大きく膨れ上がっていることも分かる。

でしょう。投資信託とは、顧客に代わって株式などの資産を購入し顧客に受益証券を渡す仕組みです。中央銀行は、利子や配当が付かない代わりに決済機能に特化した証券である銀行券を、世に提供しているのだと考えるわけです。要するに、現代の銀行券の信用と、その中央銀行を作った政府の信用とは、中央銀行の保有資産を通じて「つながって」しまっていると考えるわけです。

こうした考え方を「物価水準の財政理論」と言うのだということは、前著『貨幣進化論』で詳しく説明しましたから、ここでは深入りしないことにしましょう。「物価水準の財政理論」という考え方が経済学の分野に登場してまだ日は浅いのですが、インフレやデフレあるいは通貨システムの将来を相対的に破綻なく説明してくれる理論として支持者を増やしています。この本も前著も、円やドルなどの既存の通貨に対する解釈としては、基本的に、この「物価水準の財政理論」によっています。

付け加えておくと、「物価水準の財政理論」で銀行券の信用と国の信用が「つながっている」と考える理由は、もう一つあります。それは、中央銀行の利益および損失が基本的に政府に帰属することによるものです。

当たり前の話ですが、中央銀行というのは、楽をして「儲かる」仕組みという面があります。決済に使えるからという理由で利子を付けなくても人々が財布に収めてくれている銀行券を発行し、その代わりに持っているだけで利子が付いてくる国債や社債を自分の金庫に入れておけば、それは儲かるのが当たり前だからです。そうした文脈で生じる中央銀行の「儲け」のことを「シニョレッジ」と言うのですが、そこで大事なことは、このシニョレッジは、基本的に政府のものになるということです。つまり、財務の構造としてみる限りは、中央銀行と政府は一体なのです。

中央銀行は一般に政府とは独立した意思決定構造を持っていますが、その理由は、中央銀行に政府から独立した意思決定構造を持たせた国の方が、そうでない国より成功することが多かったという、これは歴史の経験によるものに過ぎません。したがって、意思決定の問題ではなく、財務の構造という観点からは、中央銀行と政府は事実として一体であり、したがって国債の信用力も銀行券のそれも、究極的には国あるいは政府の徴税能力にその源泉があるはずなのです。

でも、そうすると次の疑問が生じないでしょうか。いったい、中央銀行は何をしているのだろうか。貨幣の価値が究極的には政府の信用力から生じているのだとしたら、中央銀行など不要なのではないだろうか、そうした疑問も生じるのではないかと思います。しかし、中央銀行は何もしていないわけではありません。

貨幣の世界の中で中央銀行がしていること、それを簡単に言えば現在の貨幣価値と将来の貨幣価値とのバランスを取ることです。それが金融政策です。この話も前著で詳しく説明したことに入りますから、以下では要点だけを説明するにとどめましょう。中央銀行が何をしているかは、それは「自然利子率」と「名目金利」という二つの利子率と「物価上昇率予想」との関係から理解するのが早道です。

フィッシャー方程式

金融とは要するに現在と未来の交換取引です。現在より未来が豊かになると誰もが信じているような世界では利子率はプラスになります。今年に比べて来年は物資が一・二倍ほども豊かに出回り、たとえば私たちが一日に食することができるパンの数も今年は十個だったのが来年になれば十二個のパンを食べることができるようになる、そう誰もが信じている世界では、今年のパン十個は来年のパン十二個とほぼ等しい価値を持つと考えて良いでしょう。このとき、今年のパンのうちの半分である五個を隣人に譲って来年に返してもらう取引を考えるとしたら、来年返してもらうべきパンの数は六個になるというのがごく自然な交換レートです。つまり、そこで成立する利子率は二十パーセントになるわけです。こうして成立する利子率を経済学では「自然利子率」と呼びます。

自然利子率は貨幣で測った利子率ではありません。モノやサービスなどの「リアル」の世界での利子率です。言い換えれば、現在の「豊かさ」を将来に送る、つまり「投資」をするときに、どのくらいの収益率が資本市場で実現できるかを表す収益率のことなのです。自然利子率は人口や技術進歩などの、経済活動の外の世界で決まる基礎的な条件(これを「ファンダメンタルズ」ということがあります)によって決まるので、政府や中央銀行の行動によっては操作できません。

これに対して、貨幣の貸し借りに生じる利子率、つまり「ノミナル」の世界での利子率のことを「名目金利」と呼びます。「名目金利」の方は中央銀行が操作できるところに特色があります。たとえば、一年後に満期を迎える額面一億円の国債を、その額面通りの金額で買い取って銀行券を供給すれば名目金利は〇パーセントということになるし、額面の半額でしか売買しないと決めて実行し続ければ名目金利は百パーセントとなるはずだからです。名目金利とは、貸出や債券投資の市場を通じて現在の「豊かさ」を将来に送るときに成立する収益率なのですが、これは中央銀行が作り出した貨幣の市場で成立する利子率なので、中央銀行が「その気」になれば操作できてしまうわけです。

ところが、この二つの利子率と物価の上昇率予想との関係を整理すると、左ページのパネル30の上部に線で囲んで示したような簡単な形の式になります。この式を経済学の教科書では、それを最初に整理したフィッシャーという二〇世紀初めの米国の経済学者の名を取って「フィッシャー方程式」と呼びます。こうした関係が生じるのは、現在の「豊かさ」を将来の生活のために取っておく、つまり現在の「豊かさ」を将来に送るとき、実物的な投資契約で将来に送るか、それとも貨幣的な貸借契約で送るか、その二つの選択肢が存在するとしたら、それらは基本的にはバランスしていなければおかしい、現在と将来の貨幣価値の間の関係つまり予想物価上昇率を介して、両者は等しくなるはずと考えるからです。

もっとも、こうした式を見せられると奇妙に感じる読者も少なくないでしょう。この式が示すのは、名目金利を引き上げる、つまり金融を引き締めると物価上昇率が大きくなるという関係のようだからです。これは多くの人の直観とは反対の結論でしょう。金融政策で金利を上げると物価が下がるというのなら分かるが、金利を上げると物価が上がるというのはどういうことなのでしょうか。

理由は簡単です。フィッシャー方程式は現在と将来の物価水準の間の関係を示しているだけで、金融の引き締めや緩和によって生じる物価水準の根っこからの動きやその原因となった物価に影

パネル30：フィッシャー方程式と金融政策の役割

フィッシャー方程式

（1＋名目金利）÷（1＋自然利子率）＝（1＋予想物価上昇率）

上枠内の式がフィッシャー方程式で、この名は、実物財市場と貨幣市場の裁定条件からこの関係を導き出したフィッシャー（Irving Fisher, 1867年〜1947年）に由来する。この方程式が示唆する現在と将来との物価水準との間の関係を、①将来の財政への見方が悪化するのに対応して、②中央銀行が金利を引き上げたら、という設定で表現してみたのが下の図で、この図では、財政への見方の悪化から生じた貨幣価値への下落圧力（物価への上昇圧力）が金利の引き上げにより「先送り」される様子を描いてみた。

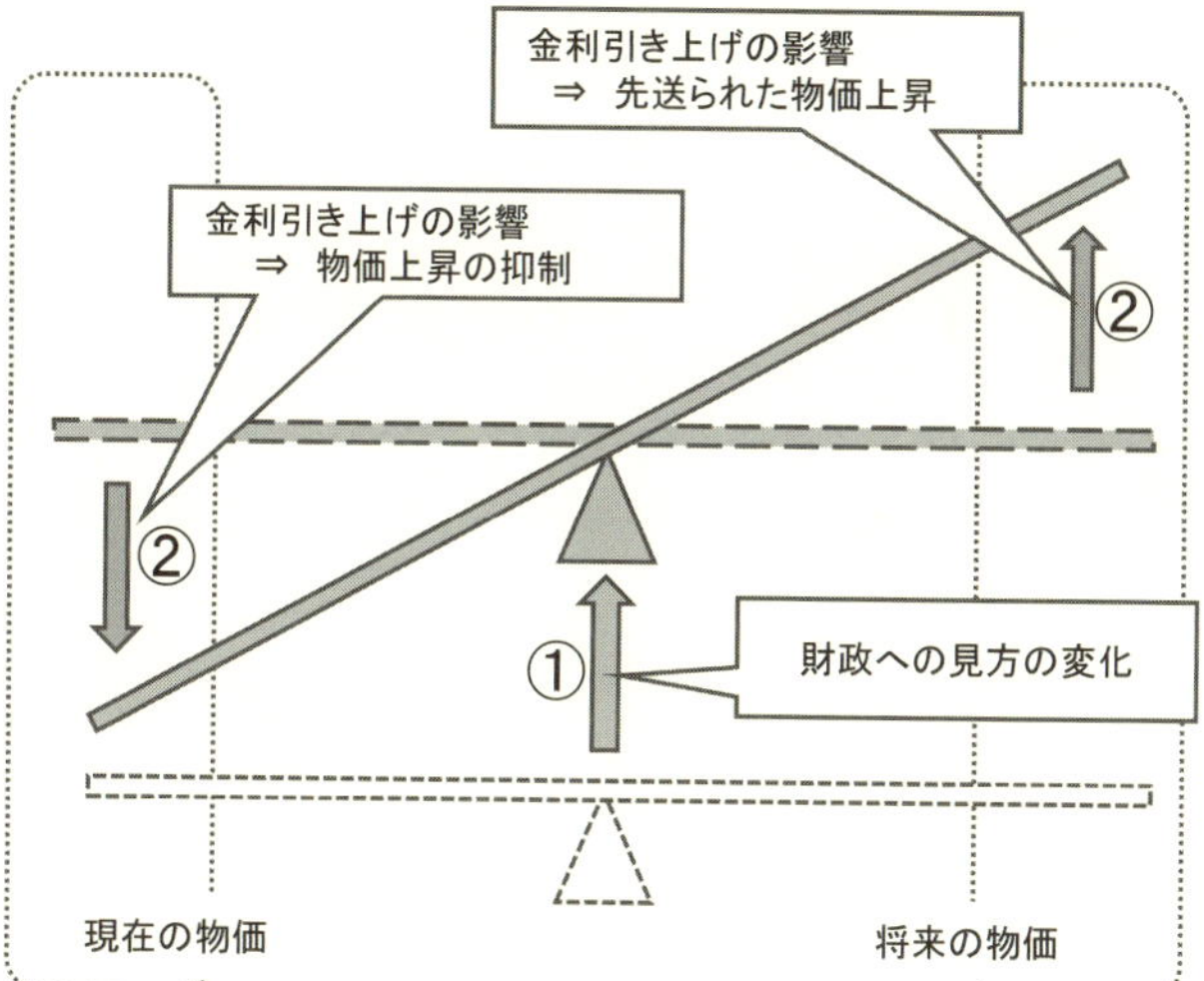

響を与える事象の全体を示しているわけではありません。だから、そこを混同すると奇妙に感じてしまうだけのことなのです。パネル30では、そのことを現在の物価水準と将来の物価水準との関係を「梃子の両端」のようになぞらえる図として示しておきました。図に沿って説明しておきましょう。

まず、何らかの政府の懐具合つまり財政状況に対する予想の下で、現在の貨幣価値と将来の貨幣価値との間で、ちょうど水平線で示されるような関係が成立しているとしましょう。貨幣価値の逆数が物価水準ですから、この図では現在の物価水準と将来の物価水準が等しいという予想が成立しているイメージを点線で描いておきました。

ここで財政に対する人々の見方が①のように変化、つまり悪化したとします。このままで放置しておくと、現在の物価水準も将来の物価水準も一緒に上昇してしまいます。図では、それを灰色に塗った点線の梃子として描いてあります。

ところが、このように現在の物価が上昇するのが好ましくないと考えた中央銀行が金融を引き締めたとします。それが②です。金融を引き締めると、フィッシャー方程式にしたがって、現在の物価水準と将来の物価水準との間に登り方向の「坂」が生じますから、坂の両端である現在と将来の平均的な物価水準に変化が起こったとしても（図ではそれを上昇方向へ変化する場合として描いてあります）、中央銀行は、将来の物価水準をさらに大きく上昇させることの見返りに、現在の物価水準への影響を緩和することができてしまうわけです。

こう図解すれば、経済学の教科書にあるフィッシャー方程式と、金融政策との関係を整理することができます。でも、これは、中央銀行や金融政策に対する「甘い期待」を断ち切らせるものでもあります。金融政策で現在の物価を抑え込むことは可能でも、その代償として将来の物価は上昇してしまうし、反対に現在の物価を持ち上げようとすれば将来の物価には下方圧力を生じさせてしまうということを、この図は示しているからです。金融政策は、しょせんは「現在と将来の交換」に過ぎないのです。

二　金融政策は使命か重荷か

流動性の罠とインフレターゲット

さて、ここまで考えてくると、成長経済とともに生まれた中央銀行、あるいは、そこで中央銀行が演じている役割である金融政策というものについて、その「正体」と「限界」が見えた、という気がしてくるのではないでしょうか。

中央銀行は円とかドルとかの貨幣の各々については独占的な発行者ですし、そうである以上、その価格を操作できることには間違いありません。ただ、その「価格」というのが何であるかが問題なのです。

もし、中央銀行が操作できる貨幣の「価格」というものが、貨幣と自動車やアイスクリームなどの財貨との間の交換価格、つまり「物価水準」という意味だとしたら、それは単純すぎる理解です。中央銀行が直接に操作できる貨幣の価格は、現在の貨幣と将来の貨幣との交換価格つまり「金利」であって、物価水準の全体ではありません。もちろん、現在の貨幣と将来の貨幣の交換価格を操作できる以上、現在や将来の物価水準に影響を与えることはできます。ただ、それは現在の物価も将来の物価も自由自在に操作できるという意味ではなく、将来の物価を犠牲にして現在の物価を望む方向へ導いたり、あるいは現在を我慢して将来に含みを残そうとしたり、という意味のものであるに過ぎません。要するに中央銀行のやっていることは、現在と将来の交換でしかないのです。

もっとも、現在と将来を交換することは悪いことではありません。たとえば、異常な投機熱やその反動あるいは戦争や大災害などの事態が生じたとき、それがもたらす貨幣的な影響、つまりインフレ的なショックやデフレ的なショックを一気に受け止めるよりは、時間をかけて徐々に放出させた方が良さそうなことは少なくないでしょう。そうしたときには金融政策は役にたちます。そうしたショックを柔らかく受け止め時間を稼いでいる間に問題を解決したり状況の変化に対応したりする余裕を私たちに与えてくれるのが金融政策だからです。ただ、ここで問題が生じます。それが第一章でも説明した「流動性の罠」の問題です。

流動性の罠というのは、要するに銀行券は貨幣であると同時に、金利ゼロの金融資産でもあることから、いわゆるデフレの状態に対応して中央銀行が金利をどんどん下げて行っても、いわゆる現金保管コストを超えてはマイナス金利を作り出すことはできないという問題です。これは、伝統的ケインズ経済学の観点からは、例のＩＳ－ＬＭ分析として説明されるのですが（第一章28

パネル 31：マイナス金利が観察される場合

流動性の罠という問題があっても、償還期日までに時間がある確定利付き債券の場合は、プロの間での市場取引価格にマイナスの金利が観察される場合はある。償還日までの間に中央銀行がさらに緩和的なアクションを打ち出すだろうという観測が生じれば、観測的中時の値上がり益狙いから当然に起こる現象だからである。ただ、そうして生じたマイナス金利は、償還期日が近づけば消えてしまうはずで、最後まで続くものではない。すなわち、追加緩和の観測が外れれば大損となる怖いディールなのである。写真左は日本国債の金利が史上初のマイナス金利を付けた2015年1月20日翌朝の各紙経済面。いずれも市場金利の大幅低下を伝えてはいるものの、マイナスの市場金利はすでに欧州で広汎に生じていたこともあって、それ自体を驚きとして伝えるニュアンスはない。とはいえ、当時の欧州と日本における金融緩和手法の違いを考えると（欧州では中央銀行預け金への金利は以前からマイナスが基本）、異次元緩和と大見得を切りながら中央銀行預け金にはプラス0.1%の金利を付していた日本での国債マイナス金利突入については、もう少し状況を深掘りした伝え方はあり得たようにも思われる。ちなみに、この日の各紙朝刊1面は「イスラム国」関連のニュースで埋め尽くされ、国債マイナス金利突入は見出しにもなっていない（写真右）。

ページ参照)、金融政策と物価との関係という観点からも、やはりゼロ金利に金融政策の限界があるという結論に至るわけです。この観点から、改めて「流動性の罠」の問題を整理すると以下のようになります。

まず、自然利子率が比較的高い状況を想定しましょう。たとえば、それが年利で五パーセントだとします。このとき、物価上昇率ゼロつまり物価が安定に保たれていることと整合的な名目金利が五パーセントであることは、フィッシャー方程式から明らかでしょう。経済がこうしたバランスにあれば、中央銀行は年率五パーセントの範囲内でデフレ的なショックを「先送り」することができます。

しかし、自然利子率がゼロにまで下がっていたらどうでしょう。こうした状況で物価が安定している、つまり物価上昇率がゼロとなるよう金融政策が行われているとしたら、想定外のショックに対応するための金融政策の機能の半分は働かなくなってしまいます。自然利子率がゼロの状態で物価上昇率もゼロだとすれば、それは名目金利もゼロということになりますから、インフレ的なショックに対応して金利を引き上げることは可能なのですが、反対にデフレ的なショックに対応して金利を引き下げるのは、金利がゼロより下には行かないので不可能になってしまうわけです。自然利子率が高い状況では金融政策の自由度が大きく、現在の物価と将来の物価をどちらの方向にも操作できるのですが、自然利子率が低い状況になると、インフレ方向のショックには上手に対応できても、デフレ方向のショックには打つ手がないということになりがちなのです。

もっとも、これは物価の安定ということを「物価上昇率ゼロ」で考えてしまうからだという面もあります。フィッシャー方程式の右辺の「予想物価上昇率」をゼロではなく、それよりも程々に大きい値に置き換えることができれば、少し言い換えて、人々の心の中に程々のインフレ期待を「定着」させることができれば、自然利子率が非常に低い、あるいは、マイナスにまで落ち込んだ状況でも、金融政策は、インフレ方向のショックにもデフレ方向のショックにも対応力を失わずに機能し続けることができます。こうした発想から、人々の心に安定したインフレ期待を定着させようという考え方が、いわゆる「インフレーション・ターゲット」略して「インフレターゲット」です。

一般向けの政策談義などでインフレターゲットが取り上げられるときには、物価が上がりそうになれば人々は消費に走るし賃金も上がる、だから景気も良くなる、それを目指す政策だ、というような文脈で解説されることも少なくありません。しかし、経済学者が議論するときのそれは、金融政策を流動性の罠にかかりにくくする保険のようなものだというニュアンスであることの方が多いように思います。第一章で紹介したクルーグマンの議論も（34ページ参照）、その根底にあるのは、そうした考え方でしょう。だから、彼は、日銀に「もっと柔軟になれ」と助言してくれたのだと思います。

でも、中央銀行がインフレに対する態度を変えれば、それで今の貨幣の世界が陥っている閉塞的な状況を抜け出すことができるのでしょうか。実はそれが問題なのです。

デフレが逆転しても

「相転移」という言葉があります。液体が気体になったり固体になったりする、つまり、ある種の安定した状態から別の安定した状態に不連続に移行する現象を指してこう呼ぶようですが、もしかすると、日本も世界も、そうした状況にあるかもしれません。何のことか分からないと言われないよう、少し説明させてください。

日本について言えば、戦後の混乱期を抜け出した一九五一年から高度成長期が終わって列島改造ブームが始まる一九七一年までに五回の景気循環を繰り返していますが、この時代の景気拡大期の平均の長さは景気後退期の長さの約三倍程度でした。この比率は、バブル景気が始まる一九八六年までの九回の景気循環では約二倍程度にまで低下しますが、要するに経済が発展している時期の景気循環とはこんなものなのでしょう。

さらに、そうして多くの日本人が成長を当然と思っていた時代では、景気拡大期には多くの人たちが、傾向的な物価の上昇を予想するという意味でのインフレ期待を抱きますが、同じ人たちが物価の下落を予想するという意味でのデフレ期待を持つのは景気後退期の一部でしかありませんでした。経済が「成長」という大きな文脈の中にあるときは、物価に関する人々の予想という観点からのインフレ期待の時期は長く、デフレ期待の時期は短いか存在しないのが普通だったのです。

これに対して「失われた二十年」はどうでしょう。内閣府の景気判断によれば、日本はＩＴバブル崩壊の影響から抜け出した二〇〇二年には景気拡大期入りし、それはリーマンショックが起こる二〇〇八年までの七十三か月間の長さに及びます。これは、その名も「実感なき好景気」という名前が付いている「デフレ期待下での景気拡大期」なのですが、その長さを、高度成長期における最長の景気拡大つまり「インフレ期待下の景気拡大期」の代表である「いざなぎ景気」ですら五十七か月間だったということと比べると、物価に対する人々の心の循環と企業の業況における景気の循環との間の隔たりが大きくなっているいると感じられるのではないでしょうか。第二次大戦後の成長経済で一般的だったのは「長くしぶといインフレ」と「短い水準調整的なデフレ」の循環だったのに対して、ゼロ成長あるいはマイナス成長が普通になった経済では、「長くしぶといデフレ」と「短い水準調整的なインフレ」との循環になる、そうした方向へと景気循環の相が転移しつつあるようにも思えるのです。

そして、もしそうした転移が起こっているのだとしたら、日本あるいは世界の「長くしぶといデフレ」がインフレに転換したとしても、そこで生じるのはインフレターゲット論者が望むような「緩やかなインフレ」ではなく、短い期間内に起こってすぐ終わる物価水準の調整つまり「物価のジャンプアップ」のようなインフレになってしまいそうです。しかも、それが終わった後に出現するのは、再び「長くしぶといデフレ」になりそうにも思えて来るでしょう。

分かりやすくするために概念的な図を描いておきました。それが次ページのパネル32です。こうしたかたちで期待の循環相が別の循環相へと転移するのであれば、成長が止まった世界では、金融政策が流動性の罠から自由になれる期間は長くないということになります。それは、かつての成長の時代でときに生じる「短い水準調整的なデフレ」の局面を除いた「長くしぶといインフレ」の局面で金融政策が有効だったことの裏返しなのですが、もちろん実際にそうなるかどうか

パネル32：景気の循環と物価の循環

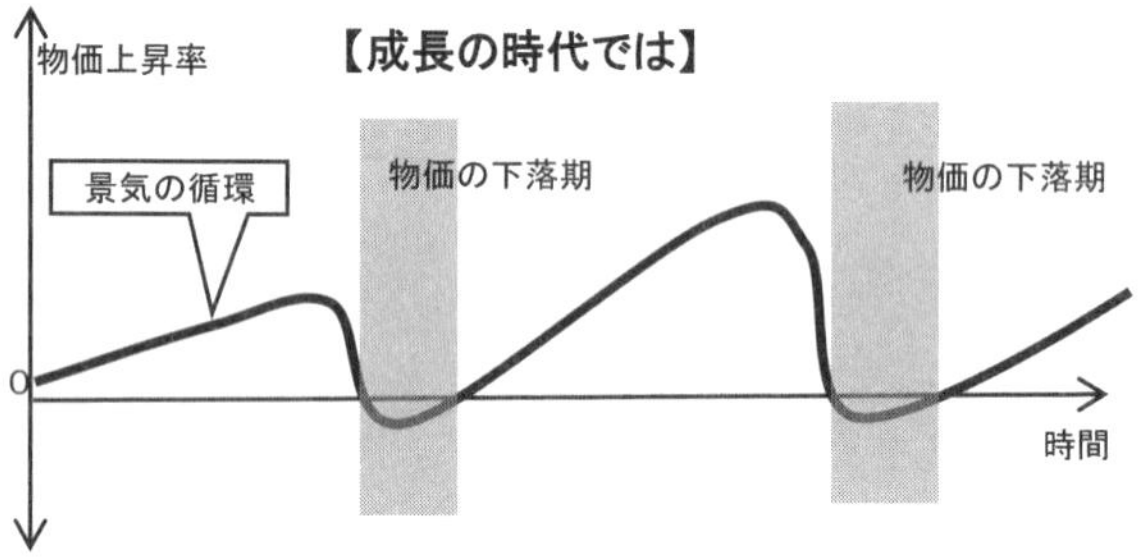

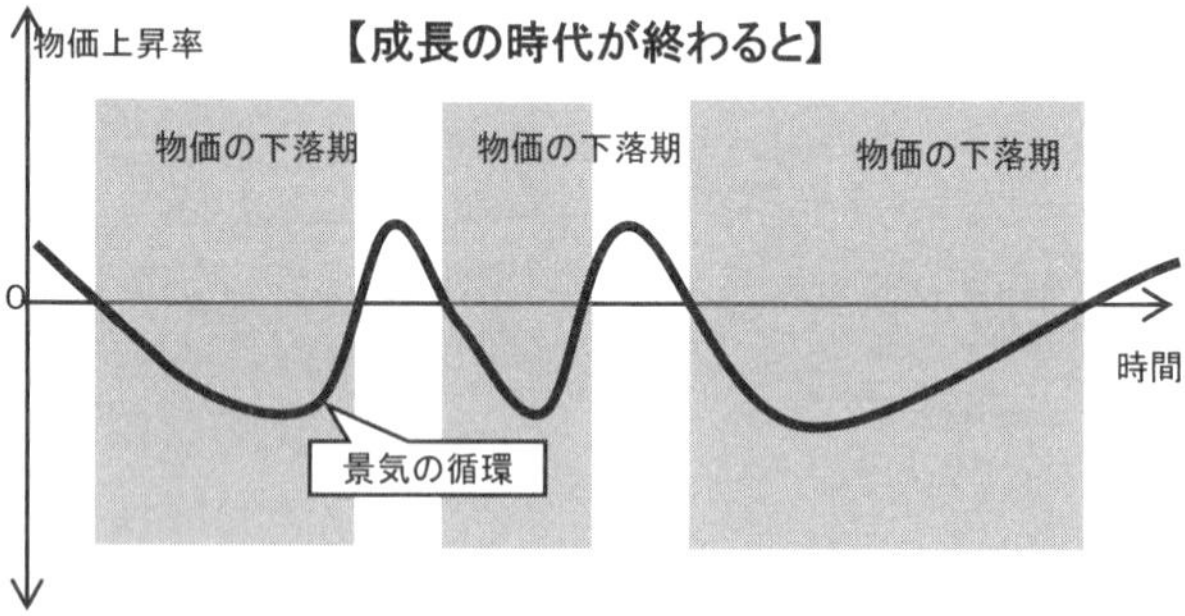

成長の時代とそれが終わった時代の景気の循環と物価の循環の違いを概念的に描くとこんなところだろうか。景気循環は商況の動き（ボトムからピークまでが景気拡大、ピークからボトムまでが景気後退である）で定義されるが、インフレかデフレかは物価上昇率がプラスかマイナスで呼び分けられるので、時間軸上での物価下落つまりデフレ局面が続いていても景気判断的には「拡大期」とされることがある。それが「実感なき景気回復」という不思議な名前の裏にあるように思える。

は分かりません。それは分かりませんが、私たちが確認しておいた方が良いことは、世界が成長相に転移するとともに生まれた中央銀行と金融政策というシステムが、成長相が停滞相へと転移したときにも今まで通りに機能するかどうか、それは試されていない、ということであり、また日本の「失われた二十年」の経験から言えば、機能する可能性を楽観しない方が良さそうだということでもあると言えるでしょう。

これは、これからの中央銀行と金融政策の有効性についての厳しい見方だということになります。かつての「成長の時代」では経済政策の主役だった金融政策が、経済の循環相の転移とともに機能を失うのではないかと予想する見方だからです。しかし、私がそれと同じように、いや、それ以上に気になっているのは、金融政策の機能不全の問題ではなく、景気対策としての金融政策というものが、そもそも世の多くの人たちから支持されないという事態が起こることの方です。

拡がる所得格差

振り返ってみると「成長の時代」とは、人々がコンセンサスを形成しやすかった時代でもあったと思います。成長すること、豊かになることは、要するに「全て」を癒してくれたのです。成長経済では、自分が過去に比べて豊かになれば、そこで大きな不公平が生じても人は我慢してくれます。マルクス主義を維持しているはずの中国で、そのマルクスが生きていたら決して信じなかっただろう程の経済格差が生じていても、それに対する不満が爆発しないのは、富裕になれなかった人たちも、かつての極貧の時代よりは現在の方が良いと考えているからでしょう。しかし、

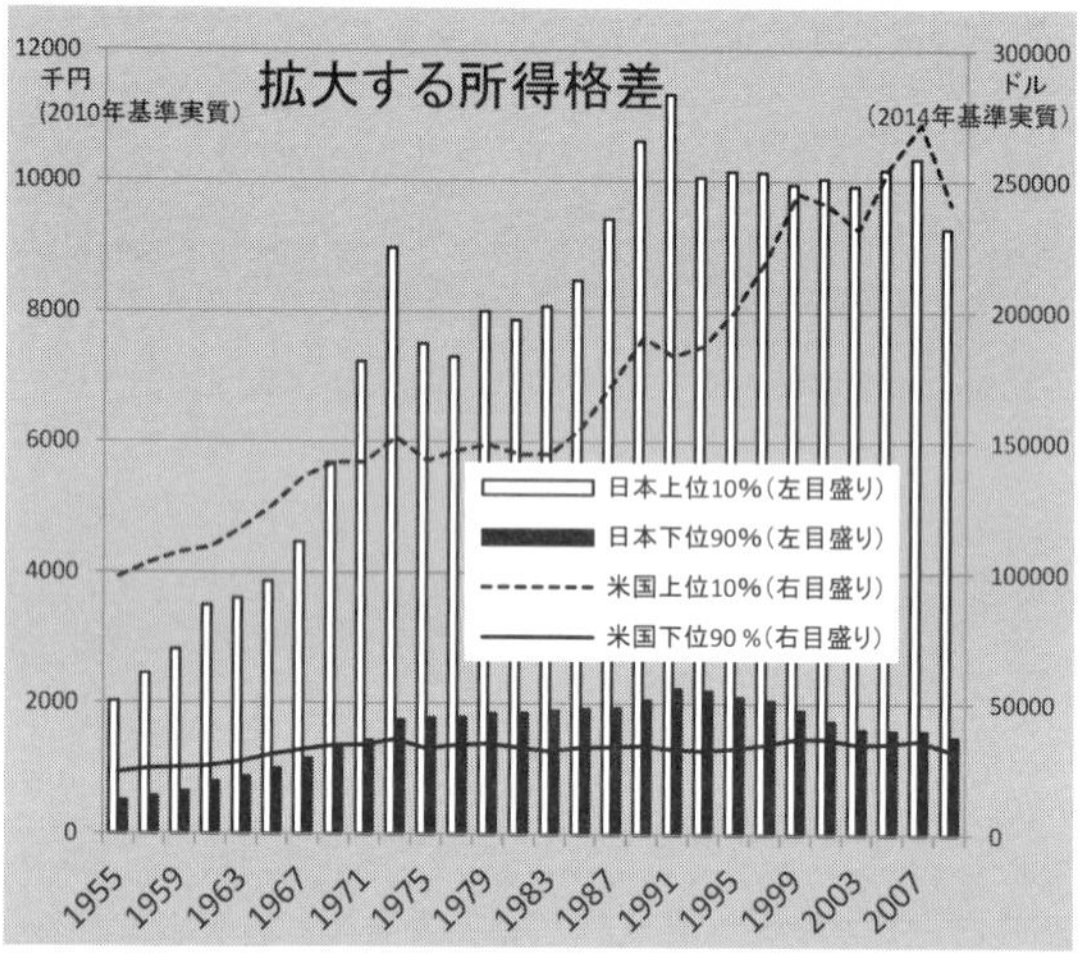

データ出所：The World Top Incomes Database

成長が止まったらどうでしょう。成長の時代には隠されていた分配の問題が、癒されない苦痛として現れてくるのではないでしょうか。それは、私たちが次に経験することになるのは、単なる「成長なき時代」ではなく「対立の時代」になってしまうかもしれないということでもあります。

ここで上の「拡大する所得格差」と題したグラフを見てください。これは、日本と米国の上位一割の富裕層の平均実質所得と、彼らを除く残り九割の一般層の平均実質所得とを、日本については棒グラフで、米国については折れ線グラフで表したものですが、一般層の所得は日米ともに一九八〇年代入りとともに伸びが止まり、特に日本については一九九〇年代半ば辺りからはっきりと所得水準の低下が生じていることが見て取れます。日本の一般層（上位一割を除く九割の人々）の所得が実質ベースでのピークを迎えたのは一九九二年ごろなのですが、その層の二〇一〇年における所得水準はピークより実に三十五パーセント近くも低下しているのです。

こうした状況を私たち日本人の多くは長引くデフレのせいと思い、そのデフレからの脱却を最優先課題と掲げるアベノミクスに期待し拍手をもって迎えました。しかし、本当にデフレから脱却できれば豊かな生活が戻ってくるのでしょうか。気になるのは同時期の米国で起こっていたことです。

一九九〇年代の米国経済は、「失われた二十年」に苦しむ日本とは対照的に、はっきりと上昇基調にありました。その過程では二〇〇〇年代入りとほぼ同時に起こったITバブル崩壊などの曲折もありましたが、日本と比べればはるかに良好なパフォーマンスにあると自他ともに認める状況にあったわけです。

しかし、その間、米国市民の多くである米国の一般層の生活は豊かになったかというと、実はそうでもないのです。第二次大戦後の世界的成長の時代に日本と同様に増加を続けていた彼らの所得は、一九七〇年代に入ると伸びが止まり一進一退ともいうような状況に入ります。それは「米国の復活」と言われた一九九〇年代に入っても基本的に変わりません。彼らの所得水準においては一九七〇年代初と二〇〇〇年代初にほぼ同水準のピークが観察できますが、現在の所得はそうしたピーク値を十パーセントほども下回っています。

そうした米国で起こってきたことが、もし「デフレ脱却」がなった後の日本でも起こり得るのだとしたら、日本が仮にデフレから脱却できたとしても、多くの日本人に景気回復の果実は行き

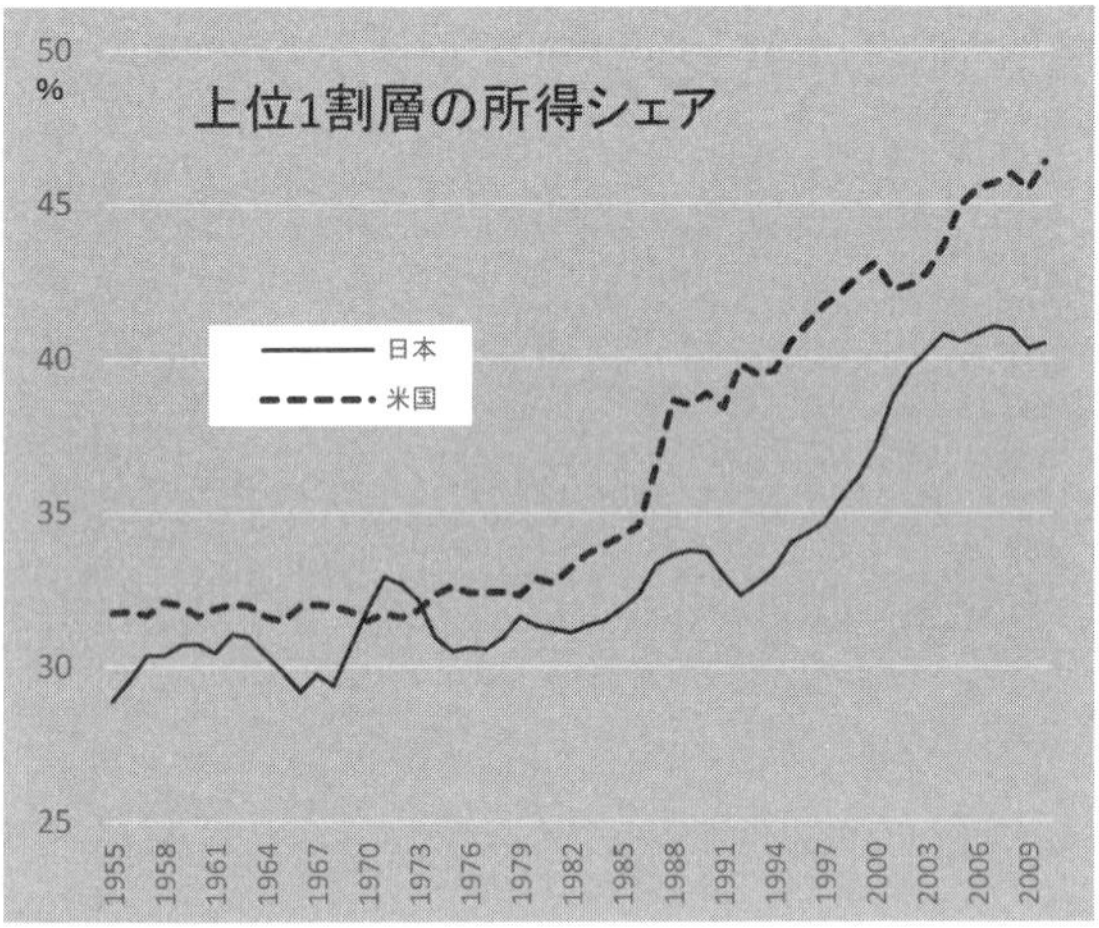

データ出所：The World Top Incomes Database

渡らないということになりかねません。それはあり得るシナリオなのでしょうか。

私は、あり得ると思っています。たとえば、上の「上位一割層の所得シェア」のグラフはそれを示唆しています。高所得層が下の所得層の人々よりもずっと多くを得るという構造自体は、日本でも米国でも一九八〇年代の半ば以降、ほぼ一貫して拡大し続けているからです。そこにはマクロで見た両国の経済パフォーマンスの差はほとんど関係していません。こうしてみる限り、所得格差の拡大という現象自体は、マクロ経済の好不調からではなく、別の要因から生じているようなのです。ただ、経済全般が好調だった米国では、大多数の市民の懐はそれほど苦しくなることなく、一部のエリートと言われる人たちが一方的に豊かになるというかたちでそれが実現し、「失われた二十年」の中にあった日本では、多くの国民の生活が実際に苦しくなるというかたちで格差の拡大が進行した、そう理解した方が良さそうです。では、それはなぜ生じたのでしょうか。

底辺への競い合い

第二次大戦後の西側経済圏の国際ルールは一九七〇年代の初めに大きな転換点を迎えました。国内通貨と外貨との交換比率を政府が決めていた固定相場制が崩壊し、交換比率つまり為替相場を市場に委ねる変動相場制が始まったのです。固定相場制が崩壊すると、貿易も金融資本取引もそれを制限する理由はなくなります。その結果、一九八〇年代の半ばを過ぎるころからは、資本の国際間移動における制限は急速になくなっていきました。国際的な資本市場は急速にグローバル化し、そこでは国境を超えて活動するグローバル企業が数多く生まれたのです。

そうした世界で広範に生じたのが国際的な資本誘致競争でした。他の政府の領域から多くの企業活動を吸引するのが、政府に対する支持者を増やすための最も一般的な戦略になったのです。より多くの投資を自国内に引き入れ、自国内での事業活動を活発化させれば、国内にはより多くの雇用が生まれ、より豊かな人々の生活を実現できる、そう多くの政府は考えるようになりました。もちろん、それは最初から誰もが支持する政策にはなりませんでした。他国から他国の旗を掲げた企業がやってくる、自分の国の会社に外人投資家が現れ株主総会の決定を左右する、そうしたことに対する抵抗感は決して弱いものではなかったのです。

ただ、そうした抵抗感はやがて薄れていきます。それには、この時代の世界経済が減速傾向を強めて、雇用の維持のためには実利を取ったほうが良いという気分が共有されてきたということもあるでしょうし、そこに現れた外資や外人という人たちも、自分たちの富を奪いに来ているのではなく、自分たちと同じような方法で豊かになりたいだけなのだということが、やがては理解されるようになったこともあるかも知れません。

しかし、それは、政府と企業との力関係の逆転を生むものにもなったようです。各国や各地方の政府たちが、企業活動に対する制限を緩め、企業たちに気に入ってもらえるよう競争する、そうした事態が生じてきたからです。企業所得に対する税率は引き下げられ、企業ガバナンスにおいても、株主により大きな権限を与えるのが、これも世界標準になっていきます。企業に対する税制も法制も、より低い税率とより緩い規制という方向、つまりは税制と規制の底辺に向かって国々や地方同士が互いに競い合うという傾向がはっきりと生まれてきたのです。こうした現象を「底辺への競い合い（Race to the Bottom）」などと呼ぶことがあります。

断っておきますと、こうして「底辺への競い合い」を繰り広げる政府たちが、その理由を他の政府との競い合いだと説明するとは限りません。法人税を下げる理由も企業法制を株主有利に変更する理由も、そうすることで企業を元気にするのだ、企業を元気にしてリスクに挑戦してもらい、失われた国民経済の成長機会を取り戻すのだ、そう説明されることが、近年の日本などではとりわけ多いように思います。しかし、このような説明は、事実としても理論としても、いささか的を外しているのではないでしょうか。

事実として的を外していると思う理由は、税制については、実効税率四十パーセントと世界的にみても極めて高い法人税率の米国カリフォルニア州に本拠を置く企業たちの旺盛なチャレンジ姿勢を無視していますし、法制については、共同決定法という独特の法制により企業の被雇用者に広汎な経営的意思決定への参画を認めてきたドイツの企業が、西側世界での「勝ち組」企業の多くに名を連ねていることへの説明を回避しているからです。

そして、事実においてそうでないことは、理論的にも理由があるのが普通です。税制を変えさえすれば企業がリスクに挑戦するようになるというほど話が単純なものでないということは、企業がどのような事業機会を選択するかはリスクとリターンのバランスに依存すると考える投資理論の基本命題を思い出せば明らかでしょうし、株主重視の企業ガバナンスの効果でも実は同じことが言えます。この後者の点は世界とりわけ日本で進んでいる所得格差の拡大と関係がありそうなので、少し説明しておきましょう。

企業ガバナンスと分配の問題

企業に株主と従業員という二つのグループがいるとしましょう。そして、その両グループの間には、企業がどのくらい大胆な経営をするかにより生じる利益と損失に関し、次のような非対称性があると考えることにします。

まず、株主は企業が積極的にリスクを取って大胆な経営をするとともに得る利益も大きくなるとしましょう。ただ、それにも限界があって、経済学の教科書風な言い方をすれば、限界的な利益つまり企業の活動水準を一単位増やすことで望める利益増加額は次第に小さくなるはずですし、さらに企業が持てる経営資源の限度を超えて大胆なことに挑戦すれば、利益よりも倒産から被る損失の方が大きくなってしまいます。何事にも「程」というものがあるわけです。

一方、従業員については企業経営が大胆度を増すと、倒産リスクから生じる損失だけが大きくなるとしましょう。従業員は自身が持てる時間と能力を売って給料を得るという契約を企業と取り交わしているわけですから、彼らが貰う給料の水準は彼らの提供する時間と能力だけに依存するのが本来の姿です。ところが、にもかかわらず、従業員は企業倒産の可能性には株主以上に敏感にならざるを得ません。企業が倒産すると株主は損失を被りますが、彼らはそのリスクを多くの企業に「分散投資」することでコントロールすることができます。ところが、従業員は多くの企業に「分散雇用」されるというわけにはいきません。そのため、従業員たちは株主以上に自分の企業に生じる倒産可能性に敏感になるはずなのです。

この様子を図に描いてみたのがパネル33です。パネルのタイトルに「コースの定理」という語を入れた理由はこれから説明することになりますが、とりあえず、この図の横軸には企業経営のリスクへの挑戦姿勢の大きさがとってあり、縦軸にはそうしたリスク挑戦度から生じる株主の単位当たり期待利益と従業員の単位当たり期待損失の大きさとが取ってあると考えてください。線の傾き具合には特に意味はありません。右下がりと右上がりになっているということだけが本質です。

そうすると、株主が完全に彼らだけで意思決定した場合、企業経営の大胆度はXの水準に決定されるでしょう。これが彼らの最大利益だからです。彼らの利益の大きさはAとBとCと表示し

パネル 33：企業の意思決定とコースの定理

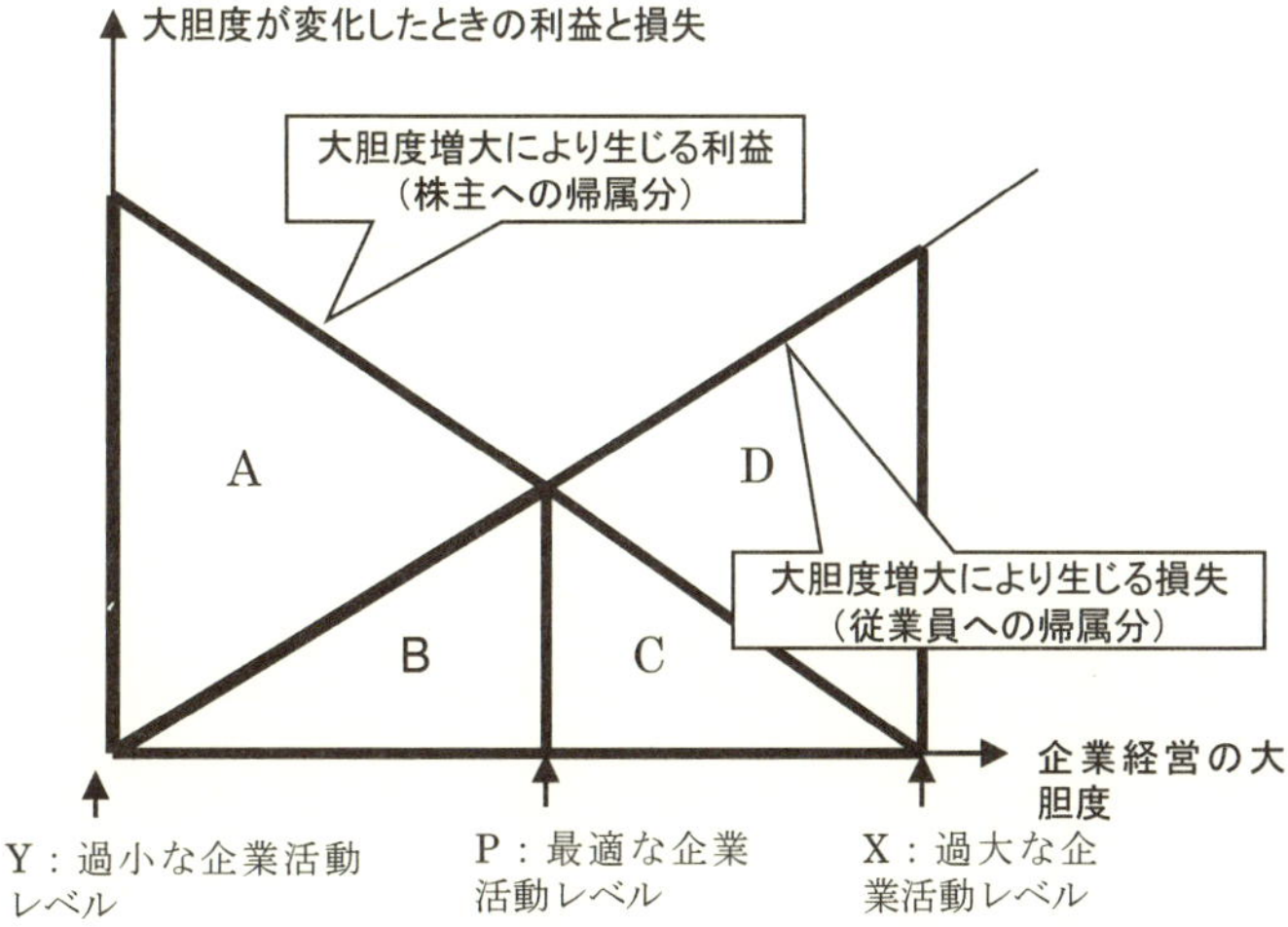

ここでの説明に使った「コースの定理」は、コース（Ronald H. Coase, 1910 年〜 2013 年）が 1960 年に発表した「社会的費用の問題」と題する論文で展開されている命題で、オリジナルの論文は、環境負荷となる企業活動を社会全体として最適化するための方法を論じたもので（その場合、本書での「株主」が「企業」になり、「従業員」が「住民」となる）、温暖化ガス排出権取引の基礎になったものとしても知られているが、これを企業ガバナンス問題に当てはめれば、なぜ共同決定法のもとにあるドイツ企業が良好なパフォーマンスを示し続けたのかという疑問への答も得られそうだ。言うまでもないことだが、コースの定理が成立するためには、取引費用が大きくないことや暗黙の合意をも含めて交渉の結果を守るモラルが存在することなど、多くの条件が必要になる。この辺り、果たして日本は大丈夫なのだろうか。

た三角形の合計の面積です。ただ、このとき、従業員は大きくなった勤務先倒産のリスクに怯えながら勤務を続けることになります。そうした彼らの損失はBとCとDと表示した三角形の合計面積です。これは気になる点でしょう。この状態では企業経営に「活力」はあるのですが、将来に不安を持った人たちの増加により職場の雰囲気も街の治安も悪化しているような状況が想像できるからです。そこで、このXを「過大な企業活動レベル」と呼ぶことにしましょう。

一方、従業員が完全に企業の活動水準を支配して彼らだけで排他的に意思決定を行ってしまうと、その場合の経営の大胆度はゼロとなります。従業員は自社倒産の危険を感じないで生活できますが、株主には投資の旨味が生じません。それでは新しい事業に資本参加しようとする人も出てこなくなります。経済はダイナミズムを失い人々は将来に希望を持てません。失業も増加します。つまり、レベルYは「過小な企業活動レベル」なのです。企業ガバナンスを株主重視にすれば企業が元気になる、企業がもっとリスクに挑戦するようになると考える人たちは、おそらくはこうしたレベルYのような状況に陥るのを警戒しているのでしょう。

しかし、本当にそうなのでしょうか。事実としての株主や株主利益を代表する経営者たち、あるいは従業員や従業員出身の経営者たちは、もっと賢いのではないでしょうか。

改めて企業の活動水準を株主が決めるとします。しかし、今度の株主はやや賢くなっていて、単純に定められたこと以上のことをするとしましょう。何をするのかと言うと、従業員たちと交渉するのです。交渉の内容は、「自分たち株主は企業活動の水準をXとすることもできるが、それでは貴方たちも不安でしょう、会社の倒産を避けるために企業活動水準をレベルPまで抑制するから、貴方たちも応分の負担つまり安めの給料を我慢してくれないか」と持ちかけたとします。もちろん、従業員が株主に譲る総額はCの面積以上でなければいけません。そうでなければ株主にとって交渉の意味はないからです。一方、給料抑制総額はC＋Dの面積を上回ってはいけません。そうなりそうになると、怒った従業員代表は席を立って会議室から出ていってしまうでしょう。ですから、妥協は、Cよりも大きくC＋Dよりも小さい金額を従業員が株主に譲るということで、双方が「交渉をしなかったとき」よりも良くなったという状態で成立することになります。従業員は控えめな報酬で働くことにした代わりに、経営の安定から生まれる安心を得ることができ、株主は彼らに控えめな報酬で働いてもらえることによる収益の上積みを得ることができているわけです。

ところが、ここで観点を変えて図を眺めてみると、限界的利益を示す右下がり利益線とやはり限界的損失を示す右上がりの損失線が交差する水準Pは、実は経済全体から見ても最適の水準だということに気が付くでしょう。妥協はXとPとの間の水準ならどこでも成立するはずなのですが、Pで妥協するのが最善です。この水準を選んだとき、双方が妥協することにより得られる「パイの総額」が全体として最大になるからです。ちなみに、「パイの総額」は株主の利益から従業員の不安および負担を控除した三角形Aの面積です。これ以外の水準を選ぶと「パイの総額」は、水準Pを選んだ時より必ず小さくなります。

ところで、このPの水準は、従業員が企業活動水準を決定するという制度下でも、双方が合理的に交渉すれば、いわゆる「力の論理」ではなく「交渉の成果」として到達するはずです。従業員たちが、自分たちは不安を我慢するので、その見返りとして高めの給料をもらいたいという線で交渉すれば、結果として活動水準Pに到達することは明らかだからです。この場合、三角形AとBの合計よりは小さいがBよりは大きい面積に相当する金額が、従業員たちと株主との間で取引され、結果としてAに相当する富が「パイの総額」として世の中に新たに生まれるわけです。

ここまでの内容を整理しましょう。得られる結論というのは、会社のような仕組みに異なる利害関係を持つ複数のグループが参加しているときでも、グループ間できちんと交渉が行われれば、最終的にどのグループが意思決定者になるかは、意思決定の結果には影響しないということです。意思決定者が誰かによって変化するのは、利害関係を同じくするグループ間における分配だけです。これが図表のタイトルに「コースの定理」と付けた理由です。実は、この命題、すなわち「だれが意思決定者になるかは、関係者が合理的に交渉を行う限り、決定の結果には影響せず分配にのみ影響する」という結論は、一般に「コースの定理」と呼ばれる経済学の基本定理そのものだからです。

しかし、このことは資本市場のグローバル化と所得格差の拡大との、悩ましくも避け得ない関係を示唆するものでもあります。コースの定理が示すような図式で考えるとすれば、企業ガバナンス構造における株主重視は、企業活動の大胆さを決める問題にはあまり影響せず、ただ企業が作り出す価値分配における株主の取り分を増やすというかたちで企業活動の「呼び込み」には有効だ、という結論が得られてしまうからです。

断っておきますと、こうした分析が可能だからと言って、企業ガバナンスを従業員優位の過去に振り戻せば私たちの多くが昔を取り戻せる、再び給料が年々増えるような豊かな時代に戻れるわけではありません。もし、日本という一つの国だけでそれが可能なら、昔に戻ることも悪い考えではないでしょう。しかし、グローバル資本市場の中での競い合いゲームから降りることは、そうでなくても豊かになる力を失いつつある日本を、もっと貧しくする危険があります。グローバル資本市場の時代とは、政府が企業を選ぶのではなく、企業が政府を選ぶ時代なのです。やや残念なことですが、私たちは、この問題に、少なくとも日本だけの都合で答を出すわけにはいかないのです。

あまり楽しい予想ではありませんが、所得格差は拡大することはあっても、縮小する可能性は小さいだろう、そう私は思っています。資本の移動は確かに自由になり資本市場はグローバル化しました。しかし、人の移動には多くの制限と言語や文化の壁が存在します。グローバル資本市場は存在しても、グローバル労働市場は一部のエリートなどと呼ばれる人たちの間でしか存在しないのです。そうした条件の下で世界の国々が互いに繁栄あるいは国力を競い合うという状況では、どこの国の政府も労働よりも資本を優遇する方向へと突き進まざるを得ません。そうである限りは、もし私たちの日本が、首尾よく程々の成長は取り戻せたとしても、その果実の多くは、株主たちや彼らに近い立場にある幹部従業員と経営者あるいは資本市場のプロフェッショナルたちに帰属し、大多数の人々には行き渡らない、そうした状況が続くことは、希望あるいは善悪好悪の問題ではなく予想の問題としては、ありそうだと認めざるを得ないのです。

金融政策における不都合な現実

話を貨幣の世界に戻しましょう。現在の金融政策が抱える問題はデフレだけではありません。格差の問題は流動性の罠の問題以上に深刻なダメージを金融政策に与えるものになる可能性があります。それは、金融政策を行う中央銀行という存在に対する疑念の拡大、中央銀行という仕組みに対する合意基盤の崩壊です。

私たち日本人の多くは「失われた二十年」における所得の低下を「長く続くデフレ」の結果と思い、その状況から脱するための景気対策を望んでいるようです。そして景気対策に軸足を大きく移すことをアピールした日銀の異次元緩和を歓迎しました。しかし、本当の危機はデフレから抜け出した後に来るのではないでしょうか。景気が程々に回復したとします。しかし多くの人々の暮らしは良くならない、所得格差のさらなる拡大に吸収されてしまって良くならない、物価が上がってむしろ生活は苦しくなった、そうしたことが起こってしまったときに生じる人々の疑念、それが中央銀行の本当の危機の始まりを告げるものになるのではないかと私は思っています。

この本の冒頭でも触れたことですが、金融政策とは、貨幣が持つ強い外部性を動員して、その貨幣を使う人々の全部を政府なり中央銀行なりが良きとする方向に追いやっていく政策だという側面があります。考えてみればずいぶん乱暴な話ですが、それが許されるのは、金融政策が大多数の人に豊かさをもたらすだろうということ、そのことへの信頼があったからでしょう。ですから、金融政策にそれほどの働きができていないのではないかと多くの人が感じ始めたとき、中央銀行に本当の危機が訪れるはずなのです。

日本の経験は、ケインズの流動性の罠が過去のものでないこと、流動性の罠に陥った経済では、金融政策は思うようには機能しないことを改めて実証するものでした。そして、それとは別に格差拡大の問題があるわけです。しょせんは緩和か引き締めかという二者択一的な政策手段でしかない金融政策が、景気と格差という二つの問題に同時に対応できるものでないことは自明でしょう。しかし、金融政策が物価の上昇という痛みを伴って実行されているにもかかわらず、それで得られた景気回復の恩恵は一部の富者にしか帰属しないという不都合な現実に直面すれば、日銀の異次元緩和に拍手した人々が今度は冷めた眼で日銀を見るようになるのはおそらく時間の問題なのです。

金融政策の本質は現在と未来を交換することです。豊かな未来が展望できているときは金融政策の力も大きくなります。しかし、展望できる未来がそれほど豊かではなくなれば、今は経済政策の主役のような顔をしている金融政策も、徐々に退場へのシナリオに入らざるを得ないでしょう。金融政策というのは貨幣制度の維持にとって必須のものではありません。中央銀行が独占的な貨幣の発行者であることは金融政策の有効性を確保するためには必須に近いものですが、その金融政策が機能しない、あるいは大多数の人々に豊かさを保証するものでないと人々が思い始めれば、中央銀行が独占的に貨幣を発行することへの合意も崩れ去るでしょう。金融政策は、一九世紀に入ってからの世界が幸運にも成長の時代に入ったことの余得のようなものとして始まったに過ぎないからです。そして、今、その金融政策がもはや「使命」ではなく「重荷」になってしまう、その可能性を排除できなくなりつつあるように思えてなりません。

繰り返しになりますが、金融政策のやり方をいくら改善しても、それで「成長なき対立の時代」を再び「高成長とコンセンサスの時代」に戻すことはできそうもありません。しかし、せめて時代をさらに悪化させない程度にまで、貨幣供給のやり方つまり銀行券システムを変えることはできないでしょうか。

三　ゲゼルの魔法のオカネ

ゲゼルの発想から

二〇世紀の初頭にゲゼルという思想家がいたこと、その彼の議論のなかに、貨幣にマイナスの金利を付けるという提案があることは前著でも紹介しました。

ゲゼルが提案したのはスタンプ付紙幣と呼ばれる方式です。これは、紙幣の保有者に保有期間に応じた枚数のスタンプを購入させ、そのスタンプを貼り付けておかなければ貨幣としての価値が維持できないと定めておくという仕組みです。たとえば、一週間が経過するたびに表示額の千分の一に相当する金額のスタンプが必要であると定めるとすれば、紙幣の価値を維持するのに必要なスタンプの総額は一年間（約五十二週）で券面の五・二パーセントになりますから、その分だけのマイナス金利を貨幣に付すのと同じことになります。

ここまでお付き合い頂いた読者には自明のことかもしれませんが、貨幣にマイナスの金利が付くことは、金融政策を「流動性の罠」の制約から解放することを意味します。金融緩和を重ねて名目金利がゼロに行きついた状況、すなわち「流動性の罠」の状況に対して、現在の中央銀行ができることは、思いきり金融を緩和して遠い将来の緩和効果までも現在に借りてくることか（いわゆる「時間軸政策」です、36ページ参照）、人々の心に直接的に働きかけて、将来の物価上昇率に対する予想を変更してもらうことぐらいしかありません（いわゆる「インフレターゲット」です、199ページ参照）。しかし、もし銀行券にマイナスの金利を付すことができたら話はまったく変わってきます。金融政策には上方にも下方にも限界を画されることがなくなり、経済に大きなデフレ圧力が生じたときでも、ずっと強力に事態に対処することができるようになるはずです。

ところが、こうしたゲゼルのアイディアについては、ケインズがその代表作とされる『一般理論』の中で彼を「不当に無視された予言者」と呼んで評価しているのを除けば、正統的な経済学の世界ではほぼ完全に無視されてきました。それは、彼の提案が地域内あるいは組合内での消費促進効果を持つ貨幣という文脈で理解され、その結果、マイナス金利付き貨幣と言えば、いわゆる地域通貨運動の貨幣であるかのように解釈されてしまったことにも関係があったように思われます。

シルビオ・ゲゼル
（Silvio Gesell, 1862年～1930年）

ちなみに、マイナス金利付き貨幣の地域消費促進効果とは、彼の提案する貨幣が特定の地域で採用されたときに生じるとされるものです。貨幣にマイナス金利が付くと、その地域の人々はゲゼル型貨幣を受容する人との間の経済活動を、その受け取りを拒否する人との経済活動よりも優先しようとすることになりそうです。人々は、いったんそうした貨幣を受け取ってしまうと、それが減価してしまうことによる不利益を小さくするためには、ともかく早くゲゼル型貨幣を受け取ってくれる地域内商店などで使ってしまおうとするだろうと考えるわけです。それが地域消費促進効果です。

もっとも、この地域消費促進効果には、やや胡散臭いところがあります。このような効果が働くためには、マイナス金利付き貨幣と他の貨幣とが並行して使われ、かつ、相互の交換比率が外部から固定されていなければいけません。そうした交換レート固定を行っていないにもかかわらず、マイナス金利付き貨幣に地域消費促進効果が生じるとすれば、それは貨幣発行者に何か特別な目的のための支出か無駄遣い癖のようなものがあって、そうした貨幣を抱えていたら長い目で見れば必ず損をするというような状況があるときに限られるはずでしょう。つまり、貨幣にマイナスの金利を付けさえすれば地域消費促進効果が生まれるというのは間違った理解のはずなのですが、結果としてみれば、この効果への思い入れが、ゲゼルの名を経済学の文脈よりも社会運動の文脈で人々に記憶させることになりました。この効果は、地域独自の通貨を作り出すことで中央から独立した地域共同体的な経済圏を作ろうとする運動、いわゆる地域通貨運動においては、共同体の求心力維持のために有効だと考えられたからです。

ゲゼル型貨幣の最初の実施例は、ドイツのハンス・ティムとヘルムート・レーディガーという二人のゲゼル信奉者が一九二九年に始めた「ベーラ」という組合内通用型の交換手段だとされて

パネル34：ゲゼル型貨幣の地域消費促進効果？

大不況期のゲゼル型マネーは過去のものとなったが、ドイツでは地域共同体への貢献を旗印にキームガウアーという名で2003年から続いている地域通貨がある（写真）。この通貨は、マイナス金利付加（3か月ごとに額面の2%相当のスタンプを貼り付ける方式）という限りではゲゼル型だが、独立の貨幣価値が設定されているものではなく常にユーロと等価、すなわち「1キームガウアー＝1ユーロ」ということで運用されている。したがって、このような地域通貨を持ち続けていれば保有者は必ず損をする一方、発行者は必ず得をすることになるが、そうして保有者から移転された資金を共同体のために使うというのがこの地域通貨の理念のようである。これに対して、もしこうした地域通貨の発行者がその発行やスタンプ付与の際に払い込んでもらったユーロ紙幣を大事に金庫にしまい込む一方で、それとユーロとの交換比率を市場実勢に委ねたとすれば、発行済みの地域通貨1枚1枚に対応する金庫の中のユーロ紙幣の枚数がだんだん多くなってくるので、それに対応して発行済み地域通貨の「市場評価（時価）」は増加し、したがって地域消費促進効果は生じないことになるはずだろう。言い換えれば、マイナス金利付加それ自体は人々の経済活動に中立的だということになってしまうわけだ。ちなみに、ゲゼルの文章には貨幣へのマイナス金利付加による直接的な経済活性化を期待している雰囲気がそこかしこに漂うが、それが後世に影響を与えたとしたら、彼のアイディアにとっては不幸なことだったとも言える。

います。ベーラは組合員数一千社を数えるまでに発展しましたが、一九三一年にドイツ政府により禁止されました。また、一九三二年には、オーストリアのベルグルという地方都市で、町の職員への給料の支払いという形で「労働証明書」という名のゲゼル型貨幣が発行されましたが、翌一九三三年にオーストリア政府により禁止されてしまいました。これらの貨幣における組合内あるいは地域内での取引促進志向は、ゲゼルを地域通貨運動における教祖のような存在にする一方で、彼の提案を経済学者たちから遠ざける原因になったのでしょう。

しかし、そうした経済学者たちの反応は今や単純過ぎるものになったと思います。現代の情報処理技術を使ってゲゼルの提案にある金利付きの貨幣を上手に再設計すれば、それは単に金融政策が「流動性の罠」に陥ることを防ぐための安全弁になるだけでなく、私たちが当然と思っている金融システムのあり方をも一変させる潜在力を持つものになりそうだからです。そのためにはまず、ゲゼルのアイディアを現代の金融システムにどう取り入れることができるか、そこを考えておく必要があります。想像の世界での話になりますが、少しばかりお付き合いください。

魔法のオカネの作り方

たとえば一万円札をじっと見つめてください。券面に「一〇〇〇〇円」という文字が書いてあります。この文字は何時間経っても何日間経っても「一〇〇〇〇円」で変わりません。でも、この一万円札に魔法がかかっていて、時間が経つと文字が変わって来たらどうでしょう。たとえば一時間見つめていると「一〇〇〇〇」が「一〇〇〇〇・〇二」に変わって来るのです。二十四時間見つめていると端数の部分が二十四倍になって「一〇〇〇〇・二四」に変わります。三百六十五日つまり一年間経つと、さらに三百六十五倍になって「一〇〇八七・六〇」つまり一万円札が「一万八十七円六十銭札」に変わってしまうのです。そんな「魔法のオカネ」を想像してください。これは、一万円に対して八十七円六十銭つまり年利で〇・八七六パーセントの利子が付いたのと同じです。そんな貨幣を作れるでしょうか。

ゲゼルの時代にはもちろん無理でした。だから、スタンプを押すという方法を考えたのでしょう。確かにこうしたスタンプ欄があれば、貨幣にマイナスの利子を付けることは容易です。しかも、たとえば発行者のところに行ってスタンプ欄にチェックを入れさせ、代わりに一定のオカネをもらえることにでもすれば、貨幣にプラスの金利を付けることもできたはずです。これは面白いことです。でも、そんなことを普通の銀行券でやったら、その煩わしさは言語を絶するでしょう。だから現実にはやりません。少なくとも、普通の銀行券はゲゼルが求めた条件を満たす「魔法のオカネ」にはならないのです。

しかし、貨幣を作る技術がアナログの印刷技術からデジタルの電子技術に進歩したらどうでしょう。ゲゼルの「魔法のオカネ」は簡単に実現できてしまいます。それどころか、ゲゼルが求める範囲を超える「高性能」のオカネを作ることも難しくありません。状況に応じて利子率を柔軟に変更でき、プラスにもマイナスにもなるようにプログラムすることができるからです。利子の計算も精緻にできるでしょう。説明した数値例では一時間当りで一銭という金額を時間の長さに応じて比例倍するという方法で計算しましたが、計算方式をもっと厳密にして、どんな短い時間単位でも複利計算で金利が成立するよう設計することも簡単なはずでしょう。

実現の方法としては、銀行券をＩＣカードのような「耐タンパー性」のある電子媒体に収容して、金額表示や支払いのつど利子込みの金額を計算するという方法でもよいですし、思いきって仮想空間上に展開されたＰ２Ｐネットワーク上に移行してしまって、そこで第三章の最後に考えたように、プロトコルで制御して仮想空間上でプラスあるいはマイナスの利子を発生させるというような方法でも実現できるはずです。そうした仕掛けの組み合わせまで考えれば、デジタルの世界でのアイディアは限りないほどに豊かになります。デジタルの世界では、銀行券は、今すぐにでも「魔法のオカネ」になれる、ゲゼルの発想を超えた「魔法のオカネ」になれるのです。

以下では、こうした銀行券を「デジタル銀行券」と呼ぶことにしましょう。デジタルの世界に移行した銀行券は、もはや一枚一枚の「紙」として認識できる「券」ではないので、それを「銀行券」と呼ぶのは少し抵抗感があるのですが、今の制度とのつながりを分かりやすくするために、この名で呼ぶことにさせてください。

そうなれば、新しいデジタル銀行券の利子率は、貨幣価値を基準に成立する金融契約における利子率つまり「名目金利」とは別のものとして存在できることになります。そこで、こうして実現できるデジタル銀行券の額面変化率としての利子率を「貨幣利子率」と呼ぶことにしましょう。

念のためですが、こうした貨幣利子率付きのデジタル銀行券を中央銀行が採用したときの収支計算を数値例として左ページに図解しておきました。この図は、中央銀行の貨幣発行益つまりシニョレッジは貨幣に利子を付けない現在よりも大きく縮小する数値例にしていますが、そのことの

パネル35：「ゲゼルの魔法のオカネ」の収支計算

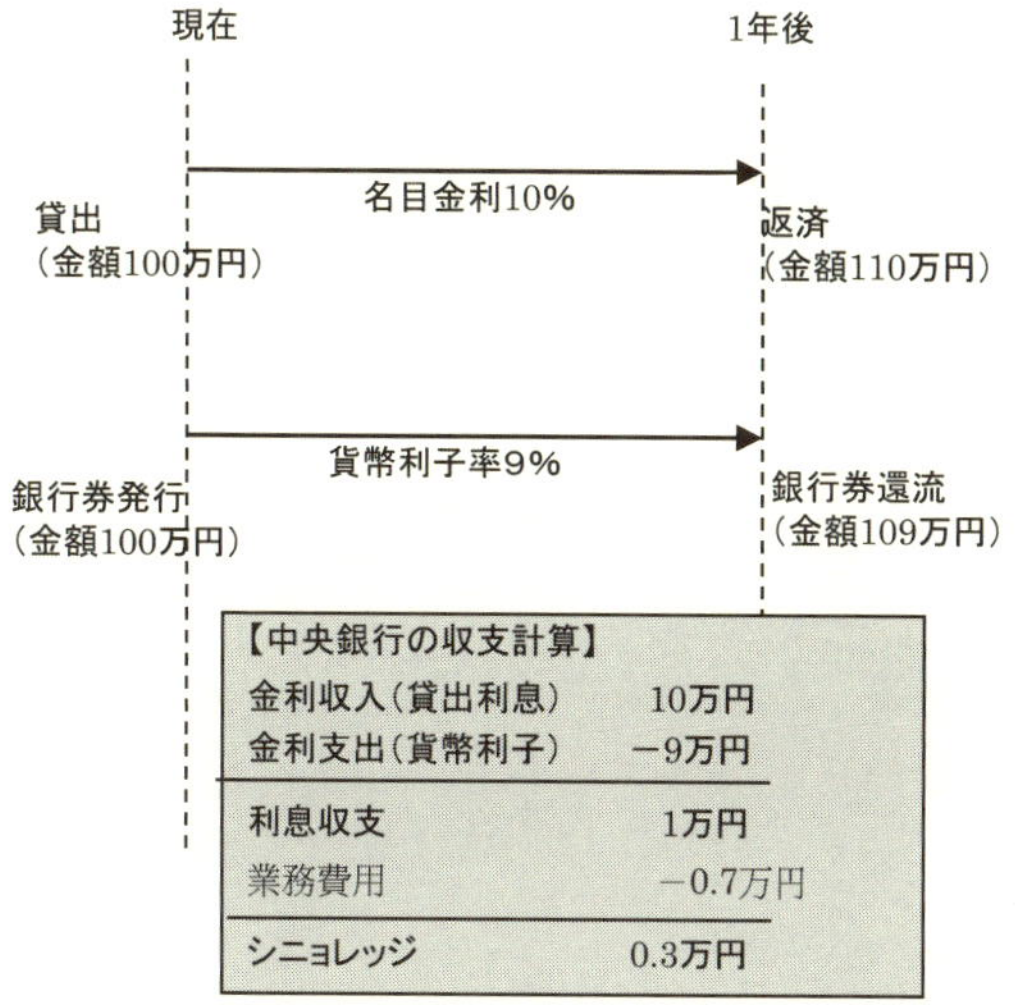

現在
1年後
名目金利10%
貸出
（金額100万円）
返済
（金額110万円）
貨幣利子率9%
銀行券発行
（金額100万円）
銀行券還流
（金額109万円）
【中央銀行の収支計算】
金利収入（貸出利息）　10万円
金利支出（貨幣利子）　−9万円
利息収支　1万円
業務費用　−0.7万円
シニョレッジ　0.3万円

この図では、貨幣利子率９％の銀行券を金利10％で市中に貸出を行ったときのシニョレッジ（通貨発行益）の計算を図解しておいた。利子率はあくまでも数値例である。繰り返しになるが、私たちが考える「ゲゼルの魔法のオカネ」はゲゼルのアイディアをヒントにしているが、それをそのままデジタルの世界に持ち込んだものではない。ここでの貨幣利子率は、ゲゼルのアイディアのように「マイナスで固定されている」のではなく「プラスにもマイナスにも変動させることができる」と想定しているからである。それでも、この先人の突き抜けた発想力と真摯さを忘れないようにするために、あえて「ゲゼルの」と付しておくことにしたい。

意味は次章でもう少し考えてみたいと思います。いずれにしても、収支計算の基本は今の中央銀行の収支計算の構造と変わりません。これだけなら、何も難しい話でないでしょう。これがデジタルの世界で実現できる「ゲゼルの魔法のオカネ」です。

でも、そうすると別の疑問が生じるのではないでしょうか。デジタルの世界では銀行券の利子率つまり貨幣利子率をプラスにもマイナスにも設定できる、それは分かるが、では普通の銀行券つまり「紙の銀行券」はどうするのだろうという疑問です。

答は、大きく二つあります。第一の方法は、紙の銀行券にも、手形や社債と同じく時間情報を持たせ、それを基準に銀行券の発行日ごとに「時価」を発生させるというやり方です。そして第二の方法は、紙つまりアナログの銀行券と電子マネーつまりデジタルの銀行券の発行体を分離し、アナログの銀行券の発行体を証券投資信託のように運営することにしてしまうことです。まずは第一の方法から説明しましょう。

銀行券に時間情報を付ける

そもそもの話ですが、銀行券というのは、本来は手形や社債と同じく有価証券の一種です。銀行券は捺印手形などとも呼ばれた金貨や銀貨などの引換証から発達してきたもので、それに「何時でも一定額の金貨や銀貨と交換します」という意味を持たせることで、発行者のところへ行って金貨や銀貨と交換するよりも、交換しないままで金貨や銀貨と同じく通用させることを狙ったものだったと考えて良いでしょう。それが、なぜ金貨や銀貨との交換を前提にしないで、国の信用だけを基礎として通用するようになったか、それは前著で歴史を踏まえて説明したことなので繰り返しません。ただ、そうした歴史にもよるものでしょう。銀行券は手形や社債などの「普通の有価証券」とは、やや違った性質を持っています。それは、普通の有価証券には書かれているはずの発行日や満期日などの時間情報が書かれていないことです。でも、ここに気が付けば、今度はどうしたら銀行券に利子を付けられるかも、すぐに分かってくるはずでしょう。

二〇二〇年四月一日と発行日が記録された一万円札が百枚あるとします。この銀行券を十月一日に日本銀行に持って行って「新しい銀行券に取り替えてください」と申し出たとき、年四パーセントの半年分つまり二パーセントの利子を付けて交換日つまり十月一日発行の一万円札の百二枚と交換するということにしたらどうでしょう（年四パーセントの金利の半年分は複利で計算すれば二パーセントよりやや小さいのですが、ここでは分かりやすくするために単利で計算することにして、半年分の金利は一年分の金利の半分ということにしました）。この方法なら、原理的には極めて簡単に銀行券に利子を付けてしまうことができるはずです。

では、こうして古い銀行券と新しい銀行券との交換ルールが実現できたとき、世の中では何が起こるでしょうか。おそらくは、流通している銀行券の一枚一枚に発行日に応じた「時価」が発生することになります。時価とは当日発行銀行券の額面金額で測るわけなので、当日発行銀行券以外の銀行券つまり過去に発行された銀行券には、その額面とは別に、個々の銀行券発行日に応じた時価が発生することになります。銀行券の時価が認識できれば、それを日本銀行に持っていくのではなく日常の決済に使うのであっても、その価値は銀行券の額面金額ではなく発行日に応じた時価になるはずだからです。

たとえば、この銀行券を七月一日に使おうとすると額面一万円に年四％の金利の三か月分を上乗せした金額つまり一万百円の価値があるとして扱われるでしょう。そうすれば四月一日から七月一日まで銀行券を持っていた人も七月一日から十月一日まで銀行券を持っていた人も、その持っていた期間に応じて年四％の割合で利子がもらえることになります。途中で金利が変更されても構いません。発行日以降の金利変動に応じた時価が分かっていれば、その時々の時価で銀行券を使うようにしてさえいればよいのです。そうすれば、誰もが自分の保有期間に応じて利子を受け取っているのと同じ効果が得られます。このやり方を使えば、少なくとも理屈の上では保有期間に応じてプラスあるいはマイナスの利子が付くという「魔法のオカネ」は簡単に実現できてしまうはずです。この方がゲゼルの方法よりは、ずっと柔軟に貨幣利子率を「紙の銀行券」の世界に持ち込むことができます。これなら、貨幣利子率を、状況に応じて大きくも小さくも、あるいは、プラスにもマイナスにも設定することができるからです。

しかし、そうは言っても、時間情報付き銀行券というものは、現実に使うには面倒なものです。そもそも紙の銀行券の良いところは、日常の細かな決済に手軽に使うことができる、銀行券の図柄と手触りだけで使うことができるというところにあります。では、そうした使いやすさの面も生かしながら、貨幣に利子を付ける方法はないでしょうか。

ありますし、それはデジタルの銀行券と紙の銀行券とを分離して別の通貨単位にしてしまうことです。それが第二の方法です。これには多少の発想の転換が必要になります。まあ、仮定に仮定を重ねるような話にもなるのですが、貨幣の未来図の一つと思って想像の輪をもう少し拡げることにしましょう。前に日本銀行のバランスシートを紹介したとき、銀行券というのは投資信託受益証券のようにも見ることができるとも書きました（187ページ参照）。問題を解くヒントはそこにあります。アナログの銀行券を投資信託の仕組みを使って組み立てることを考えればよいのです。

投信の発想からアナログ円を作る

問題を整理しましょう。デジタルの銀行券では簡単に実現できそうだった「ゲゼルの魔法のオカネ」が、アナログの銀行券では面倒な話になるのは、デジタルの銀行券とアナログの銀行券とで「通貨単位」つまり円とかドルというような通貨単位を当然に同じにすると思い込んでしまっていたためだという面があります。この点についての思い込みを切り捨ててしまったらどうでしょうか。少々の思考実験を試みてみます。

まず行うことは、デジタル銀行券の通貨単位と、従来型の紙つまりアナログ銀行券の通貨単位を別のものとして分離してしまうことです。何か名前が付いていないと話を進めにくいので、前者を「デジタル円」と呼び、後者を「アナログ円」と呼んでおくことにします。分離時のデジタル円とアナログ円との交換比率は一対一つまり等価と考えてください。これが話の出発点です。

これに合わせて、日本銀行の資産負債管理も二つのセクションに分離します。第一のセクションは従来通りの中央銀行勘定なのですが、ここで計上されているのは「デジタル円」表示の銀行券つまりデジタル銀行券だとして、それには日々刻々と変更可能な「貨幣利子率」が付いているとします。ですから、このセクションの収支計算は225ページのパネル35で描いたようなものとなります。

一方、第二のセクションは、第一のセクションへの請求権であるデジタル銀行券を資産として継承し、これに見合う現在発行中の「紙の銀行券」をその債務として引き受けます。債務勘定の名前は「アナログ銀行券」とでもしておきましょう。この勘定がたとえば十兆円ということになっていれば、それは十兆円額面の「紙の銀行券」が発行され、それを誰かが持っているということを意味します。

ちなみに、このセクションでは、業務を運用するための事務経費管理のため以外には自己資本は設定しません。イメージは「投資信託」です。もう少し細かく言うと、日々の基準価格で何時でも追加や換金ができるオープン型の投資信託のようなものと考えてください。たとえば、日本銀行の窓口に「紙の銀行券」を持っている人が、それをデジタル銀行券へと交換するために現れたら、その人にはデジタル銀行券を引き渡すのですが、そこでの交換比率は固定ではなく資産持ち分比例にするわけです。

数字で説明しましょう。アナログ銀行券の発行残高が百兆円のときに、その「一万分の一」の金額つまり百億円の紙の銀行券を持った人が交換を請求してきたら、第二のセクションは、それが管理しているデジタル銀行券の「一万分の一」を引き渡すのです。百億円額面のデジタル銀行券を引き渡すのではない、ここが大事な点です。なぜなら、デジタル銀行券は「ゲゼルの魔法のオカネ」なので、日本銀行を二つのセクションに分離して以来の金利の上下を反映して、その価

パネル 36：投資信託

投資信託とは、投資家から集めた資金をまとめて様々な金融資産に投資運用する仕組みである。このうち、運用受託者に一定のルールに基づいて運用対象を入れ替えることを認める一方、委託者は基準価格による追加と払戻を随時に行えるとするものを、米国ではミューチュアルファンドといい、日本でも現在の主流はこのタイプのものである。ちなみに、基準価格とは、

$$\frac{\text{純資産総額}}{\text{総口数}}=\text{基準価格}$$

として算出される「受託財産１口当たりの純価値」だが、この基準価格での追加と払戻しか行わなければ、ファンドそれ自体が借り入れを行ったりしない限り運用成績の不調や人気の低下により解散することはあっても、債務不履行で「倒産」することはない。現在の銀行券に債務不履行がないのは、銀行券は中央銀行の債務であるにもかかわらず、その履行は銀行券自体で行えば良いというトートロジー的な法律構造によるものだが、こうした際どい法律構造によらなくても、追加も支払も基準価格で行うということにしておけば、時価の下落はあっても債務不履行は生じないわけだ。投資信託は倒産がないので驚くほど長く続くものもあり、ちなみに英国最初の投資信託で 1868 年設立の「フォーリン・アンド・コロニアル・ガバメント・トラスト（設立時の名称は「コロニアル・ガバメント・トラスト」だった)」は今でも存続している。写真は、その英国の投資信託のモデルとなった 18 世紀オランダのもので、1779 年に設立され 114 年間存続して 1893 年に終了した「コンコルディアー・レース・パルウァエ・クレスクント」の証書。券面に 1893 年とあるので終了時のものらしい。

値には貨幣利子率が累積し百億円でない別の金額になっているはずだからです。累積した貨幣利子率がプラス十パーセントならデジタル銀行券百十億円を引き渡すし、累積利子率がマイナス五パーセントなら九十五億円のデジタル銀行券を引き渡すのです。この逆の手順で行うのが「紙の銀行券」の発行です。このときは、第二のセクションが資産として持つデジタル銀行券の金額と、発行済みのアナログ銀行券の比率から計算した金額のデジタル銀行券を払い込んでもらって、紙の銀行券つまりアナログ銀行券を請求した人に渡すことになるでしょう。

ここまで説明すれば、もう分かっていただけたと思いますが、念のために第一と第二に分離された中央銀行の資産負債構成の概念を左ページに図解しておきます。こうすれば、今の銀行券を、法人としての中央銀行の債務証書ではなく、それが提供する投資信託受益証券のような性質を持つものとして定義し直すだけで、私たちは貨幣に利子率が付く、プラスにもマイナスにも利子率が付くという世界へと移って行くことができるでしょう。

もっとも、現在の通貨制度に比べて、この仕組みは少しだけ面倒なものとなります。こうした制度の下で金額を表示するときは、それがデジタル円表示なのか、それともアナログ円表示なのか、それは使い分けてもらわなければならないからです。でも、使い分けの基準は、おのずから明らかでしょう。カネの貸し借り、証券の発行、雇用や年金にかかわる契約のように、未来の貨幣価値の予期せぬ変動から安全でありたい取引を表示するにはデジタル円を使い、今日のこの場で現金で支払って済ませればそれで済む取引にはアナログ円を使うことにすれば良いでしょう。古典的な貨幣理論の用語を使えば、金融契約における「価値尺度」には主としてデジタル円が使

パネル37：デジタル円とアナログ円との分離

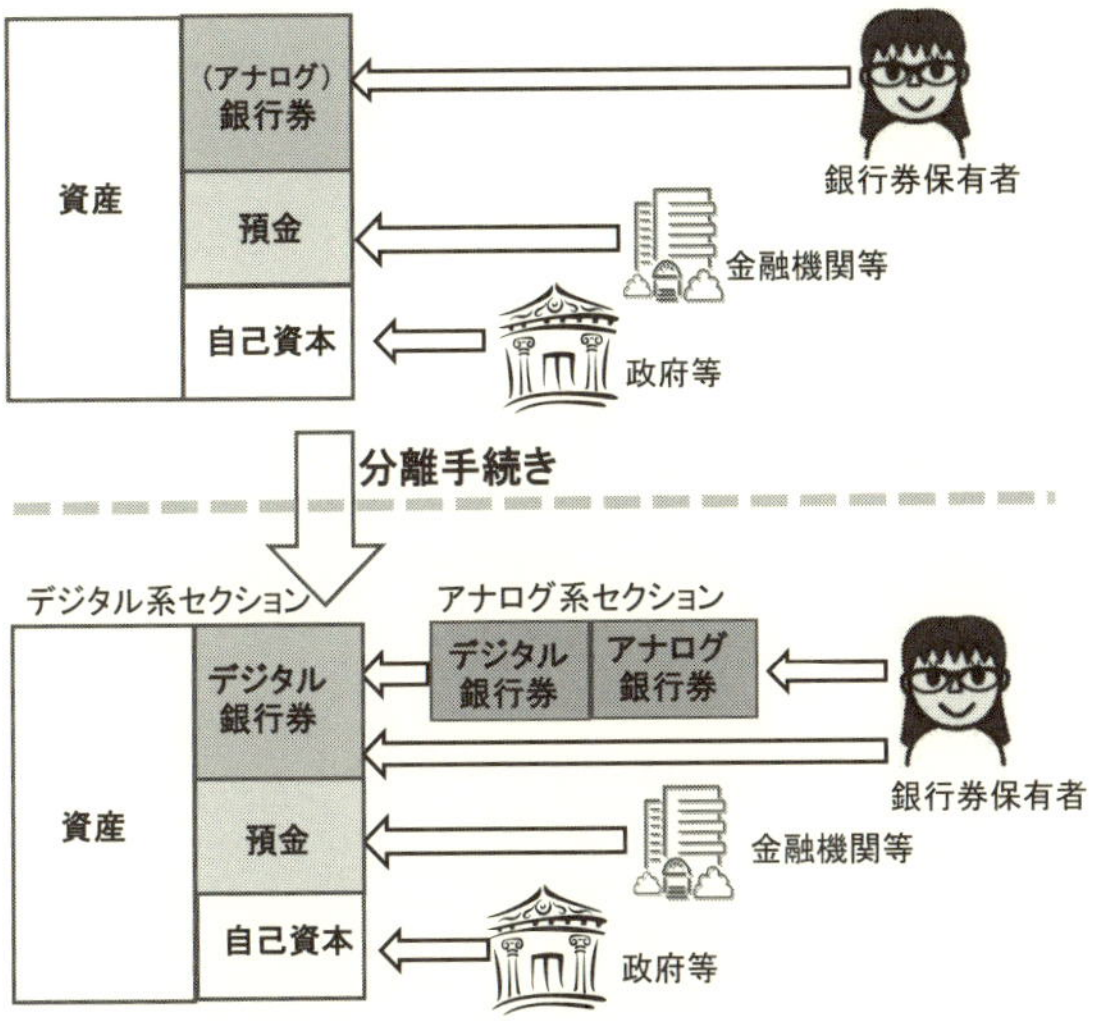

図では分離前と分離後の関係を分かりやすくするため、「デジタル銀行券」とか「アナログ銀行券」という表現を使ったが、「デジタル銀行券」には、「券」そのものは存在しないし、また「アナログ銀行券」というのは、要するに銀行券つまり「お札」のことなので、この名はあくまでも考え方の整理のためのものである。また、この図では「信用創造」は主としてデジタル円で行われるだろうという理解から、中央銀行が受け入れる預金の預け入れ者は金融機関としておいたが、「アナログ円」での信用創造だってあり得る話で、そのときは「アナログ系セクション」に金融機関等からの預金も発生することになる。いずれにしても、この辺りは制度設計の技術的問題でことの本質ではない。

われるだろうし、日常の「決済手段」としてはアナログ円が主流になるだろうというわけです。

もちろん、二つの円を併用したって構いません。だいぶ性格は違いますが、私が住む東京都内のバス料金は、現金払いとICカード払いで料金が違っています。それで無理なくバスに乗降できるのですから、同じように考えればよいのです。ICカードやクレジットカードでの支払いでは、アナログ円ではなくデジタル円を使うことにすることもできますし、あるいは両者を併用することだってできるでしょう。その辺りは貨幣を使う人の「選択」の問題でしょう。選択に任せて良い、いや選択に任せるべき問題なのです。

ここで本書のキーワードが再び出てきました。それが「選択」です。通貨を国の強制ではなく自由な選択に委ねるべきと説いたハイエクによる「通貨の選択」です。次章では、再びこれをキーワードに据え直して、行き詰まりつつある中央銀行通貨の世界に、不意の来訪者であるビットコインが持ち込んできてくれたものが何か、それについてさらに考えることにしたいと思います。

第五章　中央銀行は終わるのだろうか——ビットコインから見えてくる通貨の未来

プロメテウスが人間に火を与えたのに怒ったゼウスが、それなら人間に苦と災厄をも与えてやろうと送り込んだのが、オリンポスの神々が総がかりで作り上げた美女パンドラ（ときに「パンドーレー」と書かれることもある）である。そのパンドラが、好奇心に負けてゼウスに持たされた箱を開けると、そこから数知れぬ災厄が人間界に飛び出したが、ただ一つ「エルピス（希望）」だけは飛び去らずに箱の底に残っていたという。図は19世紀英国の画家ダンテ・ゲイブリエル・ロセッティ描のパンドラ。なお、オリジナルの神話ではパンドラは「甕」を持っていたのだが、西欧に伝えられる過程で「箱」に変わったらしい。この絵でもパンドラが持っているのは箱になっている。

間違った連想だと分かっているのですが、ビットコインについて考えていると、つい「パンドラの箱」の物語を思い浮かべてしまうことがあります。

間違った連想だというのは、パンドラの箱から飛び出してきたのは「数知れぬ災厄」つまり「悪しきもの」であって、そこがビットコインとは違うからです。ビットコインが私たちの世界に運んで来てくれたものは、仮想空間上での貨幣の作り方や、その正当性管理に関する新しい知恵の数々です。それらは、基本的には「良きもの」でしょう。ビットコインは、それを現実の世界で通用するプロダクトとして示し、貨幣は中央銀行や政府が提供するもの、人々は黙ってそれを使うものという私たちの固定観念を打ち破ってくれました。だからビットコインから飛び出したのは「災厄」ではありません。

ビットコインの仕組みを見ていると、どうもなかなかの悪戯心とあわよくば的な欲の心から作り出されたのではないかと思える面も少なくないのですが、それが人々に認知されたとたん、思いもかけぬほどの多くの知恵やアイディアが一気に世の中で動きだしました。固定観念に凝り固まっていた通貨の世界を揺さぶり始めたのです。そうしたビットコインの光景は、好奇心から開けた箱からさまざまなものが飛び出し世界が変ってしまったという、あのパンドラの物語と、どうしても二重映しになってしまいます。これは私だけの連想でしょうか。

もっとも、神話の中のパンドラの箱だって、そこから飛び出したのが本当に「悪しきもの」なのか、そこは何とも言えないという面もあります。ヘーシオドスの『仕事と日』によれば、パンドラが箱を開けるまでの人間は「あらゆる災いを免れ、苦しい労働もなく、人間に死をもたらす病苦も知らずに暮らしておった」（松平千秋訳・岩波文庫）そうですが、煩いや病苦あるいは死があるからこそ、人間は深く考えるようになり、また新しいものを作り出すようになったのだと思えば、ここでも「悪しきもの」と「良きもの」の逆転が起こっていそうな気がしてくることがあります。

パンドラの話はこのくらいにしておきましょう。この後は、ビットコインから飛び出してきた多くのものたちが、これからの貨幣あるいは金融という世界に何をもたらすのか、そして箱から最後に出てきた「エルピス」すなわち「希望」とは何かを考えて、本書の締めくくりにしたいと思います。

一　ビットコインから何が見えるか

その安さはどこから

貨幣には実物貨幣と信用貨幣があるとされることがあります。金や銀のように見て触れて運べる財貨を加工して作り出したのが実物貨幣、国や企業に関する請求権を銀行という仕掛けに通すことで貨幣として使えるようにしたのが信用貨幣です。銀行券や決済性のある銀行預金などは信用貨幣だというわけです。いささか荒っぽい分類ですが、考えるのには便利なので、この区分けを使いましょう。

さて、そうするとビットコインはどちらでしょう。ビットコインは形のある財貨ではありませんが、その価値がどこから来たかという点では、それは実物貨幣に近いと言えます。ビットコインの経済的な文脈での価値の源泉は、ブロックチェーン形成競争に勝つためにマイナーたちがつぎ込んだ経済資源の対価、主として電気代だろうということはすでに説明しましたが、これは金や銀に価値がある理由とあまり変わりません。

金に高い値が付くのは、それが美しく光りネックレスや指輪に使えるからではありません。そういう面も少しはあるでしょうし、あるいは電気の良導体として電子部品に使えるというようなところも関係はしているでしょう。しかし、それは金が一グラム何千円もの価格で取引される主な理由ではありません。金が高い値で取引されるのは、それを地下から取り出して製錬するのに膨大な費用がかかるからです。金の価格は、その金を掘り出して使えるようにするためにどれほどの対価が必要かということと、そうした対価を払って手に入れた後の値動きをどう読むか、その二つにかかっているわけです。つまり、値段の決まり方という観点から言えば、金とビットコインはよく似ているわけです。

ただ、そうしたビットコインを決済手段としてみれば、それは「なかなかの優れもの」と評価することはできます。評価できる理由は、何といっても送金、とりわけ国際送金におけるコストの安さです。たとえば一般的な銀行システムを使った国際送金の手数料は一件当たり数千円かかります。実物貨幣、つまり形も重さもある金貨や銀貨を送金に使ったらそれどころではすみません。輸送コストもかかりますし、警備料はもっとかかるでしょう。そうした輸送コストや警備料を節約するための仕組みとして始まったのが、銀行業の起源の一つとされる「為替」であり、そうした為替から発達してきたのが銀行の決済システムなのです。ところが、ここでビットコインを使えば、当事者が払わなければならない手数料は桁違いに安いものとなります。

ビットコインを使った送金の場合、そこでマイナーに支払う手数料は一万分の一BTC程度が標準のようです。国内あてか海外あてかは関係ありません。ビットコインは公開鍵から作り出したアドレスに紐付けてコインの「所有者」を確定しているだけですから、国内あてか海外あてかを区別する方法自体がそもそも存在しないのです。そこで、この手数料水準を現在つまり二〇一五年秋時点のビットコイン相場「一BTC＝三百ドル」で換算してみます。たった三セントほど、五円にも満たない金額になります。銀行の送金手数料と比べて桁違いの安さです。ビットコインは価値源泉という点では実物貨幣に近いのですが、送金コストという点では銀行システムなど遠く及ばぬほどの経済性を示してくれているわけです。

もっとも、これには多少のカラクリがあります。第二章での説明からも明らかだと思いますが、ビットコインの送金手数料が安いのは、今のビットコインの枠組みの中では、送金当事者にシステムの維持費用が請求されない、そのことに負うところが大きいはずだからです。数字を見ておきましょう。

全体の図式を分かりやすくするために世界のマイナーたち全体の採算という観点からビットコ

インの構造を眺めてみることにします。ビットコインの現時点での価格は一BTC当りで三百ドルほどですから、彼らが、猛烈に儲かったり絶望的なほどの損失を出し続けたりしているのでなければ（実際、そのどちらでもなさそうです）、彼らは、全マイナー合計で十分間当たり七千五百ドル（＝三百ドル×二十五BTC）ほどの資金をシステムの維持に注ぎ込んでいるはずだということになります。一日に直せば約百万ドル強、一年では約四億ドルにもなります。

一方でマイナーたちの手数料収入はどうでしょうか。ビットコインの取引件数は一日で十万件から二十万件というところらしいですから一年では四千万件くらいでしょう。全世界のマイナーたちを合わせた手数料収入は一年でも百万ドルを超えるのがやっとのはずなのです。四億ドルと百万ドル、その差額はどこに消えてしまったのでしょうか。

答は簡単です。その差額は、全世界におけるビットコインという名のデジタル資産全体に対する時価総額の中に繰り込まれ、ビットコインを保有している人たちの全員に広く薄く拡散させられてしまっているからです。これは、企業会計の文脈で「費用の資産計上」とか「キャピタライゼーション（capitalization）」などと呼ばれる仕掛けに近いものですが、こうしたかたちでビットコイン生成費用の時価への繰り込みが行われれば、マイナーたちは、マイニングに要した費用のほとんどを、彼らが「消印」を押したブロックに関連したビットコイン利用者たちからではなく、ブロックに付け加えた自己宛の生成取引によって回収できることになります。つまり、ビットコインの安い送金手数料の背後には、ビットコインの生成と取引確定とを一まとめにしてマイニングという作業にする、そのことで可能になった独特の利益実現構造があることになります。ビットコインの安い送金コスト、そのカラクリは、まずは「キャピタライゼーション」という仕掛けにあったわけです。

キャピタライゼーション自体は悪くない

念のためですが、キャピタライゼーション自体は、必ずしも不健全なことではありません。不滅の価値を持つとすら信じられてきた金や銀だって、その経済的な価値の本質は、そうした貴金属を新たに掘り出し製錬するのに注ぎ込んだ費用の集積つまりはキャピタライゼーションに過ぎないという面があります。

ですから、ビットコインの価格形成におけるキャピタライゼーションを問題視する必要があるかどうかは、第一にはそこで生み出された「価値」が私たちの感性の問題として受け入れやすいものであるかどうかということ、そして第二には、そうしたキャピタライゼーションを前提にしたシステムであるビットコインという仕組みが長期的に維持可能かどうか、その二点にあると考えるのが良いように思います。

もっとも、第一の問題は、しょせんは慣れの問題だという面もあるでしょう。私たちがビットコインに価値があると聞くとどこか違和感を覚えるのに、金に価値があると聞くときにそれを覚えることがあまりないのは、金や銀は貨幣として以外にも少なからぬ使い道があるのに、ビットコインにはそれがまったくないというだけのことでもあるからです。まあ冷静に考えれば、金や銀の使い道など知れたものなのですが、でも感性の問題を甘く見てはいけません。そうした感性

パネル38：金と銀の価格

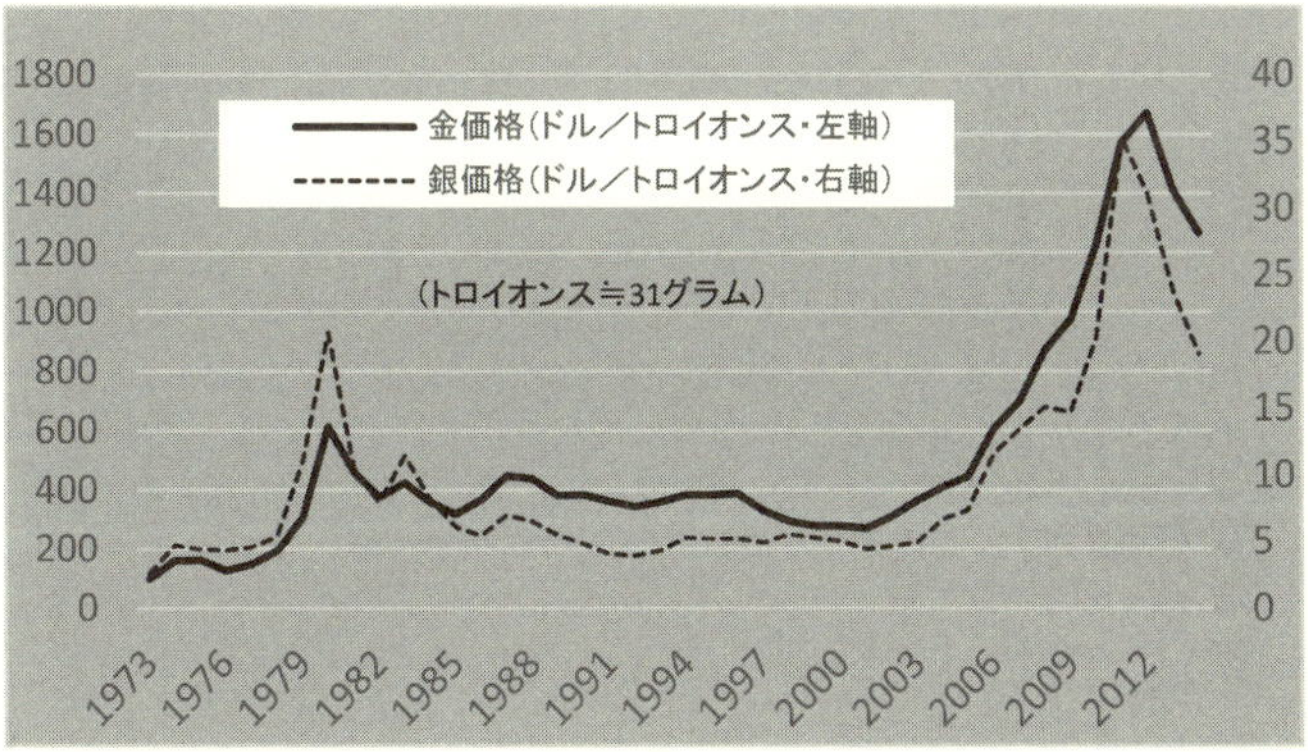

データ出所：田中貴金属ＨＰ

改めて数字を眺めてみると「変わらぬ価値」があると思われがちな金や銀の価格も長期的には大きな変動をしていることが分かる。1970年代から80年代にかけ、当時の世界を悩ませていたインフレへの処方箋として、思い切って金本位制に戻れという議論があったが、それはかつての金価格安定の裏にはそのために忙しく動き回っていた大英帝国の存在があったことを見落とした議論だろう（148ページ参照）。ちなみに、現在の日本の銀行券発行高90兆円の全部を金貨に置き換えたら、必要な金の量は2万トン、全世界可採埋蔵量5万トンの半分近くにもなるから、いくら金準備制度を工夫しても「異次元緩和」などほぼ無理筋の話になっていたはずである。それを政策運営上の不便とみるか節度とみるかは論者次第だが、金については、それを貨幣に復帰させるのは非現実的、ご婦人方の美のために役立ってもらうのが一番という結論は変わるまい。余談だが、カトリックからの英国教会分離に抵抗して刑死し、400年後の1935年に列聖されたトマス・モアは、この種の美には完全に興味がなかったらしく、著書『ユートピア』では金は便器の材料にされてしまっている。彼にとって金は虚栄の象徴でしかなかったのだろう。さすがは聖人である。

の観点から、ビットコインにおけるPOWは、「プルーフ・オブ・ワーク（作業の証明）」というよりは「プルーフ・オブ・ウェイスト（浪費の証明）」だと揶揄されることすらあります。

感性の問題についての議論はまあよいとしましょう。決済手段としてのビットコインにとって遠くないうちに現実的な問題になりそうなのは、第二の問題、つまりビットコイン価格の維持可能性の問題の方です。あるいは、決済手段としてビットコインを持とうとする人が被るリスク、具体的には急な価値崩壊リスクの問題だと言い換えても良いかもしれません。説明します。

よく知られているように、ビットコインの価格は大きく変動します（113ページ参照）。そうした価格変動は、投機的な関心をビットコインに引き寄せる誘因になりますが、他方でビットコインを文字通り貨幣として使おうとする人たちにとっては心配の種になります。ビットコインの価格はいつ暴落するか分からないからです。もし何らかの原因でビットコインが他のアルトコインなどに取って代わられるようなことがあれば、そのときにビットコインをたまたま摑んでいた人は大きな損失を被ることになります。まるで、バブル崩壊時の不動産投資のような話ですが、それがビットコイン最大のリスクなのです。しかも、そうしたシナリオが実現してしまっても、ビットコインを作り出したマイナーたちが損をかぶるわけではありません。ビットコインのタダ同然とも言えるほどの安い手数料は、そうしたリスク転嫁の構造があって成立しているわけです。

では、そうしたリスクの転嫁構造に頼らずにビットコインというシステムが回って行くようにすることはできるでしょうか。どうなればよいかなら、計算すればすぐ分かります。たとえば、手数料水準が現在の百倍ほどに上がり、かつビットコイン取引量が数千倍に増加すれば、今のマ

パネル39：ＰＯＷは浪費の証明？

ＰＯＷをただの「浪費」にしたくないという観点からは、ビットコイン型暗号通貨の方法論的コアであるブロック形成を、単なるハッシュ計算でなく別の有用な問題を解くことに組み合わせたらどうかというアイディアが出て来ることがある。気候変動シミュレーションとか全生物のゲノム解析のような「人類に有益な計算」に貢献することをＰＯＷとしたらどうかなどと考えるのである。ただ、こうした「人類に有益な計算」の思想をブロックチェーンに持ち込むのは、そこに新たなタイプのリスクを持ち込むことでもあることを忘れてはいけない。ビットコインが成功したのは、理論的には解がないとされてきた「ビザンチン将軍問題」にマイナーの自己利益追求という条件を加えることで、それを直接に「解決」しようとせず「迂回」してしまったところにあるわけだが、それは自己利益追求という文脈の外からの攻撃に対してビットコインたちは本来的に弱いということをも意味するからだ。現在のビットコインでも、その匿名性を不都合と考える政府はどこかには存在しそうだが、彼らが攻撃を仕掛けてこないのは、それに成功しても後には別のアルトコインが控えているという読みが牽制となっている可能性がある。しかし、特定のテーマを掲げるブロックチェーンに対してであれば、そうした攻撃をためらわずに「敢行」する集団がどこから出現するか分からない。

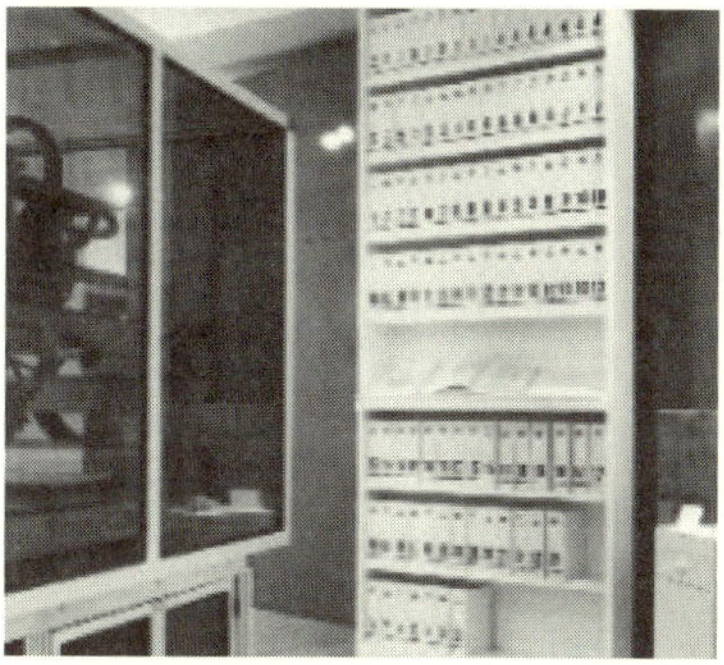

写真は2003年に完了し製本され保管されているヒトゲノムの解析の成果。ゲノム解析が医学やバイオなどの分野で有益であることは言を俟たないが、一方で反進化論主義者などの標的になることもあり得る。貨幣は貨幣だけの役割を担うことにした方が無難なのではないかという気がするところでもある。

イナーたちの状況でも採算が維持できます。また、いずれはそうならなければいけません。マイニングによる生成コインの数は四年ごとに半減していき、いずれはゼロになることは分かっているはずなのですから、長い目で見れば必要な変化なのです。それは無理な話なのでしょうか。

まあ完全に無理でもなさそうです。ビットコインの手数料が今の百倍になっても、ドル換算価格では一件で数ドルという程度ですから、国際送金の手数料としては程々の競争力がありそうです。また、取引量の方だって、例のスケーラビリティという問題が解決されてビットコイン取引件数が大きく増加すれば（118ページ参照）、それはあり得ない話ではないでしょう。現在のビットコインの一日の取引件数は十万件から二十万件ほどのようですが、これを千倍すると「億」の位に乗ります。ちなみに、全世界でのクレジットカード決済件数は、ビザやマスターなどのグローバルブランドで数億件と言われているようですから、ビットコインがクレジットカード並みに普及すれば、まんざら非現実的な数字でもないのです。

でも、これではビットコインの魅力は半減以下でしょう。程々に手数料がかかって、使われる頻度はクレジットカード並みという程度の決済手段だったら、そんなもののどこが良いのか、そう思う人が出てくるに違いありません。しかもビットコインの価格は安定していない、いつ崩壊するか分からないというリスクまで抱えているということになります。

しかし、そうした課題は、ビットコインというプロダクトに特有のもので、ＰＯＷを価値源泉とする「ビットコインたち」の全部に共通する一般的な欠陥ではありません。マイニング競争のルールに手を加えて価格の変動をもっと穏やかなものにしたアルトコインを普及させることができれば、貨幣としての価値源泉をＰＯＷのキャピタライゼーションに頼ることの危険はずいぶん軽減されるでしょう。四年に一度のチキンレースなどという危ない構造に頼らず（135ページ参照）、また生成されるコイン数の減少とは逆に増大するはずのブロックチェーン枝分かれのリスクをも回避しながら、マイニングの継続とビットコインの総量の安定とを両立させる方法だっていろいろあるはずなのです。その辺りの可能性については、この本では第三章の第二節などに書いておきました。

仮想空間の使い方

少し話を変えましょう。ビットコインの送金手数料が安いのは、生成コストのキャピタライゼーションによるものだけなのでしょうか。そうでもなさそうです。これは第三章の第一節でリップルというプロジェクトにも絡めて説明した点ですが、ビットコインを使った送金処理が安い手数料で行えている背景には、キャピタライゼーションというカラクリのほかに、資金決済そのものとそれに関連する送金情報とを単一のトランザクションとして処理し、かつその確定に厳密な時点管理を要求しない、そうした思い切った割り切りが寄与していることもありそうです。

改めて考えてみると、現在の銀行送金の仕組み、とりわけ国際送金の仕組みは、海外送金と言えば、その多くが企業間での貿易決済や国際資本市場における決済に占められていた時代の要請に引き摺られ過ぎている面が多いように思います。貿易や資本取引に伴う巨額の送金を確実に行うためには、中央銀行や民間銀行が提供する資金決済ネットワークやＳＷＩＦＴなどの情報管理システムを緊密に結合して、どんなに巨額の処理であっても迅速かつ間違いなく処理することがぜひとも必要だったからです。

しかし、状況は変わっています。国境を越える人の移動の活発化やネットショッピングの普及から増加している少額の国際送金の当事者にとっては、何よりも送金コストが安いことの方が重要だからです。百万ドルの送金をするときには問題にならなかった十ドルとか二十ドルの為替手数料が、百ドルのワインを個人輸入するときには大きな障害になってしまうわけです。そうした小口決済の事情に今までの国際間決済の構造は必ずしも十分な配慮をしていなかった面は確かにあると思います。そうした配慮の不足を、ブロックチェーンという「コロンブスの卵」を使って資金移動を担うビットコイン、その驚愕的な安さを眼にすることによって今はじめて気付かされたというのが、国際金融界といわれるソサイアティの実情なのではないでしょうか。

でも、気付いたことは良いことです。ブロックチェーンの構造図を見れば明らかですが、こうした仕組みを使った送金システムは、中央銀行通貨をはじめとする信用貨幣の世界にもごく普通に応用可能のはずだからです。それどころか、ビットコインにあったコイン生成という要素がない分だけ、送金という機能については効率が良くなるかもしれません。ビットコインにおいては、マイニングにより新たに作り出されたコインと、普通の取引により受け取ったコインとでは、その使える条件が変えてあるわけですが（108ページ参照）、ブロックチェーンからコイン生成を切り離し、それを支払いの確定のためだけに使うのなら、それだけ身軽になって思いきった運用も可能になるはずだからです。ブロックを作るインターバルも十分間などと言わずに、もっと短くすることができるでしょう。

もっとも、ブロック形成とコイン生成とを結び付けないとすれば、新しいコイン獲得を狙って頑張ってくれるマイナーたちもいなくなりますから、そこでのブロックチェーンの維持には、二重使用の防止などを担う管理者が必要になります。管理者が必要になるということは、そこにシステムを「統治」する仕組みも必要になるということです。ビットコインほどの分権的な運用はできないでしょう。しかし、そうした管理という役割を果たそうとするときにこそ、永年にわたって築いて来たはずの銀行たちへの信用の基盤が役に立つ場になる、そうしたシナリオも描けるかもしれません。

伝えられるところによると、世界の主だった金融機関の中には、ブロックチェーン技術をいわゆる「フィンテック（Fintech）」の重要な一部と位置付けて、それを活用した新しいタイプの金融サービスを連携して作り上げようとする動きが始まっているようです。ちなみに、「フィンテック」とは「ファイナンス」と「テクノロジー」を組み合わせた造語のようで、定義がはっきりしない困った概念という感じもするのですが、急激に浸透してしまった用語法なので使わせてもらいました。用語や概念のくくり方に多少の文句はあるのですが、それは別として、こうした行き方が有望なものであることは間違いないでしょう。

銀行たちが築いてきた信用を基盤にして、そこに「フィンテック」を活用して水平型の新たなネットワークを作り上げれば、これまで高い高いと不評を買い続けていた銀行の送金サービスをより安価に提供できるようになるだけでなく、もっと多様な権利関係や契約関係あるいは情報そのものを保存し活用するためにも生かせるはずでしょう。それは、要するに彼らの「信用」という眼に見えない資源を、人々の多様な活動のために貢献する基盤として役立てるということでもあります。銀行たちは、こうしたネットワークの管理者あるいは統治者としての役割を果たすのに向いているのです。

さて、私たちの未来図に銀行という役者が登場したところで、さらに想像の枠を拡げてみましょう。それは、こうしたP2P仮想空間ネットワークの中に、前章で考えたデジタル銀行券が入ってきたとき、そこで何が起きそうかということです。

もともと仮定の世界での話なのですが、私は、どうせデジタル銀行券のようなものを考えるのなら、それは「フィンテック」で支えられた仮想空間の中で自在に流通するプロダクトとして提供されるのが良いと考えています。実現のための技術的方法はいろいろあるでしょう。そこを議論し始めるとシステム設計ゲームのようでなかなか楽しいのですが、深入りするのは控えておきます。考える材料のほとんどは、第二章で紹介した「枯れた技術」の中にありますので、後は皆さんで考えてください。この本で扱いたいのは、デジタル化された銀行券がP2P型の仮想空間に入ってきたとき何が起こるか、そして中央銀行や金融政策はどうなるだろうかということの方です。

ただ、その前に、ビットコインのようなPOWモデルの貨幣たちとデジタル銀行券、そのどちらが本質的に高い競争力のある決済手段としての潜在力を持っているか、その観点からの比較をしておきましょう。

デジタル銀行券かビットコインたちか

改めて言うまでもないかもしれませんが、今の金融システムでの資金決済の仕組みでは、銀行と銀行の間の資金決済は中央銀行が提供するオンラインシステムを使って行うのが普通です。日本では日銀ネットというシステムがあります。米国ではフェドワイヤー（Fedwire）というシステムになります。銀行と銀行とは、そうしたシステムを使ってオカネをやり取りして、他方で、送金情報などと呼ばれる誰の預金口座から誰の預金口座に資金を移動するかという明細書に当たるような情報は、民間銀行たちが連合して運用している全銀システムという名のデータ交換システムでやり取りしているのです。国際間では、これがＳＷＩＦＴになるわけです。

ところが、この世界にデジタル銀行券が入ってきたらどうなるでしょう。都会の大学に通っている娘さんに田舎の両親が生活費を送ろうとするときでも想像してみたら、起こることが何かが分かります。そうしたときには、いわゆるオンラインバンキングで自分の銀行口座から自宅のパソコンやスマホにデジタル銀行券を取り込み、それをブロックチェーンによるＰ２Ｐネットワークに乗せて娘さんに送ってしまうことができます。そのお金を預金するか買い物に使うかは娘さんが自分で決めればよいのです。それが今の金融システムに与える影響は明らかでしょう。こうしたやり方が普通になってしまえば、少なくとも小口決済とか小口送金と言われる分野では、日銀ネットも全銀システムも要らなくなってしまいます。企業間取引とか資本取引等の巨額の資金決済が必要になる分野がどうなるかは分かりませんが、ややこしく組み合わさっていた資金決済の仕組みが、ずっと単純で低コストのものへと変わりそうなのです。

もちろん、こうした役割は、ＰＯＷモデルの貨幣たち、つまりビットコインやそれに類した貨幣たちも担うことができます。しかし、金融あるいは決済の仕組み全体に対する影響という点では、銀行券をデジタル化し、それがブロックチェーンで送ることができるようになることの衝撃の方がずっと大きいでしょう。デジタル銀行券の方がビットコインたちよりはるかに低コストで、しかも大量に作り出せるからです。

ビットコインたちの最大の泣き所はそれがＰＯＷを価値源泉としているので、たとえば一兆円の貨幣を作り出すのに基本的には一兆円のコストをかけざるを得ないということです。これは金や銀を貨幣として使うときの問題、実物貨幣の持つ本質的な泣き所と同じです。実物貨幣の世界では、一定金額の貨幣を作り出すためには、原則的に同じ金額のコストをかける必要があります。これは無駄な話です。誰がそのコストを負担するのかはキャピタライゼーションの仕掛けと絡んで様々に考えられるはずなのですが、しょせんは価値の受け渡しに使う乗り物に過ぎない貨幣を作り出すのに大きなコストをかけるのは良いことではありません。地球の稀少な資源をたかがオカネを作り出すのに使うのは「もったいない」のです。それが、貨幣の歴史の中で、実物貨幣である金貨や銀貨などが、銀行券という信用貨幣に取って代わられてきた最大の理由でしょう。

銀行券というのは、それを作り出すコストという観点からは、どうも「ただ乗り」のプロダクトのようなところがあります。銀行券は国債その他の金融資産を中央銀行が買い入れるだけで発行されます。つまり、銀行券を作り出すプロセスに価値創造の仕掛けは存在しないのです。存在するのは「見かけ」の変換プロセスだけです。今の銀行券の価値は、これは「物価水準の財政理論」（189ページ参照）として第四章で説明したことですが、中央銀行の保有資産の大半を占める国債を発行するとともに中央銀行の資本勘定を握る政府、その政府の徴税能力に支えられています。銀行券の価値は、そうした政府の徴税能力に「ただ乗り」して作り出されているのです。だから銀行券を作り出すのに大きなコストをかける必要はありません。一兆円のビットコインを作り出すのには一兆円の電気代がかかるのですが、一兆円の銀行券を作り出すのには、少々の人件費と設備費それに事務経費があれば十分なのです。ここは数字を見てみましょう。

日本銀行も法人ですから決算をします。彼らの決算報告をみると、平成二六年度つまり二〇一四年度の「経費」は二千億円弱だったようです。それで約九十兆円の銀行券と二百兆円の当座預金を作り出してしまうわけですから、世にオカネを供給するシステムとしては、良くできていると言えるでしょう。しかも、この経費の中には、銀行券の製造印刷費まで含まれています。日本銀行の決算を見ると、その金額は五百億円強です。ちなみに、この年度の銀行券製造量は、銀行券製造を行う国立印刷局を管轄する財務省の資料によれば三十億枚だそうですから、一枚当たりで十五円強という数字になります。もちろん、有体物としてのオカネを扱うには、金庫代、警備や輸送費用、それに偽札発見のための鑑査費用などもかかるはずなのですが、そうした費用を全部足し合わせても、銀行券を世の中に提供するのにかかるコストというのはこの程度のものなのです。

仮想空間の中にビットコインのようなオカネが存在するのは確かに良い話なのですが、どうせ

パネル40：銀行券モデルの運営費

日本銀行券には、深凹版印刷、すき入れ、バーパターン、ホログラム、潜像、パールインキ、マイクロ文字など、まず世界最高水準と言える偽造防止技術が盛られているが、原版の作成作業もまた凝りに凝った職人芸となっている（写真は国立印刷局での原版作成作業）。この結果、本文でも書いた通り、日本の銀行券の製造費は1枚当たり平均で15円強と米ドル札などと比べてもやや高いようだが、こうして製造印刷に費用を割いているので、警察力や重罰に頼ることを相対的に小さくしながら銀行券の安全な流通が実現できているという面もある。この辺りは、犯罪に対し事前の抑止で臨むか事後の厳罰で臨むかという社会的選択の問題でもあろう。米国のドラッグストアで100ドル札を使うときに浴びる店員の訝しげな視線と、日本のコンビニで1万円を使うときのスムーズさを比較すると、日本流に心地良さを感じるのは私だけではあるまい。なお、中央銀行の他の業務費用、たとえば人件費については、2009年の英国エコノミスト誌が「主要国の人口10万人当たり中央銀行職員数」というのを報じたことがあったが、それによると、最大はロシアで51人、他はフランスで20人、ドイツで13人、米国で6人に対し、日本は4人だから、日本銀行はその存在感の割にはずいぶんスリムな中央銀行でもある。

オカネを仮想空間に持ち込むのなら、できる限り余計なコストをかけずに作り出した貨幣の方が良いと考える人の方が多いでしょう。その方が限られた地球環境と資源とを使わずに、人々の経済活動の基盤であるオカネを提供することができるからです。

ところで、それは、流動性の罠に嵌って行き詰まっている中央銀行たちに対して、今までとは異なった文脈での未来像を示すものにもなります。

二　通貨独占発行権は必要か

二つの利子率と貨幣の供給量

想像してください。今、貴方のパソコンあるいはスマホに「ゲゼルの魔法のオカネ」になったデジタル銀行券が入っているとします。いえ、実は入ってはいないのですが入っていると感じるような状況があるとします。つまり、貴方のパソコンやスマホの中のワレットなどと名付けられたソフトウェアが、P2Pの仮想空間上で持っていることになっているデジタル銀行券を、貴方が見ている画面にそれらしく映し出してくれている、そうした状況を想像してみるのです。

このデジタル銀行券は使うことができます。ビットコインと同じようにブロックチェーンを使って、ワレットからワレットへとデジタル銀行券の「支配」を移転すればよいのです。つまり、ワレットに入っている雰囲気は、その瞬間について言えば、ビットコインたちと同じです。でも、やはりビットコインとは少し違います。このデジタル銀行券は第四章第三節で考えた「ゲゼルの魔法のオカネ」なので、画面を見つめていると、その金額は、時間とともに増えたり減ったりするからです。貨幣利子率を中央銀行がプラスに設定しているときはだんだん増えていきます。マイナスのときは減っていきます。

ところで、この貨幣利子率の動きは、貴方を惑わせるものかもしれません。たとえば、この貨幣利子率をみて、大きなプラスが続くようだったら週末の旅行は控え目にしてワレットの中の銀行券の数字が増えるのを待とうとか、マイナスが続くようだったら今日のうちにご馳走でも食べに行くか、そんな風に考えてしまうかもしれないからです。でも、それはやや軽率と言うべきです。貴方が経済合理性を追求する人だったら、注目すべきはワレットの中のデジタル銀行券の貨幣利子率ではなく、同じパソコンやスマホで閲覧できるはずのネットバンキングのサイトでチェックできる預金金利や、証券会社のサイトでしきりにアピールして来る様々な投資商品の利回りの方でしょう。そうした金利や利回りの方が前章のパネル35（225ページ参照）にある通りいつも貨幣利子率より高く、したがって貴方の生活設計には大事なはずだからです。

合理的な貴方の行動は、貨幣利子率には惑わされません。貨幣利子率が非常に低く、たとえばマイナス二パーセントというような水準になっていたとしても、そのデジタル銀行券を預金すればプラス三パーセントの利子が付くということだったら、貴方はやはりご馳走を食べに行くのは程々にして、しっかり預金でもしておくかと考えるはずです。反対に貨幣利子率はプラス三パーセントだが、預金をしても金利は四パーセントしか付かない、しかも今日の新聞に眼を通したら石油価格上昇から来年の国際線運賃は約一割の上昇が見込まれるなどと書いてあったら、やはり早めに海外旅行の予約サイトを覗いてみたくなるはずだからです。つまり、貨幣利子率の高低は合理的な貴方の行動には直接的には影響しないはずだということになります。

では、銀行券に利子を付けて「ゲゼルの魔法のオカネ」にすることには、ケインズの「流動性の罠」を突破する道具として以外に、特に意味はないのでしょうか。そうではありません。貨幣利子率を通貨の世界に持ち込むことは、金融政策の自由度全体に大きな影響を与える可能性があります。

私たちが今いる世界では、中央銀行が貨幣供給量を変化させると、それと同時に金利（市場金利）も変化してしまうので、金利と量とは個別には操作できません。しかし、「ゲゼルの魔法のオカネ」の世界では、量を動かすことによる金利（市場金利）への影響は、同時に貨幣利子率を動かすことにより消し去ってしまうことができます。貨幣供給量は増やしたい、しかし金利は下げたくない、というような状況なら、貨幣供給量を増やす一方で貨幣利子率を上げてやれば、量の増加から生じる影響を中立化しながら金利を操作したり、その逆のことをやったりという、今の金融政策では曲芸としか言えないようなシナリオを、普通に実行することができてしまいます。ややこしい言い方になってしまったので、二つの利子率と貨幣供給量との関係をページをめくったパネル41で図解しておきました。

ところで、このことは、もし貴方がデジタル銀行券を使うだけの立場でなく、中央銀行の政策決定にかかわる仕事をする立場の人だったら、少しばかり興奮を覚える材料になるかもしれません。こうして銀行券を「ゲゼルの魔法のオカネ」に変えることができるのであれば、金融政策を「流動性の罠」から解放してやれるだけでなく、金利と量という手段を使い分けて、今までの中央銀行ではできなかった新しい金融政策を展開することができるかもしれない、そんな気がしてくるはずだからです。

しかし、それはどうでしょうか。望ましいことなのでしょうか。そもそも可能な話なのでしょうか。もう少し考えてみましょう。

ティンバーゲンの定理から

経済学には、「ティンバーゲンの定理」といわれている命題があります。内容は「政策当局がN個の独立した目標を同時に達成しようとするときは、N個の独立した政策手段がなければならない」というもので、ここで「政策手段」というのは、金利の上げ下げや為替レートへの介入あるいは税制の変更などのこと、「政策目標」というのは、その結果としての事実、具体的には物価とか国際収支あるいは雇用などのことです。何か当たり前のような気もする命題なのですが、それだけに強力な定理という側面もあり、政府や中央銀行などの政策当局者を悩ませるものになることがしばしばです。

金融政策を例にとって説明しましょう。金融政策は、金利と貨幣供給量を使って金融の繁閑を調整し経済全体に影響を与えようとする政策だ、そう説明されることがあります。この説明は間違っていません。しかし、誤解を与える説明でもあります。なぜなら、金利と貨幣供給量という

パネル41：何を使って何を操作するか

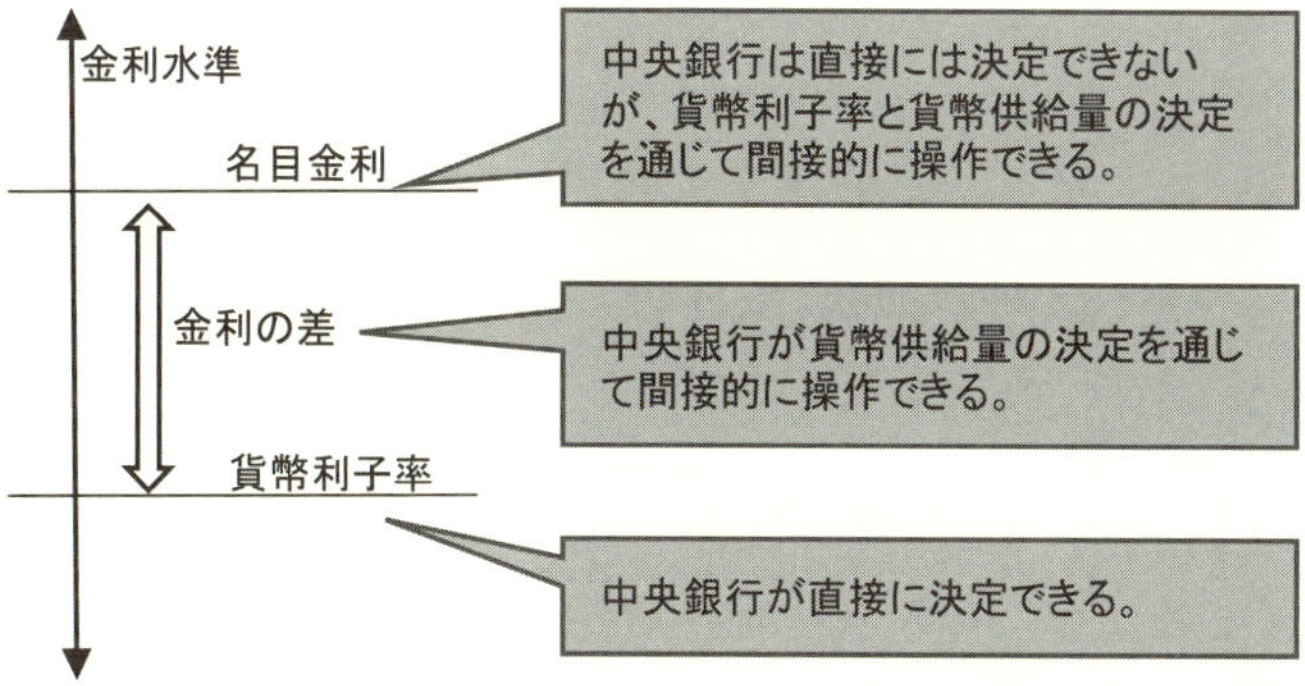
金利水準
名目金利
金利の差
貨幣利子率
中央銀行は直接には決定できないが、貨幣利子率と貨幣供給量の決定を通じて間接的に操作できる。
中央銀行が貨幣供給量の決定を通じて間接的に操作できる。
中央銀行が直接に決定できる。

２つの利子率と貨幣供給量の関係を図解すると上のようになる。この世界では、名目金利と貨幣利子率という２つの利子率があり、その間の「差」に関係するのが貨幣供給量である。また、貨幣利子率と貨幣供給量は中央銀行が直接に決定できるが、名目金利は市場で決まるというのが、ここでの「ゲームのルール」である（ちなみに、貨幣利子率がゼロに固定されている現在の銀行券制度の下では、貨幣供給量を通じて金利の差を決定することが、そのまま名目金利の水準そのものを決定することを意味している）。この世界でも名目金利がインフレ率に関係するのは、第４章で紹介したフィッシャー方程式からも明らかだが、貨幣利子率がマクロ経済のどこに影響するかは分からない。そこで、貨幣利子率を操作可能な政策手段として手に入れた政策当局者が注目するのは、貨幣利子率そのものではなく、貨幣利子率を手にしたことで使いやすくなった貨幣供給量の方になる可能性が高いはずだ。すなわち、銀行券制度に貨幣利子率を持ち込むことには、①流動性の罠にかかわらず名目金利をマイナスにできるという効果のほかに、②名目金利を物価目標に割り当てながら貨幣供給量を通じて他の目標を追求できるようになるという二つ目の効果があることになりそうなわけだ。

二つの政策手段は今の銀行券システムの下では互いに「独立」でないからです。それは、中央銀行の選択肢は、究極的には緩和か引締めかという二者択一問題でしかないということを意味することになります。つまりは、物価を安定させながら景気を刺激するとか、景気の過熱を押さえながら物価は下落させない、などというのは運が良くなければ達成できない話になってしまうわけです。

では、ここに貨幣利子率が加わったらどうでしょう。中央銀行は金利と量という二つの政策手段を「独立」に操作できるようになりそうです。そうなれば中央銀行の選択肢は二者択一ではなくなり、物価と景気の「二兎」を追うこともできるのではないでしょうか。中央銀行の総裁は、いつの記者会見にもお決まりのように付される「海外景気や原油価格の動き次第ではあるが」などという断り抜きで、もっと堂々と景気と物価を両立させると言いきれそうです。景気を重視したいからインフレを我慢してくれとか、逆にインフレ懸念が増大しているから予防的に引締めに踏みきるなどと、わざわざ曖昧で不人気なことを言う必要もなくなる、そんな気もしてくるわけです。

でも、それは錯覚でしょう。理由は、景気と物価との関係には、あのフィリップス曲線（31ページ参照）が示すようなトレードオフ関係がありそうだからです。物価と景気とがそもそも互いに独立な政策目標ではないとしたら、中央銀行が「独立」の政策手段をいくら手に入れても、目標自体が「独立」でないわけですから、状況を変える役には立たないのです。ですから、もし、貴方が中央銀行の総裁で、今までの金利と貨幣供給量のほかに貨幣利子率という政策手段が加わったという状況を有効に活用したいという立場にあったら、物価と景気ではない何か別の政策目標を追求した方が良さそうです。たとえば、金利（市場金利）は景気と物価とのバランスに割り当てるが、貨幣利子率が動かせるようになったことで自由度が増した貨幣供給量の方は、金融システム自体の安定に割り当てる、そんなことを考えるのはどうでしょうか。

改めて言うような話でもありませんが、金融システムというのは、どうも「暴走」したがる性質を持っているようです。バブル経済、アジア通貨危機、サブプライムとリーマンショック、そうして続いてきた金融の歴史を見ると、それは人々の心そのものに根差すもので宿命のようなものかもしれないという気すらします。ところが、そんなときに有効なのは、中央銀行による思いきった貨幣供給だというのが近年の経験のようです。理由はいろいろに考えられるのですが、理由はともかく事実の問題としては、大量の貨幣を思い切って投入することが危機の増幅を防いでくれるようなのです。それなら、普段の貨幣供給は多少なりとも絞り気味にして金融システムの動きを控えめなものにしておき、危機が生じたときには一気に貨幣供給を増やす、しかし、そのときには貨幣利子率も同時に引き上げるので、市場金利は動かさない。そうすれば、金融危機対策のための貨幣供給の拡張が、景気や物価のバランスに与える悪影響を回避できるのではないか、そんなことを考えるのは確かに悪くないアイディアのようにも思えます。

しかし、ここは慎重に考えておきたい点でもあります。なぜかと言えば、「ゲゼルの魔法のオカネ」を採用して貨幣利子率を操作することができるようになった中央銀行が、それで「二兎」を追うことができるようになるためには、言い換えれば、金利と貨幣量の二つの政策手段の独立

パネル42：銀行監督が金融危機を作った？

考えられる金融システム「暴走」対策の中で、政策当局者間での一番人気はバーゼル規制などと呼ばれる全世界的な自己資本比率規制らしい。こうした規制に沿って金融機関が十分に株式資本を用意しておけば、金融機関が想定外の損害にあっても倒産することは少なくなり、預金者などの一般顧客を保護できそうというのが彼らの筋書きなのだろう。しかし、この筋書きは、資本市場の論理を無視した欠陥シナリオでもある。金融機関から増資への協力を依頼された株主たちは「株式資本比率を高めたいのなら、それでレバレッジが効かなくなった分だけはハイリスク＝ハイリターンの事業に精を出してもらいたい、そうでなければ増資への協力には応じられない」などと対するはずだからである。ちなみに、「レバレッジ」とは「梃子」のことで、相対的にリスクを少なくしか負担しない代わりに要求収益率も低い負債を多く調達し、あたかも梃子を効かせるようにして株式資本の期待収益率を高めることについての、ファイナンス論での呼び方である。こんな初歩のことをエリート揃いの政策当局者らが知らぬはずはないのだが、当局による自己資本規制強化と、それに対応する金融機関のハイリスク資産への傾斜、そのイタチゴッコはなぜか終わることがない。現代の不思議と言うべきだろう。ちなみにリーマンショックと呼ばれる2008年の金融危機は、1850年に設立されたニューヨークの名門投資銀行リーマンブラザーズ（写真・当時）の破綻に始まることからこの名が付いたのだが、同社破綻時の負債総額は6,000億ドル（64兆円）というから、これは桁外れの倒産劇という他はない。加えて、同社がその破綻寸前までトリプルAという最高位の格付けを有していたことも忘れない方が良いことに入るだろう。格付けや監視が危機対策にならないことの証左でもあるからだ。

した操作ができるようになるためには、国内通貨の独占発行権が、貨幣利子率が「ある」世界でも維持されていなければならないはずなのですが、「ゲゼルの魔法のオカネ」が現実のものになったときにでも、通貨独占発行権を引き続き維持させるのが社会全体にとって望ましいことなのかどうか、そもそも、それを維持するのが可能なのかどうか、それらについてもっと基本に戻って考えた方が良さそうだからです。

銀行券供給の限界費用問題

経済学には「限界費用価格」という基本中の基本とも言える命題があります。言い方はいろいろあるのですが、たとえばカレーパンを作って販売している町のパン屋さんが、あと一個のカレーパンを百八十円の原価で追加的に製造することができるのならば、それを百八十円以上で買ってくれるお客さんの全部に百八十円で供給することが、パン屋さんの利益を最大化するとともに、世に存在する利用可能な資源を最大限まで活用することにつながり、よって世界は「最適」になる、というような命題です。競争の意義を説明し独占を排する議論を展開する経済学者にとってのの最も基本的な命題でもありますから、これを取り上げない教科書はまずないでしょう。この本でも、第三章のビットコインたちを通貨にする方法を取り扱った辺りで、経済学の教科書の基本的な議論として限界費用という考え方自体は紹介しておきました（153ページ参照）。

でも、そうすると奇妙な気分にもとらわれるでしょう。この枠組みから考えれば、通貨の発行独占による金利のコントロールは「限界費用価格」の大命題に反していると気が付くはずだからです。ただ、そうした少し考えればすぐに気が付きそうなことほど、誰かが「王様は裸だ」と叫んでくれないと気が付かないというのが世の中のようです。経済学の世界もそうでした。

中央銀行による通貨供給は経済学の大原則と矛盾する、限界費用価格という観点からすれば、金利がゼロの銀行券をベースにする円やドルの金利なんてゼロで十分でないか、そう言ってくれたのは、大物中の大物経済学者、いわゆるマネタリストの元祖ともいうべきあのミルトン・フリードマン（1912年～2006年）ですから、経済学というのは当たり前のことに気が付くのにずいぶん時間をかけるものです。これを指摘した一九六九年の彼の論文については、前著『貨幣進化論』でややしつこく書かせていただいたので、ここでは、この点は今から五十年近くも前から言われていた、しかも言ってくれたのは誰もが認める大物経済学者のフリードマンだった、それにもかかわらず、経済学の理論としても現実の制度設計問題としても手つかずのままだった、そのことだけを付け加えておきましょう。なぜそうなったのでしょうか。

答は明らかです。大方の経済学者や政策担当者がフリードマンの指摘を無視してきたのは、その通りにすると金融政策は無くなってしまう、金利は永遠にゼロということになってしまうのですが、それは困るからです。

別に中央銀行が困るわけではありません。金融政策について語る総裁やスタッフは要らなくなるかもしれませんが、中央銀行の現場は今にもまして忙しくなりそうだからです。何しろ銀行券は安く手に入るのです。窓口も金庫の出納も仕事が増えることになる可能性の方がヒマを持て余す可能性よりは高そうです。困るのは、金利がゼロになって物価も景気も不安定になる世の中全体の方なのです。

でも、これについての処方箋が何かは、これまで本書をお読みくださった読者には直ちに察しが付くのではないでしょうか。処方箋は銀行券に貨幣利子率を付けることです。ただ、困るのは、その良い方法が見つからないことでした。ゲゼルの言うような方法なら金利を付けられることは分かっているが、どうも実際にやれるような方法ではない、そんなことをしたら銀行券を使うときの手間暇の方が、限界費用価格の実現で得られる有難さを上回ってしまう、それが理由だっただろうと察しが付くと思います。

しかし、状況は変わりました。ビットコインが教えてくれたブロックチェーンのような「フィンテック」の手法を使えば、そこで形成された仮想空間にデジタル銀行券を自在に流通させることには何の無理もなさそうです。それなら、私たちもフリードマンの指摘にしたがって、限界費用価格での銀行券発行を現実の課題として検討しても良いのではないでしょうか。限界費用価格での銀行券発行とは貨幣利子率と市場金利との「差」がなくなることを意味するわけですが、それでも貨幣利子率さえ存在すれば、市場金利がゼロになるわけではありません。そのときに得られなくなるのは、貨幣利子率と金利との「差」を操作することだけです。言い換えれば、金利と貨幣量との二つの政策手段を「独立」に操作するという手に入りかけた「夢」が、やはり「夢」に終わってしまう、それだけのことだと考えることだってできるはずです。

そして、そうすることで得られるものもあります。貨幣利子率付きの銀行券を提供することは、ケインズの「流動性の罠」つまり金利をマイナスにすることができないことから生じる問題を解決できるだけでなく、そうすることで金融システム全体をより安全なものにできるかもしれないのです。

預金による信用創造という危うさ

通貨発行の独占は、金融システムのあり方そのものにも影響を与えたはずです。利子が付かない銀行券を取引の決済に使うということになれば、誰でも財布に入れる銀行券の枚数は極力減らしておきたくなります。そうしたことを人々が望むようになれば、銀行の側もそれに応じて工夫をするようになったはずです。要するに、人々に対し、その持てる資産のうちの最小限の額を金貨や銀行券というかたちで手もとに残し、残りは有利に運用しましょうとアピールするようになるわけです。銀行券という商品を諦めた銀行たちは、自分たちに残った預金という商品をもっと快適に決済に使ってもらえるよう、努力し競争するようになったのです。

かつて、預金を資金決済に使うのは面倒なものでした。小切手用紙と言われる取引銀行が提供する「紙」に必要事項を書いて署名し、その小切手を相手に郵送します。そして、小切手を送ってもらった相手方が、その小切手を自分の取引銀行に持ち込んで行うのが普通の送金だったのです。そうした処理に使うのが利子の付かない預金口座である「当座預金」です。でも、今や、当座預金は多くの人や企業にとって無用の長物と化した感すらあります。普通に利子が付く預金、その名も「普通預金」が、文字通り普通に送金の授受に使えるようになっているからです。それを引き受ける銀行間のネットワークが、今や手数料という点ではビットコインに負け始めているわけですが、それはともかく、私たちの身の回りにある多くの金融商品やバンキングシステムの相当部分は、そうした金融機関たちのこれまでの努力と競争の産物と言ってよいでしょう。

努力と競争は良いことです。ただ、預金という商品を決済に使おうとするのは、見方によっては危ない仕組みを作り出すことでもあります。預金というのは、法律家の言い方を借りれば、金銭消費寄託という契約類型に属するもので、預金をいつ返してもらうかを決める権限は基本的に「債権者」である預金者が持っているとされます。一方、貸出は金銭消費貸借と言って、返還時期を決める権限を持つのは基本的には「債務者」の方です。なぜそうかと言うと、預金は基本的に「預かってもらう」という趣旨の債権者のためにする契約で、一方、貸出は「貸してもらう」という表現が示す通りで債務者のためにする契約だからなのでしょう。ただ、その辺りの議論はここではどうでも良いとしておきます。

こうした預金の性質、その「いつでも返してもらえるのが原則」という性質は、金融論の先生が言う「信用創造」というメカニズムを理解するためのキーワードになります。なぜなら、私たちは「いつでも返してもらえるもの」は、ほぼ「もう返してもらったもの」と同じだと考えるはずだからです。つまり、私たちは、銀行に持っている預金、とりわけ「いつでも返してもらえるはずの預金」は現金と同じようなものと考え、行動するようになります。これが「預金」のことを「預金通貨」と呼ぶ理由ですが、しかし、これは実は危うい話でもあるのです。

金融論の教科書には世の中には金融派生商品とかデリバティブと呼ばれる商品類型があり、その一つに「オプション」というのがあると書いてあります。オプションとは何らかの金融的な契約の履行や終了の時期を決める権限を価値があるものとして取引する契約のことですが、このオプションという観点からみると、預金を受け入れる一方で貸し出しを行うという銀行業の本質が良く分かるという面があります。

預金という名の金銭消費寄託では銀行はオプションを顧客に売っていることになります。なぜなら預金の「いつでも返してもらえる」という性質は、顧客は手持ちの預金証書を銀行に押し付けて銀行の金庫から現金をもらって帰ることができるということを意味します。オプションとして解釈すれば、これは「プットオプション」と呼ばれるものです。

一方、銀行から借り入れをしている人は、オプションとしては「コールオプション」を持っているのだと解することができます。借入金に相当する現金を銀行に持ち込めば、自分の借入証文を買い戻す、いや取り戻すことができるからです。現金を渡して決められたものを受け取るオプション契約をそう呼びます。

当然のことながらオプション権の授与には対価が払われます。それを「プレミアム」というのですが、そう整理すると、銀行はずいぶん危ないサービスをしていることにもなります。何しろ銀行は、預金者にはプットオプションを売って対価を得る一方で（これが預金金利を市場金利より低めに設定する理論的な理由です）、貸出取引先にはコールオプションを売って対価を得ているのですから（これは貸出金利が高めに設定される理由になります）、全体としてみれば儲かるのは当たり前です。ただし、その両方のオプションの片方だけが行使され続けたら銀行はやっていけません。特に預金に付随しているプットオプションが曲者です。これで銀行が危機に陥ることを「取り付

パネル 43：ナローバンク

預金を決済に用いることから生じる不安定に対する処方箋として、理論家の評価が高かったのは「ナローバンク」と呼ばれる考え方である。考え方にはいくつかのバリエーションがあるが、預金保険制度などの公的サポートを受けている決済用預金の部門を他の部門から分離し、そうして隔離した部門（狭い銀行：ナローバンク部門）には、国債や高格付け債などに資産運用を限定することを求めるというのが基本のアイディアであろう。わざわざ「評価が高かった」と過去形にしておいたのは、2008年のリーマンショックで、①高格付け債も環境次第ではディフォルト続出になることや、②預金受け入れ機関でない金融持株会社でも業容が大きく複雑になり過ぎると、その倒産時の波及効果への懸念から救済せざるを得なくなることが明らかになり、さらには、③世界的な超金融緩和の中で将来の金利急騰から生じる金利リスクにはナローバンクの方が脆弱かもしれないという認識が一般化してきたからであろう。だが、そもそもの制度設計という観点から考えれば、銀行券のようには見合い資産の時価にその価値が同調してくれない預金債務を決済基盤に使う限り、問題の完全解決は難しいはずだとも言えそうだ。写真は疲れ切った顔で上院銀行委員会に臨むリーマンショック時のコックスＳＥＣ委員長とバーナンキ連邦準備制度議長そしてポールソン財務長官。彼らにより救済された保険持株会社ＡＩＧは、そのリスク保有構造の複雑さが規制機関の認識能力を超えていたから助かったのだという面がある。

け」と呼ぶわけです。取り付けとは預金を使った信用創造のサイクルが一気に逆転する現象のことなのです。

ところで、これも仮定の世界での話ですが、銀行が最初から預金ではなく銀行券を発行していたらどうなっていたでしょうか。もう少し空想を働かせて、たとえば第四章で紹介した投資信託のような仕組みを使って銀行券を発行することになっていたらどうでしょう。銀行が「取り付け」にあうリスクはずいぶん小さくなっていたはずです。銀行券の見合いに銀行が管理する資産の内容が悪化すれば、その銀行が発行する銀行券の市場価格は他行の銀行券の価格に比べて下落しますが、それは円高でドル預金の価値が相対的に減少したというような話と同じで、人々にパニック的な行動をとらせるニュースにはなりにくいはずだからです。そうした制度が中央銀行に通貨の独占発行権を与えるがために採用できなかったとしたら、これもまた、通貨独占発行の社会的費用が生じていたということだということにもなるのではないでしょうか。

通貨独占発行権は不祥の器

現実の歴史を振り返ってみましょう。貨幣をデジタル化する、そしてそれを仮想空間上でやり取りする、そうした技術が存在しなかった時代に、経済成長に必要な貨幣を供給しながら金融システムの安定を確保するためには、通貨の発行独占による通貨量のコントロールは必要だったはずです。もし何も量的な制限がないままで金利ゼロの銀行券の発行を民間銀行たちに開放し自由な競争に委ねれば、そもそも銀行券の製造費など貨幣価値そのものに比べればタダ同然なのですから、どの銀行の貸出金利もゼロに向かって突進してしまったでしょう（もちろん貸出先に倒産リスクがある場合には金利はゼロになりません、ここで「金利ゼロへ」というのは、いわゆる優良企業向け基準金利がゼロへ、という意味です）。発券銀行と発券銀行とが「底辺への競い合い」を繰り広げてしまうわけです。これは具合が悪かったはずです。

中央銀行が始まった時代は、西欧経済が「停滞」から「成長」へと変化した時代でした。そうした時代に金利がゼロだったら、人々は次々に銀行に押し寄せてオカネつまり銀行券を借り出し鉄道に製鉄にと投資しようとしたでしょう。しかし、それでは銀行たちの金準備が維持できません。銀行券の発行には、それに見合う金準備が必要だからです。唯一の解決は、彼らが金を必死で買い入れることですが、それを放置したら金価格が際限なく上昇してしまったでしょう。これでは造幣局は金貨の量目を維持できなくなります。また、金本位制の当時としては、金価格の継続的な上昇は物価の継続的な下落を意味するわけですが、ナポレオン戦争の戦費負担から大量の公債（今で言う「国債」です、当時の英国の国債はこう呼ばれることが多いので、ここは慣例に従います）を背負っていた政府にとって、許容できる事態ではなかったはずでしょう。そうならないようにするためには、イングランド銀行に通貨発行権を集中し、彼らに銀行券の独占販売権ならぬ独占貸出権を与え、それで貨幣販売価格ならぬ金利を操作させ、成長経済と物価の安定とを両立させる必要があったわけです。

でも、そう考えると、いわゆるフィンテックという名で数々の情報技術が利用可能になった今なら、その今の技術環境から出発しての新たな制度設計を試みたくなってきます。銀行券に利子を付けることが夢物語だった時代に散々お世話になってきて何ですが、改めて今の技術環境から全体像を眺めてみると、中央銀行による通貨発行独占というのは古人のいう「不祥の器」のような気がしてくるところがあります。

通貨発行独占には明らかに副作用ないし弊害があります。貨幣供給価格の限界費用からの乖離、そして、預金を決済に用いる金融システムの危うさです。これらは「紙の銀行券」の時代には、金融取引に金利を生じさせ、成長経済と物価の安定を両立させるためには、社会全体として止むを得ないものとして受容すべき負担だったと思います。しかし、貨幣利子率をゼロから切り離しプラスにもマイナスにも動かすことを可能にする技術基盤が使えそうになっている今の時代に貨幣の未来を語るのであれば、それに固執する必要はないはずでしょう。止むを得ずして用いる不祥の器は、その必要がなくなったときは恬淡として用いるのをやめる、それが賢い道だということは古人が教える通りです。

もちろん、貨幣利子率をゼロの制約から切り離して操作可能とすることは、そこで通貨発行独占が維持されている限り、政策当局に二つの目標を同時追求することを許してくれる貴重な仕掛けになり得るという面もあります。しかし、現実の政策運営を考えると、その二つ目の目標を追えるということがどの程度の良さを私たちに運んできてくれるか、そこには大きな疑問符が付くでしょう。物価と景気の二兎を追うのにはフィリップス曲線という制約があります。それとは別に金融システムの安定という目標を設定するとしたら、そもそも金融システムの不安定というものが何によって生じているのかを改めて検証すべきでしょう。銀行券の発行を一般に開放してしまえば、預金という「危うい商品」に決済サービスの多くを依存し続けるよりも、全体としてみた金融システムはずっと安定するのではないかと私は思っています。

そして、これは別の観点ですが、フィンテックが展開する仮想空間で無理に通貨発行独占を維持しようとすれば、そうしたことそれ自体が自由な社会に対する脅威になってしまう可能性を見落とすこともできません。それは「紙の銀行券」が動き回る実空間と、「ゲゼルの魔法のオカネ」が動き回る仮想空間とで、通貨発行独占を維持することの難しさが格段に違うからです。

現在の中央銀行による通貨発行独占の技術的裏付けになっているのは、基本的には印刷物の偽造防止技術です。通貨発行独占はニセ札を発見したときの捜査や透かし入りの紙を漉くことへの制限などの法的な強制力によって守られている面もありますが、それは通貨発行制限を維持するための基盤の一部に過ぎません。これに対して仮想空間での通貨発行独占を法が守ろうとしたら、それは法と罰則の力、いわゆる法強制による他はなくなります。各国の政府は、新しいタイプの「ビッグブラザー」として常に仮想空間でやり取りされる情報を監視し、それが「通貨のようなもの」であるかどうかを見張り、彼らが「通貨のようなもの」のやり取りだと判断したネットワークを遮断したり、そうした「通貨のようなもの」を作り出した人や集団あるいは企業や銀行を摘発したりしなければならなくなります。でも、犯罪や狂信的なテロ集団を防止する目的ならともかく、通貨独占発行権を守るという程度のことがその理由になるでしょうか。通貨独占発行権にそんな価値はないと私は思います。それによらなくても守るべき公益を維持できるのならば、そもそも不祥の器である通貨発行独占はさっぱりと捨て去るべきだからです。

パネル44：Is Big Brother Watching You?

国家の力というのは、しょせんは実空間における領域支配がその拠り所といえる。だから、ビットコインのようにコインの所有者をアドレスだけで特定する、国籍や住所氏名に頼らず特定する、そういう通貨の創出や使用には国家の支配は及び難くなる。しかし、仮想空間を動き回るのが信用貨幣の場合には、それが不特定多数のマイナーに作り出されるものではないだけに、ビットコインたちよりも国家の支配は及びやすくなるが、それでも仮想空間で動き回るデジタル銀行券発行者に租税回避地ならぬ規制回避地としての基盤を与えようとする国などが現れる可能性もある。そうなってくると、仮想空間での決済サービスを規制しようとする側は、自分が支配する人々のネットワーク上での活動の全体を監視することを試み始めるかもしれない。そうした動きの交錯にどう対するかは、どこかでは全世界的な合意をつける必要のある課題なのだろう。

ちなみに「ビッグブラザー」とは、ジョージ・オーウェルが小説『1984年』で描いた人々を監視し思想や心まで支配しようとする全体主義国家の独裁者の象徴名。オーウェルはスペイン内戦に人民戦線側の義勇兵として参加し、表で人民戦線を支持すると言いながら意に沿わない者には強権と弾圧で臨み、さらには歴史の偽造までするスターリン体制ソ連に対し深い怒りを覚え、それが「ビッグブラザー」のモチーフになったとされる。『1984年』は、街の至る所に「ビッグブラザーが貴方を見ている（BIG BROTHER IS WATCHING YOU）」と書いたポスターが貼ってある情景で始まる。オーウェルはビッグブラザーを「黒い口髭の男」としている。ヨシフ・スターリンである。

BIG BROTHER IS
WATCHING YOU

どうやら貨幣について考えてきた私たちの長い旅も終わりに近づいてきたようです。ただ、その旅を終える前に、世界が当然のように中央銀行を認め、その通貨発行独占を認めていた時代に、それに一人異を唱えたハイエクがいたことの意味を改めて考えたいと思います。それが本書の最後のテーマになります。

三　再びハイエク

貨幣利子率と通貨発行競争

ひとつの思考実験を試みてみましょう。ハイエクの唱えた競争的な銀行券発行が、貨幣利子率が「ある」世界で実現したときのことを想像してみるのです。ブロックチェーンのような技術で作り上げられたグローバルな仮想空間上で、二つかそれ以上の発券銀行が貨幣利子率を軸に競い合い始めたら何が起こるか、それを想像してみてください。

ここで注意しておきたいことは、この世界では銀行券の発行を中央銀行が独占しているわけではないので、貨幣利子率と市場金利との間に実質ベースでの利回り差はほとんどないはずだということです。銀行券の競争的発行の世界での貨幣利子率は、手形や社債あるいは国債などの一般の金融商品を銀行券というかたちにする作業に要する費用（限界費用）の小ささを反映して、264ページで紹介したフリードマンの指摘にある通り、ほぼ市場金利で取引される金融商品の実質利回りに等しくなっているはずだからです。そこが、中央銀行が通貨の独占発行権を握っている私たちの今の世界との違いです。

ただ、それはすべての銀行たちが同じ貨幣利子率を彼らの銀行券に付すことになるだろうということを意味するものではありません。この世界での貨幣利子率は銀行ごとに違っていても良いのです。意味が分かり難いかもしれないので説明しておきましょう。

ここで想像しているような銀行間競争というのは、国情や国力の似通った国あるいは通貨圏の間で行われる通貨間競争、変動相場制の下での通貨間競争とよく似ています。国と国、通貨と通貨では金利が異なることは普通です。でも、そうした金利差は、長期的には為替レートの変化に吸収されて各通貨建ての金融資産保有者の採算には中立的なものとなります。歴史を振り返ってみると、日米の金利差は三パーセント程度というのが為替ディーラーたちの間での常識となっていた時代がありました。固定相場制が変動相場制に移行した一九七〇年代後半以後、世界同時デフレが始まる前の二〇〇〇年代前半ぐらいまでの時代です。そして、何とも正直なことに、この間の対ドルでの円切り上げ率は、おおよそ年平均三パーセント程度で仕上がっています（パネル45参照）。米国では高めの利子率と貨幣価値の傾向的減価が、日本ではその逆が生じていることが見て取れるでしょう。

これと同じことは、グローバルな仮想空間内で銀行たちが通貨の発行競争を展開したときにも当然に起こるはずです。銀行たちは、やみくもに貨幣利子率を高くすれば良いわけではありません。もちろん、デジタル銀行券の保有者が、高めの貨幣利子率と通貨価値の傾向的減価との組み

パネル45：金利差と為替

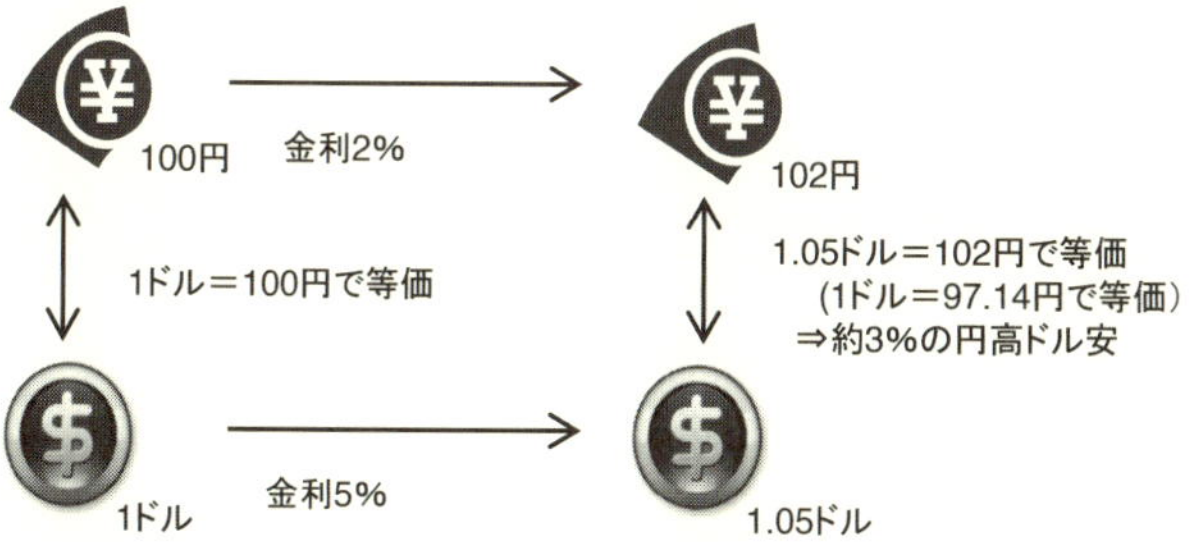

金利差が為替レートにあたえる効果を図示すると上図のようになる。ここでは日米金利差3%が為替に与える円高ドル安効果を示しておいたが、これを変動相場制移行後の実際の長期為替レートの変化として観察した結果が下図である。傾向線は概ね3%の直線（この図は縦軸が対数目盛にしてあるので傾向線が直線であることが定率であることを示す）になっていて、日米金利差3%という「常識」とほぼ符合している。

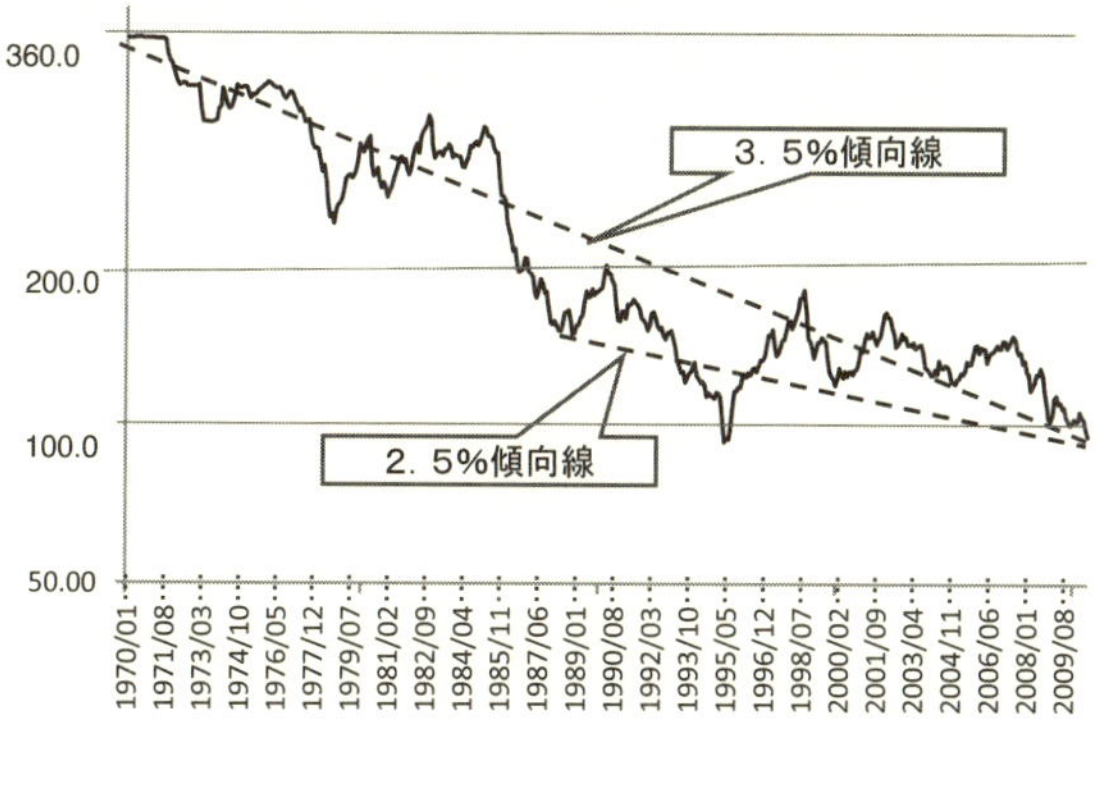

合わせを選ぶか、その反対の組み合わせを選ぶかを見極めることは、競争を繰り広げる各発券銀行の経営戦略にとって無意味なことではありません。でも、それは銀行券発行競争の結果を左右する決定的な要因にはならないのです。彼らは何を巡って競争することになるでしょうか。

おそらく、この世界での銀行券発行競争は、それを発行する銀行たちが、いかに「良い」金融資産を銀行券発行の見合いに確保するか、それを巡って展開されることになるはずです。ここで「良い」というのは、リスクを考慮して高い収益性が見込まれるという意味です。ただただ安全であれば良いというわけでもなく、一方で、単純に見かけの利回りが高ければ良いわけでもありません。ハイリスク＝ハイリターンという格言が教える投資市場の原理にしたがって、覚悟しなければならないリスクに応じたリターンを稼いでくれる投資対象が「良い」資産なのです。そうした競争を通じ各発券銀行の提供する銀行券の商品性とシェアそして全体としての貨幣供給量が決まる、それがこの世界での銀行間競争の行き着く先ということになるでしょう。

それは何を意味するでしょうか。その効果は、直接的には今まで中央銀行が独占していたシニョレッジつまり貨幣発行益が発券銀行たちのものになるというかたちで現れるでしょう。ただし、そのときのシニョレッジは、今の中央銀行が得ている独占企業としての利益ではありませんから、その金額はずっと小さくなっているはずです。発券銀行たちが銀行券を作るのに用いた見合い資産から入ってくる収益の大部分は、銀行間での競争を通じて貨幣利子率として銀行券保有者に還元されるものとなっていることでしょう。これは銀行券を持つ身にとっても悪い話ではありません。

しかし、銀行券発行が競争に移行することの意義は、それだけにとどまりません。それは、こうした銀行券発行競争は、私たちに自分が使う通貨を自分で選ぶことを保証するものにもなり得るからです。

自分の通貨圏を自分で選ぶ

想像の世界での物語をもう少し続けさせてください。再びパソコンあるいはスマホの画面を見つめる貴方の立場で考えてみましょう。

画面には多くのサイトが、自分たちが提供する通貨つまりデジタル銀行券の魅力をアピールしながら、代わる代わる現れてくるはずです。あるサイトはその金利あるいは貨幣利子率の高さをアピールするでしょう。別のサイトは、自分たちは金利こそ程々に抑えるが、他のサイトが提供する通貨よりも長期的には価値が上がる、今の私たちの言葉で言えば為替が強くなる傾向にある通貨だということを訴えかけるかもしれません。金利も為替も安定していることを売りものにするサイトがある一方では、短期的には金利も為替も不安定だが長期的な収益性の高さで強調するサイトもあるのではないでしょうか。あるいは使える範囲の広さや深さを特徴とするサイトもあるかもしれません。範囲というのは空間的な拡がりとは限りません、資源や原材料を売買するなら自分たちとか、ブランド品なら自分たちというアピールの仕方もあるでしょう。貴方はそれらを自由に選べばよいのです。言うまでもないことですが、貴方は画面に通貨の交換サービスつまり取引所を呼び出すこともできるでしょう。それができれば通貨を選ぶことをあまり固く考える必要もなくなります。状況と必要に応じて、この頃よく使われる言葉を使わせていただけば、貴方の「ステージ」とか「シーン」とかに応じて選べばよいのです。

これが、ハイエクの通貨自由発行の世界がP2Pの仮想空間で実現し、そこに「ゲゼルの魔法のオカネ」が入ってきたときの状況です。しかし、仮想空間にいるのは「ゲゼルの魔法のオカネ」だけではありません。そうした仮想空間を最初に発見したビットコインとその末裔たちも、おそらく貴方はそこで見出すことができるはずです。

そんなことを書くと、ビットコインたちのようなPOWモデルの貨幣は信用貨幣に比べて作り出すのにコストがかかる、だから競争力がないだろうというようなことを言っていたではないか（252ページ）、あれは何なのかとお叱りを受けるかもしれません。でも、ここで書いていることは、製造原価という視点からの競争力の話とは矛盾していません。貨幣を作り出すのに実物的なコストをかけていることは、限りある地球資源の活用という観点からは「もったいない」ことなのですが、しかし、限りある資源の価値に依存しているPOWモデルの貨幣の方が、信用制度に依存している貨幣よりも安心できるという面もあるからです。

繰り返しになってしまいますが、貨幣としてのビットコインたちの価値は、本質的にはそれを作り出すのに必要な電気代に依存しています。そして、それは独特の安定と不安定の両方をビットコインたちにもたらすことになります。信用制度がいくら揺らいでもエネルギー価格がある限りビットコインたちは価値を失いません。その代わり、原油価格が暴落すればビットコインたちの価値も大きく下落するでしょう。それが独特の安定と不安定ということの意味ですが、そうした文脈での安定と不安定なら、確かに意味があると考える人もいるはずです。老後の安心のために「金」に投資したい、でも自宅の金庫に金塊を置くわけにもいかないから貴金属商に「金」を預けておくというような人にとっては、仮想空間にビットコインがあった方が望ましいはずだからです。

そして、ビットコインたちが「いる」ことは、新しい通貨たちが動き回る場としての仮想空間に、規律と基準そして安全をもたらすものにもなります。あまり楽しい想像ではないのですが、P2Pの仮想空間の中で「ゲゼルの魔法のオカネ」がどこまでも自由に動き回るのを快く思わない政府たちは、おそらくどこかから出てくるでしょう。また、通貨発行の「競争」に音を上げて「協調」の世界に戻りたいという誘因が銀行たちに生じれば、規制を望む政府がそれと結びつくというシナリオだってあり得るような気がします。そんなときにはビットコインたちがそこに「いる」ことの意味は大きいはずでしょう。仮想空間での金融取引に介入しようとする勢力にとって最も手強い相手となるのは、仮想空間そのものの中から価値を作り出してくるビットコインたちだからです。

経済学者は「通貨圏」という言葉を使うことがあります。一つの通貨を使う人たちが居住する地理的空間的な拡がりのことです。貨幣としての円の通貨圏は日本の統治が及ぶ領域とほぼ一致しています。ドルの通貨圏は米国の領土よりもやや大きいようですが、まあ近いものだと考えて良いでしょう。そして、そうした通貨圏にどのくらいの広がりを持たせるのが望ましいかを議論するときに登場するのが「最適通貨圏」という概念です。

最適通貨圏とはロバート・マンデル（1932年〜）という経済学者が提唱した考え方で、簡単に言えば人々の居住や商品あるいは投資などの経済活動が自由に移動する地域のことなのですが、なぜ「最適通貨」という概念が出てくるかというと、そうした条件を満たす地域であれば、そこに資源価格の急変や技術環境の激変というような予期せぬ外生的ショックが加わったときでも、状況に対処するための金融政策は一つで十分と考えることができるからです。金融政策を一つにすることができれば、それに合わせて通貨も一つにした方が商売も投資も活発になるだろうというわけです。これは統一通貨ユーロを作った議論としてご存じの読者も少なくないと思います。

本当に通貨を一つにした方が商売や投資が活発になるか、そこについて私はやや疑問を持っていますが、その議論は止しておきましょう。ここで注意した方が良いことは、最適通貨圏というのは、あくまでも中央銀行と金融政策の存在を前提にした議論だということです。一定の域内での通貨を独占発行する金融政策の遂行者である中央銀行の存在を前提にする限り、その通貨圏の拡がりを個人の選択に委ねるわけにはいかなかったのです。通貨圏は通貨を独占発行する中央銀行の存在を前提として決める必要がある、その決定を市場に委ねることはできない、それが通貨制度のあり方として「最適性」を論じなければいけなかった理由だったのでしょう。

しかし、何をもって何を最適とするか、そしてそれを誰が判断するかは、ときに危険な対立に私たちを導くことになります。ユーロほどの分かりやすい条件を備えた地域であってもそうだということを、この数年来のギリシャ危機が教えてくれています。そうした対立の火種になりかねない決定から、通貨制度はできる限り距離をおくべきと考えるのは私だけではないでしょう。最

パネル 46：共通通貨という片道切符

最適通貨圏の最も基本的な条件は、資源高とか災害などの外生的ショックが加わったとき、ある国には景気刺激効果が生じ他の国には景気抑制効果が生じるというような非対称性が圏内にないということである。これは通貨を同じくするということが金融政策を同じくすることを意味する以上は当然のはずの条件なのだが、現実には無視されやすい条件でもある。通貨圏を同じくすることの短期的な利益は、条件を満たすかどうかの判断を捻じ曲げやすいからである。通貨圏を創出し拡大しようというアイディアは、たまたま状況が条件を満たした瞬間をとらえて強く主張されるが、やがて状況が変わって条件を満たさないことになると反感と争いの火種になってしまう。写真はＥＵによる緊縮策の「押しつけ」に抗議するアテネ市民の10万人集会（2011年）。欧州各国人の心の故郷たるギリシャでもこうなるのを見れば、東アジア共通通貨など実現しなくて良かったと思うのは私だけではあるまい。そもそも東アジアは、マンデルの最適通貨圏の条件すら満たしていなかったからである。ただ幸いにも、東アジア共通通貨構想は過去の話になっている。それを主張した人たちも自分が主張したことを忘れているようだ。いつまでも忘れていて欲しいと思うところでもある。

適通貨圏として現在の「国」を選ぶか、それとも国を超えた「地域」を選ぶかは、国家レベルでの選択であるよりは、可能な限り個人の責任に基づく自由な選択に委ねられるべきでしょう。今までの私たちにそれができなかったのは、中央銀行による通貨発行独占を当然の前提として、それを貨幣の世界に組み込んでしまっていたことによるものなのです。

こうした通貨圏を巡る今までを振り返ってみると、仮想空間で「ゲゼルの魔法のオカネ」をやり取りすることの意味に改めて気づくのではないでしょうか。良く設計された仮想空間では私たちは自分が属したい通貨圏を自分で選ぶことができるはずです。複数の仮想空間を選ぶこともできます。そして、そこでは共通通貨とか最適通貨圏などという議論に煩わされることもありません。通貨の選択を人のひとりひとりに委ねることは、私たちの選択を自らエリートと気負う人たちの誤りや功名心から遠ざける賢い知恵にもなる、そう私は思っています。それこそが今から半世紀ほど前にハイエクが提唱していた通貨発行競争の世界だったのではないでしょうか。

中央銀行は終わるのだろうか

私はこの数年というもの、あまり遠くないうちに「中央銀行が終わる日」が来てしまうのではないか、そういう懸念を抱き続けていました。バブル崩壊後の日本、リーマンショック後の米国そして欧州、そうした国々の中央銀行たちが陥った状況を見ると、それが彼らの決定の誤りや政策の失敗によるものとは思えなくなっていたからです。

誤りや失敗であれば、それを犯しても組織や制度が終わることはありません。誤りや失敗は直せばよいのです。しかし、誤りでも失敗でもないのに機能が不全に陥って行くのであれば、仕組みそのものを考え直さなければなりません。中央銀行は終わるのではないか、そうした疑いあるいは懸念を持つようになったのはそれが理由です。

もっとも、金融政策が機能不全に陥った直接の原因は明らかだとも思っていました。原因は「流動性の罠」です。金利ゼロの金融資産である銀行券が存在する限り、金利はゼロ以下になることができません。ですから、金融政策はインフレ対策には向いているが、デフレ対策には限界があるわけです。

ただ、向いているかどうかということと、何もできないかということとは違います。経済全体に成長の潜在力があるときにならば、金融政策は何もできないわけではありません。流動性の罠に陥るほどの大きなデフレ要因が現れても、思いきった金融緩和をして、将来の緩和効果を現在に借りてくればよいのです。かつての日銀の「時間軸政策」、今の日銀の「異次元緩和」、米国連邦準備制度の「量的緩和」、当事者たちがどう意識しているか分かりませんが、横から見れば、そうした政策とは要するに将来からの「政策効果借り入れ」を狙ったものと評価できるでしょう。問題は、そこまでの将来の豊かさが私たちに残されているかどうかなのです。

日本は厳しいと思います。欧州も同じでしょう。何とかなる可能性がありそうなのは米国で、これは181ページの人口ピラミッド比較を見れば、まあ自明のうちに入ると思います。米国の金融政策では「出口」の議論ができるのに日本ができないのは、日銀が怠けているとか下心があるのを隠しているとかによるのではなく、本当にできないのではないかと私は思っています。

しぶといデフレを上手に逆転させて緩やかなインフレに移行させたいというのが「出口」の議論の核心であるとしたら、それは米国の人口動態を前提にすれば描けないシナリオでもないでしょう。でも、日本ではよほどの幸運に恵まれなければ描けないシナリオなのです。日本について描けるのは貨幣価値の部分崩壊に近いほどの突然の物価のジャンプアップが来て、その後にまたしぶといデフレが戻ってくる、そういうシナリオだけになってしまうのではないか、そのように思えてならないのです。

そんなシナリオが実現してしまったら、中央銀行は終わってしまうかもしれません。金融政策というのは、現在の豊かさと将来の豊かさを国民経済全体として交換する政策でしかありません。ですから、かつての成長の時代にあったような将来の豊かさへの予感が消失してしまったら、金融政策はその役割を果たしようもないのです。そして、世界的に進行する格差の拡大があります。格差拡大自体は金融政策の責任ではないのですが、しかし金融政策を「良きもの」とする社会的な合意基盤を崩すものであることは間違いないでしょう。中央銀行はインフレを目指すと言う、それで景気は良くなると言う。確かに企業業績は良くなったらしい。だが、賃金は上がらない。残るのは物価のジャンプアップによる老後の貯えの減少への恐怖だけだ。そうとなったら、人々の怒りは中央銀行に向くことになります。それは中央銀行の終わりを意味するはずです。

繰り返しになりますが、起こりそうなのは物価のジャンプアップです。成長の時代にあったような持続的な物価上昇つまりインフレではありません。インフレに対してなら中央銀行も打つ手がないはずがありません。しかし、突然のジャンプアップとしぶといデフレという循環相に経済が陥ってしまったら、物価のジャンプアップの局面では、そのリスクを放置したとして世の指弾を受け、しぶといデフレの局面では十分な金融緩和を行わないでいると批判される、そうした非難と不評のサイクルの中に中央銀行は落ち込んでいくこととなります。

もっとも、そうしたサイクルの中にあっても、せめて最悪の循環相に陥るのを和らげることぐらいはできます。その方法は銀行券に利子を付けることです。銀行券を「ゲゼルの魔法のオカネ」にすれば良いのです。そうすれば「流動性の罠」に陥った金融政策が「しぶといデフレ」の局面で、高すぎる金利（マイナスになるべき局面なのになっていない、という意味で「高すぎる金利」です）となって、景気をさらに下押ししてしまうことくらいは防ぐことはできます。それは物価のジャンプアップの可能性を減らしてもくれるでしょう。ただ、そこでの問題は、いくら中央銀行が「ゲゼルの魔法のオカネ」を作り出しても、それをデジタル系の技術から作り出す限り、その魔法のオカネが自由かつ効率良く飛び回る空間がなかなか見つからなかったことです。それが見つからなければ、中央銀行には幸運以外の「出口」はない、そこが問題なのだと私は思っていました。

しかし、その事情はビットコインの出現で変わりつつあります。ビットコインがブロックチェーンという独特の方法論を使って実用になることを示してくれた仮想空間は、十分に「ゲゼルの魔法のオカネ」が自由に飛び回れる世界になれそうだからです。

まだ最後の章を終えていないのにエピローグのようなことを書いて恐縮なのですが、私は中央銀行たちの円やドルがビットコインたちと華々しく競争して負けるというシナリオはまずないだろうと思っています。理由は円やドルのような信用貨幣の方が、ビットコインたちのようなPOW貨幣よりもはるかに安く、地球資源に負担をかけずに作り出せるからです。ビットコインたちが未来の貨幣の世界に占める地位は、それを彼らが最も得意とするホームグランドたる仮想空間においてすら、長期的には「コイン」というその名の通り、補完的かつアンチテーゼ的な地位にとどまるのではないかというのが私の予想です。ですから、中央銀行の姿が未来の貨幣の世界にない、消えてしまうということが起こるとすれば、それはビットコインたちに負けるのではなく、ときにフィンテックなどという言葉で表現される民間企業や銀行たちによる世界的な決済サービス開発競争の中で、中央銀行たちが自らのいるべき場所を見いだせないときに起こることだろうと思うのです。

さあ、そうすると、新しいハイエクの世界で、中央銀行たちにどんな役割が残ることになるでしょうか。それとも役割は何も残らないのでしょうか。最後にそれを少しだけ想像して本書を終えたいと思います。

やがて秤座のように

私は「役割は残る」と思っています。残るのは、安定した「価値尺度」を提供するという役割です。正確に言えば、誰もが安定した価値尺度だと認めるような分析と方法論をもって貨幣利子率を決定し、その利子率のデジタル銀行券を世に提供し続けることです。それは、世界がハイエクの描く通貨間競争へと移行しても、引き続き現在の中央銀行たち、あるいはその後継者たちに最後に残る役割であり、最もふさわしい役割でもあるだろうと私は思っています。

なぜ価値尺度の提供が中央銀行たちに最後に残る役割なのでしょう。それは、価値尺度というのは、単に今日という時点での財物の価値の相対的な大小を測る基準になるだけでなく、現在と将来とを交換する契約である金融契約の安定を支える役割を負っているからです。それを提供することは誰にでも務められる役割ではありません。そしてまた、他の目的から切り離された使命感を背負ってそれを担おうとする者に委ねた方が良さそうな役割でもあります。他の目的を持つ者に尺度の決定を委ねることは、その者の利益のために時間軸上での価値尺度が伸び縮みさせられるのではないかという疑念を世に抱かせます。それは望ましいことではありません。尺度の管理者は、ただ尺度の公正だけを使命とする司祭のような存在であった方が良いはずなのです。

ハイエクの描くところの通貨間競争の世界とは、民間の銀行が各々の通貨単位を自ら決め、その単位での銀行券を競って発行する世界です。その競争を動機付けているのは各発券銀行の企業利益追求です。ハイエクはそうすれば通貨価値は自然に高まるだろうと考えたわけです。まさに慧眼と言うべきです。貨幣発行を競争に委ねれば、貨幣価値を高めるというインセンティブが貨幣発行者に働くということは、変動相場制移行後の各国が繰り広げた通貨価値維持競争と、それによる世界的な物価の安定からもうかがい知ることができます。しかし、だからと言って、競争というルールだけで未来の貨幣の世界の全部をデザインするわけにはいかないだろうと私は考えています。

貨幣には「決済手段」と「価値保蔵手段」そして「価値尺度」としての役割があると言われま

す。この文脈から議論すれば、ハイエクの発想は貨幣の「価値保蔵手段」としての役割に眼を付けたものと整理してもよいでしょう。そして、私たちが考えた「ゲゼルの魔法のオカネ」を仮想空間の世界に提供するということは、「決済手段」と「価値保蔵手段」としての貨幣を供給する役割を中央銀行の独占から取り上げて競争に付すことを意味します。これは、未来の貨幣制度として優れたデザインのはずです。ただ、それだけで貨幣が提供すべき役割の全てが揃うわけではありません。それだけでは、「価値尺度」としての貨幣が良く維持できるとは限らないからです。通貨間競争が始まれば、それに参加する誰もが効率的な決済手段にして有利な価値保蔵手段であることに特化した通貨を提供しようと競い合う世界が始まるでしょう。それが競争の担い手である発券銀行たちにとって多くの顧客を獲得することにつながるからです。しかし、そのとき、価値尺度としての貨幣はどうあるべきでしょうか。

価値尺度として優れた貨幣というのは、手軽で便利に使えれば使えるほど良いというわけではないでしょう。便利に使えるというサービス性と公正な利子率決定との境界が曖昧な貨幣は、おそらく良い価値尺度にはならないからです。また、投資や貯蓄の手段として優れていて、どんどん価値が高まれば高まるほど良いというわけでもないはずです。金融契約の安定を支えるという貨幣という観点からは、人々の予想を上回って貨幣価値が高まり過ぎるのも困るし、予想を裏切って下落するのも不可なのです。そうした予想を裏切る貨幣価値の上下は、金融契約の当事者間における予期せぬ富の再分配を生じさせることで金融契約を不安定化させ、ひいては投資や貯蓄を行おうとする人々の行動を委縮させてしまうでしょう。それも困るはずのことなのです。

通貨の発行を民間銀行による競争に委ねたとしても、そこには様々な外的なショックがやってきます。災害もあるでしょうし政治の不安定もあるでしょう。思いもよらぬ技術進歩ということもあるかもしれません。そうした不確実な世界の中で、貨幣の外の世界から来るショックをできる限り柔らかく受け止めることを是とする発券銀行はあっても良いし、また少なくとも一つはあるべきだと私は思います。その存在は経済と社会の安定に不可欠の条件のはずだからです。

そして、その役割を果たすと宣言し、その宣言を人々から最も信じてもらいやすい位置にいるのは、やはり現在の中央銀行たちのように私には思えます。そうした役割を果たすことになった彼らを、引き続き「中央銀行」と呼ぶべきかどうか、それはどちらでも良いことでしょう。ただ、そのときの彼らは、金融政策という名の景気政策にすっかり軸足を移したかに見える現在の中央銀行たちよりも、かつて「物価の番人」などと呼ばれていたころの彼らに近い行動原則を復活させた存在になっているでしょう。銀行券の価値を安定させて、それが金融契約の基盤として役割を最大限に果たせるよう努力することこそ、今は中央銀行などと呼ばれている彼らの最後に残る使命になるし、また彼らに最も向いた役割になるのではないでしょうか。

江戸期の日本には「秤座」という団体がありました。度量衡の一つである重量、それを測る「秤」を統一し、当時の活発な経済活動を支えた団体です。もちろん、秤座にも様々な事件があり人間模様もあったようです。しかし、彼らが提供する「秤」は常に人々に安定した基準を提供し続けていました。それは目立たないながらも江戸期における日本の経済を支えた不可欠の基盤だったのです。

パネル47：枡座と秤座

江戸期の日本では、枡と秤は各々の「座」により厳重に管理され、偽枡や偽秤の使用は重罪とされていた。林英夫の『秤座』（吉川弘文館 1973年）などを読むと、当時の東西の秤座による秤改めは徹底していたようだが、同時代でも米を測る枡については、枡を大きくして実質税収をあげようとする藩ぐるみの不正が後を絶たなかったらしく、これには枡座をバックアップしていた幕府も手を焼いていたようだ。枡の管理には、利害関係者にして為政者でもある藩権力が絡むので、秤とは違った文脈からも公正の徹底は難しかったのだろう。秤の管理が江戸期を通じて公正を保てたのは、秤は枡と比べても為政者の直接的利害との距離が大きいことや、秤自体に精密器具という性格が強かったことにもよるように思われるが、それにしても秤の提供者たちの強いプロ意識がなければ、江戸期を通じての秤への信認が保てたかどうかは疑問だろう。写真は、北九州市の市立自然史・歴史博物館所蔵の天秤で、銘に「嘉永五年」とあるそうなので幕末期のものだが、こうした計量器への信認は江戸期の活発な国内経済活動を支えた基盤の一つだった。

中央銀行たちもやがては「秤座」のようになるべきかもしれません。安定した尺度の提供は、昔も今も人々の前向きな経済活動になくてはならない役割のはずだからです。でも、彼らがそのことに気付かず、金融政策を担うのだと言って物価や景気を操ることをいつまでも夢見ていれば、本当に「中央銀行が終わる日」が来てしまうこともあり得ないことではないでしょう。そんな日が来ることのないよう私は願っています。

おわりに

現代を語る本を作っていて悩ましいのは、ようやくの思いで原稿を書き上げ、出版社に送って校正を待っているうちに情勢が動いてしまうことである。

もっとも、情勢が動くと言っても、そこで起こるのは困ることばかりではない。この本で筆者なりに苦労して説明したビットコインの仕組みなどは、金融界あるいは実務界の第一線で活躍する人たちにとっては早くも常識に近いものとなりつつある。だから、今の彼らの主たる関心事は、ビットコインとは果たして通貨なのかどうかというような概念的な問題ではなく、それが有用性を証明してくれた様々なアイディアの実務への生かし方になっているようだ。そして、そうした変化は筆者にとっての嬉しい誤算のうちに入る。どこまで共感してもらえるだろうかと心配しながら書いていた「仮想空間の中で動き回る多様な通貨たち」の物語なども、これでずいぶん現実に近い未来図として受け止めてもらえそうだからである。

＊　＊　＊

他方で、なぜに今さらと言いたくなるような動きもあった。この本の原稿をどうにか書き終えたのは二〇一五年の晩秋が終わり街に師走の声が聞かれ始めたころだったわけだが、年が変って二〇一六年の一月末になって、日銀がいわゆる「追加緩和」の目玉として、市中銀行から受け入れる当座預金に〇・一パーセントのマイナス金利を付すとのニュースが飛び込んできた。これなどは、そもそもこれまでの日銀のスタンスと矛盾する話でもあり、まあないだろうと割り切って無視を決め込んでいたシナリオの一つだったので、本を書いている立場としては良くも悪くも意表を突かれたことは間違いない。本書は、あの「流動性の罠」への対応としては、必ずしも本質的な解決とは言えないはずの「中央銀行が市中からの預かり金にマイナスの金利を付す」という話をスキップして、いきなり「中央銀行がその銀行券にマイナスの金利を付す」という話を展開する構成になっているわけだが、今回の日銀の決定などとの絡みからは、それがかえって分かり難さを生んでしまった結果になっているかもしれない。

説明をしておくと、中央銀行が市中銀行からの預かり金にマイナスの金利を付すということ自体は、取り立てて「サプライズ（驚き）」という程の話ではない。欧州共通通貨ユーロを担う欧州中央銀行は二〇一四年の六月にこの金利を採用しているし、ユーロに参加していないスイスの中央銀行でも欧州中央銀行にやや遅れ同年一二月に同じような決定を行っている。さらに、北欧のデンマークやスウェーデンではもっと前からマイナス金利が採用されていた。だから、今回の日銀の決定にサプライズの要素があるとすれば、それは日銀が採用したマイナス金利というものの内容と背景の方にある。そこに筆者は違和感を覚えるのだ。

日銀のマイナス金利というのは、この政策の採用以前に預け入れていた資金実績に対してはプラス〇・一パーセントという金利をそのまま残し、そうした実績を超えて新たに預入される資金についてだけ金利をマイナスにするというものである。

しかし、これを市中金融機関の側からみたらどうだろう。彼らの眼には、これまでの「異次元緩和」の過程で積み上げてきた日銀預け金が、新たに始まったマイナス金利政策の時代では、その圧力に耐えて確実にプラスの金利を生んでくれる「お宝」として、にわかに光を放ち始めたと映るのではないだろうか。そうなれば、彼らはすでに預け入れ済みの日銀預け金を摑んで離さない、できる限り動かさないようにする、そうした努力を始めるはずである。

だが、それは、今回の日銀の政策が、現にある巨額の日銀預け金の大部分を信用創造のプロセスから切り離されたマネーに変える側面を持つことを意味するものでもある。すなわち、これまでの量的緩和の「成果」の大きな部分の「不胎化」に他ならないのだ。

ちなみに、筆者自身は、マネタリーベースすなわち銀行券と中央銀行における市中からの預り金の合計額を何が何でも増加させようという量的緩和策なるものは、長期的には有害無益と思っているので、金融システムの大きなリスク要素になりかねないマネタリーベースの水増し部分が不胎化されるのは悪くないとすら考えている。

しかし、それを今の日銀が本気で狙っているとは思いたくない。異次元緩和なるものの中核は何と言っても金融の量的拡大であると多くの人は信じたし、そう信じたからこそ真剣に擁護する論者もあり批判する論者もあった。また、多くの人がそう信じたからこそ、少なくとも一時的には、異次元緩和はその効果を持てたのである。それが違うのだということになったら、これは確かに大きな「サプライズ」である。だが、そうして人々を驚かせ、その信に背くことは、中央銀行がなすべきことではない。日銀は、いったい何処に行こうとしているのだろうか。

＊　＊　＊

断っておくと、中央銀行の預り金にマイナスの金利を付すこと自体は、たとえそれが既存の預金にはプラスの金利を付したままのものであったとしても、一定の効果はある。市中の金融機関同士が資金のやり取りをする際に意識する金利は、底溜まりの「お宝」と化した預け金に付されるプラスの金利ではなく、新たに中央銀行に資金を預入するときに適用される金利水準のはずである。したがって、それをマイナスにすることは、銀行間取引において形成される金利つまり市場金利をマイナス方向に引き寄せる要因になる。すなわち、その限りでは、今回の日銀のマイナス金利も一定の効果はあることになる。

しかし、そこで忘れてはならないことがある。こうした文脈での政策効果には明らかな限界があり、それは日本と世界を悩ませ続けている「流動性の罠」の問題に、何ら本質的な解決をもたらすものではないということである。

中央銀行にせよ市中銀行にせよ、彼らがその預り金にどの程度のマイナス金利を付すことができるかを考えてみよう。それを解く鍵になるのは、彼らの相手方にとっては、現金つまり銀行券をしまい込んでおくという選択肢が残されていることである。したがって、そうした現金保管にかかる費用を超えてマイナスの金利を預金者から徴収することはできない。これが金利ゼロの金融資産である銀行券の存在をそのままに、銀行がその預かり金にマイナス金利を課そうとするときの限界である。だから、この種の政策の有効性あるいは限界を考えるときには、銀行券を文字通り「現物」として保管すると、どの程度のコストがかかるか、それが預金に課されるマイナス金利に見合うものなのかどうか、それについての見極めが必要なのである。

金額が百万円ぐらいまでなら、財布やロッカーにしまい込んでおくのも、あり得る話である。だが、百兆円となるとそうはいくまい。専用の保管施設が必要になるはずだ。ちなみに、現在の日銀のバランスシートでは、銀行券と預金の合計が約三百兆円だから、この議論はそのくらいの金額を意識して行う必要がある。ところで、これは数字遊びのような話なのだが、そもそも百兆円というのは生半可な量ではない。一万円札一枚の重さは約一グラムだから、一億円は十キログラム、一兆円なら百トン、百兆円は実に一万トンという途方もない物量になる。これほどの「量」の現金を保管するとなると、あの007シリーズにも登場した米国のフォートノックス並みの要塞のような施設が要るはずだ。

問題はそうした施設の運営にどのくらいのコストをかけられるかだが、その上限を画するのがマイナス金利の程度である。金利のマイナス幅が〇・一パーセントで新規預入分だけというような話だったら、無理することもあるまい、おとなしく金利を払っておくかと考えそうである。日銀が狙っていることは、要するにそれだろう。しかし、金利が同じマイナス〇・一パーセントでも、既存新規を問わずに適用などということを日銀が言い出したら、百兆円を預金すれば年間で千億円もの金利負担が発生してしまう。それなら、日銀に預けて金利を支払う羽目になるより、元気な起業家にでも頼んで「現金保管業」を始めてもらい、皆でそうした現金保管サービスを利用しようかとか、それにも日銀がうるさいことを言ってくるようなら、大事なお客様にはそうしたサービスをご自分で利用するようお勧めしてしまおうか等という話が出てくる可能性もある。要するに、大規模な量的緩和とマイナス金利とは、そう簡単には共存できないのである。

改めて話を整理しておこう。マイナスの金利と言っても、その大きさはコンマ以下の数パーセント程度が限界、対象の預金も異次元緩和が作り出した程の量を相手にするのはやめた方が良い、無理して突き進めば、その先には「流動性の罠」が待っているというのが、この文脈での「落ち」ということになる。行き詰まった通貨システムの未来を本気で切り開きたいのなら、預り金にマイナスの金利を付しますなどという小手先の手段ではなく、銀行券そのものに金利を付すこと、マイナスにもプラスにも金利を付すこと、それができるようにする方法を考えた方が良いはずなのだ。そして、それは、通貨の未来を考えようとした本書で、あえて「ゲゼルの魔法のオカネ」を検討の軸に据えた理由でもある。

＊　＊　＊

最後に、本書の『中央銀行が終わる日』という、取りようによっては不穏とも不遜とも言われかねない書名について記しておきたい。

本書の出版社である新潮社から、この書名の案を受け取ったとき、戸惑いが無かったと言えば嘘になる。筆者が何よりも本書で論じたかったのは、私たちが当然のように意義あると思っている金融政策、より正確には景気対策という文脈での金融政策が、その効き目を失いつつあるばかりでなく、それを意義あるものとする合意基盤すら揺らぎつつあるのではないかということであった。だが、それを論じることは、「景気政策を行う中央銀行」という時代が終わるのではないかということであっても、景気政策を諦めた後にも多くの役割を担えるはずの現在の中央銀行たちが「終わる」ということと同じではない。にもかかわらず、こうした書名にしてしまうと、そうでなくとも脆弱さを増しつつある世界の金融システムに対する無用な危機感をあおる本のように受け取られるのではないか、そんな危惧を覚えたからである。

ただ、そんな危惧を覚えながらも、これは原稿の最初の読者でもある新潮社の編集者と議論しているうちに、なんとなく『中央銀行が終わる日』でも良いかと思えてきたのが不思議と言えば不思議である。言葉の巧みな編集者に乗せられたのかもしれないが、筆者の思いをそのままタイトルに落とそうとすると、たとえば「中央銀行としての中央銀行は終わるが、それでも残る中央銀行の役割」というような呪文のような文字列になってしまって、これでは寝言にはなっても書名にはならないことに気が付いたという面もある。

しかし、それはともかく、今そこにある問題として、中央銀行たちの未来に危うさが増しつつあることには間違いないだろう。だから、ここは繰り返させてほしい。日銀は何処に行こうとしているのだろうか。中央銀行としての中央銀行ではなく、中央銀行そのものが終わる日、それは来ない方が良い。中央銀行たちには、景気政策としての金融政策を諦める日が来ても、まだまだやるべきことが多く残っているはずなのに、である。

二〇一六年二月

筆者

図版出典一覧

〈第一章〉
P16：Getty Images
〈第二章〉
P87：災害リスク評価研究所・松島康生
〈第三章〉
P110：Getty Images
P115 左上：As6022014
P121：Ripple Inc.
P125：New Media Days / Peter Erichsen
P129：ithacahours. com
P133 上：KnCMiner AB
　　 下：Matthew Richards
P139 下：有限会社アイコインズ
P155：Getty Images
P159：shigeru23
P165：Dietrich Bartel
〈第四章〉
P221：Christian Gelleri
〈第五章〉
P245：Russ London
P254：国立印刷局
P262：David Shankbone
P269：Getty Images
P283：Kotsolis
P292：北九州市立自然史・歴史博物館所蔵（冨田吉子撮影）

新潮選書

中央《ちゅうおう》銀行《ぎんこう》が終《お》わる日《ひ》　ビットコインと通貨《つうか》の未来《みらい》

著　者………………岩村《いわむら》 充《みつる》

発　行………………2016年３月25日
６　刷………………2018年３月25日

発行者………………佐藤隆信
発行所………………株式会社新潮社
〒162-8711 東京都新宿区矢来町71
電話　編集部 03-3266-5411
読者係 03-3266-5111
http://www.shinchosha.co.jp
印刷所………………凸版印刷株式会社
製本所………………株式会社大進堂

乱丁・落丁本は、ご面倒ですが小社読者係宛お送り下さい。送料小社負担にてお取替えいたします。
価格はカバーに表示してあります。

ISBN978-4-10-603782-5　C0333

貨幣進化論
「成長なき時代」の通貨システム
岩村充

バブル、デフレ、通貨危機、格差拡大……なぜ「お金」は正しく機能しないのか。「成長を前提としたシステム」の限界を、四千年の経済史から洞察する。

《新潮選書》

金融の世界史
バブルと戦争と株式市場
板谷敏彦

メソポタミア文明の粘土板に残された貸借記録からリーマン・ショックまで。金融の歴史とは、お金に形を変えた人間の欲望か、それとも叡智の足跡か——。

《新潮選書》

反グローバリズムの克服
世界の経済政策に学ぶ
八代尚宏

「輸出は得、輸入は損」という国民の思い込みが、日本経済の再生を妨げている。世界各国の構造改革の事例から、日本の国益と経済戦略のあり方を考える。

《新潮選書》

資本主義の「終わりの始まり」
ギリシャ、イタリアで起きていること
藤原章生

EU金融危機の本質とは、単なる財政破綻問題ではなく、現代資本主義が変容する前兆だ——。ローマを基点に、資本主義の「次の形」を模索する行動的論考。

《新潮選書》

日本はなぜ貧しい人が多いのか
「意外な事実」の経済学
原田泰

男女平等が「格差」を拡大させた！　日本は北欧より年金が充実している！　人口減少には農産物自由化が効果的である！　統計データが通説を次々と覆す。

《新潮選書》

鉄道復権
自動車社会からの「大逆流」
宇都宮浄人《きよひと》

なぜ世界の人々は続々と鉄道に乗り換えているのか。欧州発の大転換を、ビジネス・環境・高齢化・地域再生の側面から徹底分析。脱停滞の交通経済学。〈交通図書賞受賞〉
《新潮選書》